L'ÉCRITURE MYTHOLOGIQUE :
ESSAI SUR L'ŒUVRE DE VICTOR-LÉVY BEAULIEU

Collection « Terre américaine »
dirigée par
Alain Beaulieu et Jean Morency

TABLE DES MATIÈRES

Correction des épreuves : Gilles Dorion
Mise en pages : Perfection Desing
Conception graphique : Anne-Marie Guérineau

Diffusion pour le Canada : Gallimard Ltée
3700A, boulevard Saint-Laurent, Montréal (Qc), H2X 2V4
Téléphone : (514) 499-0072   Télécopieur : (514) 499-0851
Distribution : Socadis

Diffusion pour la Suisse : Le Parnasse Diffusion
20, rue des Eaux-Vives, Genève, Suisse
Téléphone : 41 22 736 27 26   Télécopieur : 41 22 736 27 53

Diffusion pour l'Europe : Librairie du Québec
30, rue Gay-Lussac
75005, Paris, France
Téléphone : (1) 43 54 49 02   Télécopieur : (1) 43 54 39 15

Diffusion pour les autres pays : Exportlivre
C.P. 307, Saint-Lambert (Qc), J4P 3P8
Téléphone : (514) 671-3888   Télécopieur : (514) 671-2121

BIBLIOGRAPHIE

Québec français, n° 45 (mars 1982)
Tangence, n° 41 (octobre 1993)
Voix et images, vol 3, n° 2 (hiver 1977)

ACHEVÉ D'IMPRIMER
CHEZ AGMV « L'IMPRIMEUR » INC.
CAP-SAINT-IGNACE (QUÉBEC)
EN NOVEMBRE 1996
POUR LE COMPTE DE NUIT BLANCHE ÉDITEUR

Dépôt légal, 4ᵉ trimestre 1996
Bibliothèque nationale du Canada
Bibliothèque nationale du Québec

DU MÊME AUTEUR

Le quatuor d'Alexandrie de Lawrence Durrell, Paris, Hachette, 1975. (Coll. « Poche critique »)

Lecture politique du roman québécois contemporain, Montréal, UQAM, Cahiers du Département d'études littéraires, n° 1, 1984

Le social et le littéraire : anthologie, Montréal, UQAM, Cahiers du Département d'études littéraires, n° 2, 1984

L'avant-garde culturelle et littéraire des années 1970 au Québec, dir., Montréal, UQAM, Cahiers du Département d'études littéraires, n° 5, 1986

Le roman national, Montréal, VLB éditeur, 1991. (Coll. « Essais critiques »)

Littérature et société, (dir., en coll. avec Lucie Robert et Jean-François Chassay), Montréal, VLB éditeur, 1994. (Coll. « Essais critiques »)

Les habits neufs de la droite culturelle, Montréal, VLB éditeur, 1994. (Coll. « Partis pris actuels »)

Le poids de l'histoire. Littérature, idéologies, société du Québec moderne, Québec, Nuit blanche éditeur, 1995. (Coll. « Essais critiques »)

Au delà du ressentiment. Réplique à Marc Angenot, Montréal, XYZ éditeur, 1996. (Coll. « Documents »).

JACQUES PELLETIER

L'ÉCRITURE MYTHOLOGIQUE

ESSAI SUR L'ŒUVRE DE VICTOR-LÉVY BEAULIEU

NUIT BLANCHE ÉDITEUR

Nuit blanche éditeur reçoit annuellement du Conseil des arts du Canada et de la Société de développement des entreprises culturelles (SODEC) du Québec des subventions pour l'ensemble de son programme de publication.

L'auteur et l'éditeur tiennent à remercier le service des publications de l'Université du Québec à Montréal pour sa contribution à la préparation et à l'édition du présent ouvrage.

L'auteur tient à remercier également Maryse Larouche pour son remarquable travail de saisie du manuscrit original, parfois à la limite du déchiffrable.

ISBN : 2-921053-66-7

À Marie-Claude et Jean-Philippe, pour la suite des temps et du monde.

À Victor-Lévy Beaulieu, en souhaitant qu'il s'y retrouve un peu.

L'HOMME-ÉCRITURE

Jetant mes cartes d'entrée de jeu, je soutiendrai que l'œuvre de Victor-Lévy Beaulieu est la plus importante et la plus significative de la production littéraire contemporaine au Québec, tous genres confondus.

Il s'agit d'une œuvre énorme, colossale, comprenant une cinquantaine de titres, écrits en moins de trente ans, et dans les genres les plus divers, relevant de la littérature « populaire » aussi bien que de la littérature canonique. Du téléroman à l'essai spécialisé en passant par le théâtre, le roman, le scénario de film, l'entrevue radiodiffusée, la chronique journalistique, Beaulieu a pratiqué et pratique toujours l'écriture sous toutes ses formes et de toutes les manières, la poésie seule paraissant échapper jusqu'à maintenant à son entreprise envahissante.

Or, et ce n'est pas un mince paradoxe, cette œuvre immense, complexe, ramifiée, sans doute la plus polyphonique de la production québécoise actuelle, a été singulièrement négligée par la critique. Peu d'études substantielles lui ont été consacrées jusqu'ici : une thèse de doctorat, quelques mémoires de maîtrise, quelques chapitres de livres et articles de fond constituant une bien modeste bibliographie, surtout lorsqu'on la compare à celles consacrées à un Aquin ou à un Ducharme.

Il y a là un phénomène singulier, pour le moins étrange, et qui tient sans doute largement à la fois au personnage de l'écrivain, figure de contradiction dans le paysage littéraire québécois, et à la nature même de son entreprise, peu conforme aux attentes, normes et valeurs de la critique dominante.

***

Le parcours de Beaulieu comme écrivain est assez particulier. D'origine rurale, de milieu populaire, c'est en autodidacte qu'il vient à la littérature, empruntant un parcours inorthodoxe, marginal dans l'univers auquel il appartient et dont il se démarque d'une certaine manière par ce choix même.

Doté d'un capital familial et scolaire faible, n'ayant pas terminé ses études collégiales faute d'argent, il doit très tôt gagner sa vie, ce qu'il fait tout en demeurant habité par la grande passion qu'est déjà pour lui l'écriture qu'il pratique avec fureur dans ses moments de loisir. Il est ainsi tour à tour commis dans une banque, rédacteur de réclames commerciales au poste de radio CKLM, collaborateur de *TV-Hebdo,* journaliste au magasine *Québec Digest* et à la revue *Miroir du Québec,* dirigée par Jean Duceppe, l'homme de théâtre pour lequel il sera aussi, un temps, agent de publicité.

Dispersé dans ces nombreuses activités où il se livre à une écriture essentiellement alimentaire, Beaulieu sera pour ainsi dire sauvé par Jacques Hébert, propriétaire des Éditions du Jour, dont il fait la connaissance à la fin des années 1960. Il devient alors lecteur à la maison d'édition puis directeur littéraire, fonction qu'il assumera durant quatre ans, de 1969 à 1973, tout en collaborant au journal *Le Devoir* comme chroniqueur et comme critique et en édifiant sa propre œuvre dans l'enthousiasme des commencements, devenant cet homme-écriture polyvalent qu'il ne cessera plus d'être désormais.

Les Éditions du Jour connaissant une profonde réorientation en 1973, changeant de vocation, abandonnant la littérature au profit du livre pratique, Beaulieu claque la porte et fonde avec quelques amis, dont Léandre Bergeron, les Éditions de l'Aurore. À cette enseigne, il poursuit le travail amorcé aux Éditions du Jour, publiant des romans, de la poésie, mais aussi des essais sociopolitiques, son entreprise canalisant la plus grande partie de la production de la génération montante dans le champ littéraire de l'époque. Après la faillite de l'Aurore, en 1975, il crée VLB éditeur, maison qu'il dirigera et animera durant dix ans avant de la céder, en 1985, à Jacques Lanctôt.

Depuis, il se consacre à plein temps à l'écriture, produisant pour la télévision des téléromans populaires tout en approfondissant son œuvre romanesque et théâtrale, s'affirmant comme un véritable « écrivain professionnel », l'un des rares à vivre de ce métier sans renoncer à son œuvre plus personnelle, animée par les ambitions littéraires les plus élevées. En cela aussi Beaulieu fait exception à la règle, questionnant les distinctions habituelles et les frontières entre sphères de production, genres et formes d'écriture.

***

Comme personnage public, l'écrivain est une figure controversée, un signe de contradiction, et ce depuis les tout débuts. Dès son entrée sur la scène littéraire, au milieu des années 1960, il se démarque bruyamment de ses collègues et rivaux, s'en prenant vivement aussi bien aux figures montantes, aux écrivains d'avant-garde du temps qu'aux auteurs plus académiques, qu'aux gardiens de la tradition.

On ne s'étonnera pas qu'il se soit attaqué violemment à certaines figures symbolisant une littérature dépassée, incarnée notamment par les Paul Toupin, Bertrand Vac ou Andrée Maillet, considérés comme des « nains[1] ». On sera cependant plus étonné lorsqu'on le verra charger Marcel Godin, Jacques Godbout ou Claude Jasmin qu'il qualifie de « séniles précoces[2] », et on le sera davantage encore lorsqu'il s'en prendra aux « œuvres de réduction » des jeunes auteurs formalistes de *La Barre du jour* qui se livrent, selon lui, à un pur « gaspillage d'énergie », auquel il oppose ce qu'il appelle la « générosité de l'écrivain[3] ».

Beaulieu, d'entrée de jeu, attaque donc délibérément, et sans prendre de gants blancs, l'ensemble des agents qui se partagent, à divers titres, l'espace littéraire. On comprendra que, dès lors, il ait commencé à se faire des ennemis qui, dans plusieurs cas, le demeureront longtemps. Ainsi les universitaires auxquels il s'en prend très tôt, estimant qu'ils entretiennent une conception trop distanciée, désincarnée, de la littérature, seront portés, pour la plupart, à le bouder, à ignorer le plus souvent son œuvre ou à la considérer comme mineure. Un Jacques Allard, et ce n'est qu'un exemple parmi bien d'autres, jugeait encore récemment qu'elle relève d'une « esthétique de la vulgarité » qui la range définitivement dans une sorte de deuxième zone, loin derrière la littérature du sublime et des sommets.

---

1. Dans « Manifeste pour un nouveau roman », texte rédigé en 1964-1965, à vingt ans. Repris dans Victor-Lévy BEAULIEU, *Entre la sainteté et le terrorisme,* Montréal, VLB éditeur, 1984, p. 86.

2. Dans un « Bilan littéraire », intitulé « Le temps des écrivains maigres », publié dans *Le Devoir,* le 30 décembre 1972. Repris dans *Entre la sainteté et le terrorisme, op. cit.,* p. 209.

3. « La générosité de l'écrivain », article publié dans la revue *Maintenant,* organe des dominicains « progressistes ». Repris dans *Entre la sainteté et le terrorisme, op. cit.,* p. 184.

L'écrivain jouit par conséquent d'une reconnaissance toute relative et foncièrement ambiguë. Il obtient, en début de carrière, plusieurs prix importants pour ses romans (le grand prix littéraire de la Ville de Montréal pour *Les grands-pères* en 1972, le prix du Gouverneur général pour *Don Quichotte de la démanche* en 1975, le prix France-Canada pour *Monsieur Melville* en 1979, le prix Molson pour *Satan Belhumeur* en 1981), suivis du prix Ludger-Duvernay pour l'ensemble de son œuvre, en 1982. Il paraît alors mûr pour le prix David qu'un Benoît Melançon, dans un article généralement perspicace[4], lui prédit l'année suivante, mais qui ne lui a toujours pas été accordé, alors qu'il l'a été depuis à bien d'autres dont l'œuvre était parfois plutôt mince.

Tout se passe comme si on faisait payer aujourd'hui à Beaulieu ses excès et débordements de naguère, l'Institution, à travers cet appareil stratégique qu'est le prix David, prenant ainsi sa revanche en différé, en après-coup, reportant à un avenir indéfini le sacre ultime de l'écrivain perturbateur.

En retour, il faut bien admettre que le romancier ne se reconnaît guère de dettes envers les écrivains de sa génération. S'il se situe volontiers dans le sillage, dans les traces d'un Jacques Ferron, surtout, et d'un Hubert Aquin, qu'il vénère, il n'a pas beaucoup d'estime et encore moins d'admiration pour la plupart des écrivains, qu'il trouve de peu d'envergure, se satisfaisant trop facilement d'œuvres « maigres ». À ce manque d'ambition il oppose son projet démesuré, exigeant un engagement total dans l'écriture, pouvant aller jusqu'à la folie si nécessaire pour, par la plume, « changer le monde[5] ».

Beaulieu se démarque de la sorte de la plupart des intervenants impliqués dans la sphère de production restreinte du champ littéraire, aussi bien des critiques que des auteurs de fiction. Il se distingue aussi par sa participation active à la sphère de grande production en écrivant des téléthéâtres et des téléromans s'adressant à un large public. Il s'engage ainsi de plain-pied dans la société du spectacle mais à sa manière, en rusant, en tentant, avec un succès inégal, de

---

4. Benoît MELANÇON, « V.L.B. personnage et institution », *Études françaises,* vol. 19, n° 2, 1983, p. 5-16.

5. Lors d'une intervention à une rencontre internationale des écrivains, tenue en juin 1971. Repris dans *Entre la sainteté et le terrorisme, op. cit.,* p. 201.

plier à ses fins le code du feuilleton, en usant comme d'un véhicule au service de ses visées fondamentales comme écrivain. Il se démarque donc, là aussi, de la production courante, son travail atypique constituant en soi un phénomène pour le moins curieux, étrange, dans cet univers très fortement normé et standardisé.

Le romancier assume en quelque sorte une triple marginalité : il occupe une position périphérique dans les deux principales sphères de la production littéraire québécoise, contrevient aux règles prévues par les Institutions de ces espaces spécifiques et enfreint plus largement celles qui régissent l'ensemble du champ culturel. Si bien que Benoît Melançon a pu affirmer à juste titre qu'il constituait à lui seul une Institution tout en se méprenant sur le rythme avec lequel les Institutions officielles le reconnaîtraient et l'intégreraient. Pour l'essentiel, cela demeure à venir, au Québec comme ailleurs.

***

Bien que le romancier revendique fortement son appartenance à la littérature québécoise, il ne s'inspire guère sur le plan théorique des conceptions de l'écriture des auteurs locaux, manifestant en cela une attitude qui l'apparente à Hubert Aquin. Comme celui-ci, il emprunte largement sa vision de la littérature à de grandes figures étrangères, à Hugo bien sûr, mais aussi aux principaux représentants de ce que j'appelle le « roman de la transition », à cette constellation d'auteurs qui, en l'espace d'un demi-siècle, de Flaubert à Proust disons pour faire image, font basculer le genre du canon balzacien au romanesque moderne, d'une représentation statique du monde à une représentation dynamique, fluide, incertaine, à l'image d'une réalité en profond bouleversement, en incessante mutation.

C'est dans le prolongement de ce courant que se situe l'entreprise de Beaulieu qui ne cesse d'évoquer, sur un mode incantatoire, les noms de Flaubert, de Joyce, de Proust, de Broch, pour la période du tournant du siècle, et également ceux de leurs « descendants naturels » : Gaddis, Lowry, Donoso, Marquez et, de manière générale, le réalisme mythologique latino-américain. C'est à ces « sources », comme on disait naguère, que s'abreuve pour l'essentiel Beaulieu, c'est de la lecture et de l'exemple de ces grands auteurs qu'il tire son inspiration. C'est à leur hauteur qu'il place son entreprise d'écriture, rêvant d'égaler, sinon de dépasser ces écrivains, faisant preuve d'une certaine mégalomanie sans doute, mais qui présente toutefois un avantage dans la mesure où elle sert d'aiguillon à sa propre écriture.

Ainsi, ce romancier, souvent perçu comme étroitement nationaliste, voire comme partisan sectaire d'un tribalisme primaire, est aussi – et ce n'est pas contradictoire, sauf pour des esprits simplistes – celui qui se réfère le plus volontiers, et sans complexes, à la grande littérature universelle, la faisant sienne, y revendiquant une place, estimant participer, à sa manière et dans ses limites, à son développement, et cela sans se reporter en priorité à la littérature française, qu'il tient pour une littérature nationale parmi d'autres. Comptent tout autant pour Beaulieu la littérature des États-Unis pour des raisons de proximité évidentes, pour le partage d'un imaginaire commun, et la littérature sud-américaine, pour le regard neuf qu'elle propose sur une réalité continentale qui, comme celle du Québec, est largement d'origine et d'inspiration latines.

Il y a donc imbrication, fusion, dans la conception de l'écriture comme dans l'œuvre, des deux grandes perspectives du régionalisme et de l'internationalisme. Souvent et superficiellement mises en opposition, elles sont ici réunies dans un projet où la réalité immédiate prend en charge et assume l'universel, où l'autre n'est qu'un autre visage de soi, comme soi n'est que l'intériorisation d'autrui.

***

Ma perception et mon évaluation de cette entreprise étant à contre-courant et proposant une nouvelle mesure de cette œuvre très différente de celle offerte par la critique dominante, j'énoncerai rapidement les principales raisons qui m'inclinent à prétendre, avec quelques autres tout de même (Anne Élaine Cliche, Philippe Haeck, Réginald Martel notamment), que nous sommes en présence d'une création majeure, sans doute la plus complexe et la plus riche de toute la production littéraire contemporaine au Québec ; je les donne en vrac et les détaillerai plus longuement dans le corps de l'ouvrage :

– l'œuvre romanesque et théâtrale privilégie le Québec « d'en bas » comme principal objet de représentation. Elle propose une image renversée de cette société en donnant la parole à des marginaux et à des « fous ». Elle leur donne vie de l'intérieur à travers la mise en scène de leurs discours incohérents, désarticulés, forme que prennent le plus souvent des récits conçus comme de noires épiphanies. Cette évocation n'emprunte pas la voie classique du réalisme, mais celle du monologue intérieur, cette stratégie apparaissant la plus appropriée pour rendre le flux de la conscience, la pensée à l'état naissant, largement organique et irrationnelle.

Il s'agit là d'une réalité généralement négligée par les écrivains québécois. Bien entendu certaines productions antérieures décrivaient cet univers, notamment ce que l'on a appelé le « roman urbain » à visée réaliste. Mais ce corpus n'est pas très considérable et l'esthétique dont il relève ne peut plus, selon Beaulieu, permettre d'exprimer de manière convaincante pour un lecteur d'aujourd'hui la réalité trouble de ce monde de laissés pour compte, d'exclus de la sphère du travail, des rapports sociaux normés et de la culture, bref de la Société ;

– l'œuvre de fiction et les essais mettent en jeu une problématique d'écriture complexe qui se nourrit de la réflexion antérieure de prédécesseurs célèbres. Le romancier revient sans cesse, et de toutes les manières, à quelques questions tout à fait décisives : quel est le sens de cette activité singulière ? Qu'est-ce qui la légitime ? À quoi, à qui sert-elle ? Rapproche-t-elle des autres et de soi ? Permet-elle de mieux connaître le monde et, par la suite, de s'y situer plus justement et d'y intervenir plus efficacement ? Peut-elle constituer une finalité en elle-même ?

Ces questions sont au cœur de l'œuvre, elles en constituent le nœud thématique central avec la « question du Québec ». Celle-ci leur est d'ailleurs en partie associée, prenant alors la forme de l'interrogation suivante : quelle est la signification de cette pratique dans un contexte social bloqué, sinon régressif ?

La problématique inclut également, bien sûr, la question du statut et de la fonction de l'écrivain. Quelle place ce drôle d'oiseau occupe-t-il dans nos sociétés modernes ? Dispose-t-il toujours d'un pouvoir réel ? Peut-il exercer une influence concrète dans les débats culturels et sociaux ? Question particulièrement actuelle à une époque où on ne cesse d'évoquer la

15

« mort du grand écrivain », sa disparition au profit des artisans de la société du spectacle.

Beaulieu, qui est l'un de ces artisans (critique, ce qui est assez rare) reprend cette question dans le cadre de sa réflexion globale sur l'écriture, en quoi il s'avère incontestablement un écrivain tout à fait contemporain ;

— l'œuvre, considérée dans sa totalité, incluant donc les téléromans, se présente comme un grand récit religieux. Sa structure d'ensemble est celle d'une quête, de la recherche d'un sens qui ne peut être que sacré. Cette dimension n'arrive pas en fin de parcours avec *L'héritage*. Elle est là depuis les origines de l'entreprise, manifestée on ne peut plus explicitement dans un article de *La Presse*, publié en 1970, et coiffé d'un titre éloquent : « La tentation de la sainteté ». Cette « tentation » vaut pour l'auteur aussi bien que pour ses personnages qui sont, note-t-il avec justesse, « des avortons de moine » se débattant furieusement dans la « Bête du monde[6] ».

La critique a bien vu la « Bête du monde » sous les formes excessives de l'alcoolisme, de la perversion, du viol et du meurtre. Mais elle n'a pas toujours su déceler que derrière et à travers la dépravation et la violence se déroulait aussi, au sein même du Mal, une recherche d'absolu, d'accomplissement, dévoyée, fourvoyée, si l'on veut, mais témoignant, malgré tout, d'une quête du salut.

La grande tribu, elle-même, est conçue comme une *Bible,* un livre sacré, un récit de fondation visant à reconstituer l'épopée héroïque du « peuple élu » des Beauchemin, grande saga légendaire se transformant progressivement, au fil du temps, en échec sans doute définitif. L'Histoire prend donc ici une dimension symbolique, mythique. Beaulieu, probablement en partie à son corps défendant, renoue de la sorte avec une tradition culturelle profondément marquée par un discours religieux axé sur la faute et la rédemption ;

---

6. L'expression se trouve dans « La tentation de la sainteté », article publié dans *La Presse,* le 14 mars 1970, et repris dans *Entre la sainteté et le terrorisme, op. cit.,* p. 146.

– l'œuvre, et je m'arrêterai à cette dernière raison, aborde sous un jour neuf la question nationale québécoise. Celle-ci en constitue une dimension centrale, bien que l'auteur ait pris soin d'expliquer lui-même qu'elle ne concerne qu'un « niveau » dans sa vie d'écrivain et que « ce n'est pas le plus important comme il ne s'agit pas du moindre[7] ».

Le plus important, c'est sans doute la question de l'écriture ; celle de la situation du « pays équivoque » arrive en second, formant une composante de la première, et pouvant être formulée ainsi : qu'est-ce qu'être écrivain dans un « pays équivoque » ?

À cette question on peut répondre de diverses manières. On peut penser qu'il n'est pas possible d'être un écrivain « normal » dans un pays qui ne l'est pas, qui demeure dans l'indécision, qui n'arrive pas à s'assumer pleinement sur le plan historique. On peut aussi estimer que cette irrésolution n'est pas un « manque » mais une chance, que l'écrivain peut édifier son œuvre sur ce cadavre, transformant en victoire littéraire une défaite historique, comme semble l'indiquer l'exemple de Joyce et de l'Irlande.

Beaulieu, on le verra, oscille entre ces deux attitudes, acceptant et refusant la situation équivoque du pays québécois, ne semblant pas toujours savoir comment évaluer la conjoncture. En témoigne son ambivalence face au Parti québécois qui, après avoir « porté l'événement au seuil du mythe » n'a pas su lui donner une suite conséquente, profiter de sa victoire électorale du 15 novembre 1976 et créer « l'événement magique » qui aurait permis à la « fiction épique » de se déployer[8]. D'où, après l'espoir le plus vif, la grande désillusion face à un parti jugé traditionnel et la conviction désespérante que l'Amérique ne sera plus jamais française, sauf peut-être dans le cadre limité d'un Québec voué à une sorte de survivance.

---

7. « L'écrivain québécois et la question nationale », article publié dans *Le Devoir,* le 11 décembre 1976, et repris dans *Entre la sainteté et le terrorisme, op. cit.*, p. 390.

8. Beaulieu reprend ce propos à de nombreuses reprises, sous diverses formulations, au cours des mois qui suivent la victoire électorale du Parti québécois en novembre 1976. Les citations évoquées ici sont tirées de l'article sur « L'écrivain québécois après la victoire péquiste », publié dans *Le Devoir,* le 27 novembre 1976, repris dans la partie « Le rêve québécois » d'*Entre la sainteté et le terrorisme, op. cit.* Voir en particulier les pages 385-386.

L'œuvre, prise globalement, se présente comme une vaste métaphore du Québec contemporain, une société qui, par manque d'ambition et de volonté, se déstructure lentement mais sûrement dans une longue dérive qui l'exclut progressivement de l'Histoire et la voue au folklore. C'est ce processus qu'elle donne à lire à travers des personnages et des histoires troubles, confus, à l'image de la réalité qu'ils symbolisent.

***

Pour en finir avec cette introduction, on me permettra un dernier mot sur la nature de ma propre entreprise. Je l'ai conçue et écrite comme une sorte de guide de lecture de cette œuvre foisonnante, proliférante et par certains aspects monstrueuse, charriant dans son cours, comme un fleuve impétueux, souvent le meilleur, parfois le pire. Je la traite dans sa totalité, à l'exception des téléromans, en proposant une analyse principalement thématique, à l'occasion structurelle, d'inspiration sociocritique, et en insistant sur son inscription polymorphe dans l'Histoire.

J'essaie d'introduire un certain ordre dans le désordre, de la clarté dans l'obscurité, de la transparence dans l'opacité, souhaitant aider le lecteur à s'y retrouver un peu. D'où peut-être parfois certaines simplifications qui n'ont pas pour objectif d'aplatir cette œuvre, de la banaliser, mais tout bonnement de faciliter son accès au lecteur, de l'y intéresser, convaincu que, cela fait, il saura y trouver lui-même son bien.

J. P. (avril 1996)

LES FONDATIONS : GENÈSE D'UN UNIVERS

Dans leur bigarrure, leur caractère contrasté, leur étrange complémentarité, les deux premiers romans de Beaulieu, écrits par un auteur très jeune, ayant tout juste vingt ans, mettent en place les paramètres essentiels, les coordonnées centrales de l'œuvre à venir. Tout, déjà, s'y trouve, tout ce qui sera repris, développé, relancé par la suite de diverses manières, à travers de multiples métamorphoses. Cet immense univers est créé dans la confusion, les tâtonnements, certes, mais avec une certaine cohérence, une vision assez nette des contours qu'épousera l'œuvre projetée conçue depuis les toutes premières origines comme une entreprise globale de quête de Sens, de Vérité sur soi et le monde par et dans l'écriture tenue pour un Absolu.

Si l'on se fie au témoignage de l'écrivain, les *Mémoires d'outre-tonneau,* publiés en 1968, auraient été écrits après *Race de monde !,* édité l'année suivante, qui devrait donc être considéré comme le véritable livre fondateur, celui par lequel tout commence. Si les *Mémoires* parurent d'abord, ce fut pour tenir compte de « l'effet Ducharme », cette « comète scintillante[1] » qui venait tout juste de laisser une trace fulgurante dans le ciel littéraire québécois ; Beaulieu estimait ce deuxième roman mieux apparenté à la manière de l'auteur de *L'avalée des avalés* que *Race de monde !,* récit écrit sur le registre épique et sur le modèle d'une saga.

Mémoires d'outre-tonneau servira dix ans plus tard de foyer générateur et de matière première à *Satan Belhumeur,* nouveau roman que l'écrivain intègre alors dans « La vraie saga des Beauchemin », déportant le récit originaire dans la catégorie « Autres romans » de son œuvre et le considérant sévèrement comme de la « jeune écriture ratée[2] ». Jugement excessif sans doute

---

1. C'est l'expression qu'utilise Beaulieu dans la préface de *Satan Belhumeur,* Montréal, VLB éditeur, 1981, p. 13.
2. *Ibid.,* p. 14.

et qui ne tient pas suffisamment compte de la place et de la fonction de ce récit dans l'œuvre saisie globalement.

Le roman présente, il est vrai, un aspect déroutant. Reprenant, en le parodiant, le titre célèbre de Chateaubriand, il met en scène un personnage d'illuminé, d'égaré, sorte de double du Diogène antique, coupé de tout lien sociétal, réfugié dans un tonneau, en proie à un délire mystique, dans un monde lui-même représenté comme une incompréhensible tour de Babel. Le héros-narrateur, Satan Belhumeur, est d'ailleurs conscient de cette étrangeté, du caractère fantasmagorique, insolite, désorientant de cet univers ; reprenant à la fin du roman la phrase qui ouvre le récit, cet incipit singulier : « Je porte en moi un monde étrange, silencieux et impersonnel[3] », il conclut que « ces mots résisteront à toute analyse, on ne saisira jamais que l'à peu près de leur signification : ils ne sont pas des fromages pour donner du petit lait quand on les presse » (p. 189). Sans doute, dans la mesure où l'écriture est quête de sens dans l'obscurité, effort épuisant et décevant pour traduire l'indicible, tentative, vaine peut-être, de donner cohérence à l'expérience. Mais cette constatation, qui constitue une composante majeure de la problématique de l'écriture chez Beaulieu, ne doit pas nous empêcher de tenter d'y voir clair et de prendre la mesure du statut et de la signification de ce premier texte publié dans l'économie globale de l'œuvre.

UN MONDE ÉTRANGE, SILENCIEUX ET IMPERSONNEL : LE MYSTÈRE DE L'ÉCRITURE

Habité par une réalité intérieure insaisissable, par des puissances démoniaques qu'il ne contrôle pas, par une « folie » qui le rend inapte à vivre dans un univers social régi par la cruauté, Satan préfigure les héros marginaux qui proliféreront dans l'œuvre ultérieure, s'y révélant de plus d'une manière comme un archétype. Le personnage est présenté d'emblée comme un être singulier, excessif, possédé par le rêve, prisonnier d'un « royaume du songe »

---

3. Victor-Lévy BEAULIEU, *Mémoires d'outre-tonneau*, Montréal, Estérel, 1968, p. 9. Les références des citations du roman seront dorénavant indiquées entre parenthèses dans le corps du texte.

(p. 77) qui le tient à l'écart du monde réel, comme un « guerrier de l'imaginaire » (p. 123) épuisé de lutter contre les moulins à vent nés de son délire.

Le drame existentiel de Satan réside d'abord dans la méconnaissance, l'ignorance de la nature réelle de son mal et de son être ; il ne sait pas qui il est, se sentant l'objet de forces obscures agissant en lui et contre lui et qu'il n'arrive pas à cerner, à nommer. D'où son désarroi, sa frayeur et la hantise de la folie, cette menace pour qui a perdu – ou n'a pas encore trouvé – son identité, ce nœud vital qui assure à chacun sa raison d'être et guide quotidiennement ses comportements. Rien de tel chez Satan qui ne sait pas qui il est et qui n'arrive pas à se représenter autrement que de manière très vague comme un « vivant de l'entre-deux-mondes. Le mort de l'entre-deux-mystères » (p. 13), comme quelqu'un qui flotte, dérive entre ciel et terre, ne possédant d'assises nulle part, mort-vivant au statut incertain et précaire, totalement perdu, désorienté et abandonné à lui-même, c'est-à-dire à l'absence et au vide.

C'est pour échapper à cette sensation angoissante de chute dans le vide que Satan entreprend, par la lecture et l'écriture, de chercher un « sens à tout cela » : « je cherche, précise-t-il, la vérité de mon existence. Je parcours le chemin de Damas sans savoir que les saint-Paul sont désormais impossibles. Que le monde moderne a perdu la sanctification » (p. 44). Quête de vérité, désir « d'illumination complète » (p. 149) sur soi, bien sûr, mais également sur les autres perçus comme des monades, des atomes refermés, repliés sur eux-mêmes et sur le monde contemporain déserté par la Transcendance, par les systèmes de croyances qui assuraient leur cohésion aux sociétés antérieures. C'est de cela que Satan a la nostalgie : « Je voudrais m'enraciner à quelque chose de définitif, écrit-il encore. Je cherche l'axe d'une roue qui ne se démantèlera pas à la première secousse » (p. 71). Nostalgie qui va de pair avec le regret du paradis perdu de l'enfance et, plus fondamentalement encore, du corps de la mère, de la « matrice originelle » et de la protection totale qu'elle assure : retourner à la mère, « inverser le processus du monde » (p. 113), voilà le grand désir utopique dont rêve Satan, bien conscient toutefois qu'il est irréalisable. La déréliction est la véritable condition de l'homme, la prison d'où, quoi qu'il fasse, il ne saurait s'évader.

Cette prise de conscience du caractère tragique de l'existence le conduit à un refus radical du monde, notamment de la vie en société et de tout ce qui s'y rattache. On en trouve une formulation très explicite dans un monologue intérieur où, s'adressant à sa mère qui accepte passivement l'ordre des choses, s'y résignant et s'y conformant dans une vie quotidienne sans grandeur et sans relief, il oppose fortement une logique du « tout ou rien » : « Mère, s'écrie-t-il, c'est l'Amérique ou l'Afrique. L'immensément grand. Ou l'immensément obscur. Pas de milieu, Mère. Le milieu, c'est la fin de toute possibilité. C'est le refus du rêve [...] Je serai le Prince des profondeurs ou je serai le Prince de la lumière. Et puis non, je serai le Prince des profondeurs et je serai le Prince de la lumière » (p. 93). Le sentiment d'abandon engendre ainsi une volonté exacerbée de devenir tout-puissant, de dominer le monde : délire de grandeur, mégalomanie galopante qui s'empare de Satan et échauffe son imagination au point qu'il en vient à se prendre pour une réincarnation du Roi-Soleil, rêvant d'un nouveau Versailles dans lequel il régnerait « dans les orgies romaines des César et des Borgia » (p. 86), soumettant tous ses sujets, et particulièrement les femmes, à ses caprices sans freins[4]. Ces excès et extravagances provoqueront son internement à Saint-Jean-de-Dieu comme malade mental souffrant de bouffées délirantes aiguës.

Avec Satan, Beaulieu crée donc un premier personnage tout à fait hors normes, détraqué, « fêlé du chaudron » pour reprendre l'expression qu'il utilisera plus tard pour qualifier Pierre Leroy, un véritable prototype des héros originaux et marginaux qui peupleront sa production romanesque. Ces héros, par ailleurs, évoluent, circulent, inscrivent leur marque dans un espace social lui-même éclaté, fragmenté, sans profonde unité, qui constitue le pôle complémentaire d'un univers imaginaire traversé de part en part par des fissures, des lézardes qui en compromettent le fragile équilibre.

---

4. On trouve plusieurs passages de cette veine dans le roman. Je me borne à l'exemple suivant, particulièrement révélateur d'un fantasme de domination qui n'est que l'envers dénégateur et dément d'un sentiment d'échec et de perte : « Guerrier ! Guerrier ! Voilà ce que je devais devenir. J'étais fait pour la tuerie, pour le massacre, pour le carnage. Dans l'esprit de Dieu, je devais être Annibal, je devais être le roi des Huns, je devais être le barbare, le nordique, le maure, le cosaque. Il m'avait créé pour la violence, pour le coup de lance dans les tripes des chrétiens, pour le coup de tomahawk sur le coco rigolard des jésuites évangélisateurs en terre québécoise, pour le meurtre, le vol, le viol, la perversion et les fours crématoires » (p. 113).

Le monde est ici représenté symboliquement par le mythe de la tour de Babel, monstrueux monument « muni de haut-parleurs qui crachent l'absence de profondeur, la facilité, la corruption, la vénalité » (p. 22), et qui incarne, dans son absurdité, son non-sens « l'Absence de vie » (p. 27) et la folie d'une civilisation qui court à sa perte. Montréal en est une figuration exemplaire avec son caractère cosmopolite, sa juxtaposition de groupes ethniques qui ne cessent de se quereller, qui ne communiquent entre eux qu'à travers des bagarres sans motivations sérieuses, pour le plaisir de s'entre-déchirer, prisonniers d'une logique implacable et horrible où l'on doit soit massacrer, soit être massacré soi-même « car il faut être l'un ou l'autre. Car il faut toujours qu'il y ait l'un et l'autre » (p. 65). L'univers est fantasmé comme un lieu de violence, de mensonge, régi par de fausses valeurs et recouvert d'une « crasse » qui imprègne tout d'une enveloppe fétide et écœurante : c'est un immense dépotoir à ciel ouvert où tout se défait, se décompose irrémédiablement sous le regard de dieux cruels et passifs.

La représentation du social traduit une vision d'apocalypse qui implique que rien de bon ne peut venir du monde et des hommes. Vision désespérée, désespérante qu'on retrouvera en toile de fond de toute l'œuvre de Beaulieu où elle prendra toutefois un caractère concret qu'elle ne possède pas dans ce roman des origines ; les coordonnées de l'espace y demeurent généralement plutôt floues, relevant essentiellement d'une conception onirique faisant de la réalité empirique des lieux et des temps une matière de rêve, un espace de songe à caractère cauchemardesque. Le monde apparaît dans le brouillard, sous la forme d'un désert, d'un astre vide et mort, comme un lieu irréel ne possédant qu'une consistance fantomatique, sans points de repère stables et solides, sans centre et sans ordre, inhabité et inhabitable. Saint-Jean-de-Dieu, sanctuaire de la folie, haut lieu de l'enfermement, symbolise, dans cette optique, le désastre plus général d'une société et d'une culture dans lequel on ne peut qu'être emporté, comme l'illustrent les destins de Satan et de Lucio di Fulcanelli, son compagnon d'infortune.

Il semble qu'un « modèle » de ce personnage de roman ait existé dans la vie réelle ; Beaulieu y fait allusion rapidement dans le journal qu'il tient au cours de l'année 1964-1965. Il s'agirait d'un

« camarade d'hôpital[5] » connu lors du séjour en clinique pour cause de poliomyélite, séjour décisif en ce qu'il serait à l'origine, au moins en partie, de sa « vocation » d'écrivain. Ce traumatisme est évoqué rapidement dans *Mémoires d'outre-tonneau* qui possède une incontestable dimension autobiographique, les personnages de Satan et de Lucio di Fulcanelli pouvant à bon droit être tenus pour des transpositions, des projections, des doubles, métamorphosés bien entendu, de l'homme Beaulieu.

Lucio incarne la tentation mystique qui sollicite les personnages de l'étrange univers mis en place dans le roman. Sa foi est cependant quelque peu éclectique, formée par un amalgame hétéroclite de morceaux de taoïsme, de tantrisme, de pythagorisme, de cabale et même de judéo-christianisme revu et corrigé par un esprit échevelé et égaré. Ce personnage troublé, produit de la contre-culture de l'époque et de son mysticisme de pacotille, s'est jeté à corps perdu dans la Foi, espérant y trouver des raisons de vivre et d'espérer dans un monde disloqué où il ne rencontre pas d'emblée une réponse à ses interrogations les plus vives. En cela il s'offre comme un modèle possible pour un Satan lui-même perturbé, qui refuse cependant de le suivre et d'épouser l'illusion trompeuse par laquelle il est porté : « Ton encens, tes oraisons, ta fausse retraite, dit-il à Lucio, tes espérances de Nouveau Monde : tout cela n'aura plus grand sens bientôt quand les bombes atomiques ou quelque autre monstruosité de la même veine nous chieront sur la tête leurs étrons de fer » (p. 182). Rien, en somme, ne saurait consoler Satan et corriger le regard désespéré qu'il porte sur le monde, lieu de désolation et de malheur, tour de Babel cacophonique et hystérique comme Montréal ou espace de « déchéance » et « d'anéantissement » comme la vieille Europe croupissante dans sa « graisse millénaire » (p. 131). À cet univers de cruauté, les mystiques et les religions, qu'elles soient nouvelles ou anciennes, ne peuvent apporter de réels changements ; elles ne sauraient donc être que des mystifications.

Comment alors en sortir ? Où trouver des raisons de vivre et d'espérer dans un monde incohérent et déliquescent ? L'écriture pourrait-elle s'offrir comme une solution ? C'est ainsi qu'est mise

---

5. Voir « Ce journal, douleur lancinante d'écriture », dans *Entre la sainteté et le terrorisme*, Montréal, VLB éditeur, 1984, p. 31.

en forme la problématique centrale du roman, problématique qui portera, on le sait, une des interrogations les plus importantes de toute l'œuvre de Beaulieu : que peut la littérature ? Question lancinante qui lui sert de fil conducteur à travers de multiples relances, reprises et métamorphoses.

Dans *Mémoires d'outre-tonneau,* Satan n'est pas représenté comme un écrivain constitué s'exprimant en après-coup sur son œuvre, mais essentiellement comme un être écorché tentant gauchement d'échapper à sa solitude et à son malheur. Il est habité par une imagination qui le « brise » et le rend inapte à devenir un « romancier comme les autres » pouvant produire de « beaux récits » comme « les aventures de *Roméo et Juliette, L'Odyssée, Les Misérables, Les Cosaques* » (p. 35), ces grands chefs-d'œuvre qui témoignent d'une maîtrise souveraine de l'écriture. « Je suis un homme malade, note-t-il. Comment l'écrire ? Comment l'écrire pour que je guérisse de cette maladie et pour que j'en guérisse les autres ? » (p. 36). Plus loin, reprenant en d'autres termes la même question, il se demandera, en proie à la solitude et à l'angoisse : « comment en sortir ? » (p. 49). L'écriture pourrait-elle être une forme de thérapie ? Un moyen de trouver son salut et, au-delà, celui du monde ? Or rien n'est moins évident, et Satan, devançant en cela l'Abel du *Don Quichotte de la démanche,* ne peut que constater ses limites, son impuissance à rendre par des mots ce qui relève du mystère et de l'indicible : « L'histoire d'un homme, constate-t-il amèrement, devrait se résumer à ceci : la vie lui était intenable » (p. 79).

Sa propre tentative, dans cette optique, ne saurait être qu'un échec : l'écriture ne « guérit » personne, ne fait pas s'évaporer comme par enchantement le mal de vivre, ne répond en rien aux questions que l'existence fait naître. Qu'est-ce qui la justifie alors ? Rien, si ce n'est le sentiment d'entrer en contact avec l'Absolu qu'elle sait parfois provoquer, permettant ainsi d'obtenir la fameuse « illumination complète » à laquelle aspire fiévreusement Satan. En cela elle s'offre comme une mystique, une religion laïque, sans Dieu, si ce n'est l'écrivain lui-même qui « s'accomplit » et se dépasse, découvrant sa grandeur, dans ses œuvres et ses créatures. L'écrivain, à l'instar des prophètes, des apôtres et autres fondateurs de religions et de sectes, est en quête du Livre, du Grand Texte sacré par quoi il pourrait enfin advenir, s'anéantissant et s'exhaussant à la fois au profit de l'Œuvre.

C'est cette aspiration, à composante fortement religieuse déjà, qui s'exprime confusément dans l'écriture de ce récit où une voix se cherche en refusant les normes et les règles de la littérature fondée sur la représentation : « Je refuse la description, écrit Satan. Je ne parlerai jamais des paysages. Je tairai la vie physique. L'important ne se tapit pas là-dedans » (p. 145). L'important est par conséquent du côté de l'intériorité, de l'étrange, du silencieux et de l'impersonnel, pour reprendre le leitmotiv le plus récurrent du roman, du côté de l'absence et du néant comme l'écrivaient Bataille et Blanchot que Beaulieu fréquente beaucoup à l'époque de la rédaction des *Mémoires d'outre-tonneau*[6]. La littérature se voit attribuer de la sorte une dimension métaphysique, voire mystique par moments, qui en assurerait la véritable grandeur ; à travers elle l'homme prendrait conscience de sa vérité : poussière, débris, rebut, il n'aurait d'existence et de valeur que par son aptitude au dépassement.

Cette conception de l'écriture comme Absolu, il ne faut pas se méprendre, n'est cependant qu'un aspect d'une problématique plus large centrée sur les rapports complexes de l'expérience et de la littérature. Le deuxième roman publié, *Race de monde !*, le « livre des origines » de « La vrai Saga des Beauchemin », en présente un autre visage à travers la question du « réalisme » et de ce que l'on pourrait appeler la fonction sociale qu'assume (ou non) la littérature.

LA FAMILLE DU ROMAN SCIÉ

Race de monde ! est le nouveau titre de « La famille du roman scié » annoncé lors de la parution des *Mémoires d'outre-tonneau*[7].

---

6. Dans son journal il consigne cette phrase de Georges Bataille : « Pourquoi écrire ? Pour prendre conscience du mouvement même par lequel toute expérience de quelque ordre qu'elle soit débouche sur le néant » (*Entre la sainteté et le terrorisme, op. cit.*, p. 64), et il rêve d'« écrire un roman où la logique serait absente. Des enfants qui aboieraient. Une sphère habitée qui ne serait qu'un immense carré de sucre. Des femmes qui auraient des seins partout » (*ibid.*, p. 37). Il y a un peu de cela, en moins accentué, dans les *Mémoires*, une sorte de fantastique surréaliste qui ne se donne pas comme tel.

7. Outre ce roman, sont aussi annoncés un autre récit à paraître, *Malcomm Hudd*, deux romans en préparation *L'amère loque* et *Sa lesbienne à Désirée*, titres qui témoignent du goût des « jeux de mots » dont raffole alors l'écrivain, et un essai, *Pour saluer Victor Hugo*. De ces projets restent *Malcomm Hudd* et *Pour saluer Victor Hugo*, qui paraîtront au tournant de la décennie 1970.

Sans statut particulier au moment de cette annonce, il peut être considéré, à la lumière de l'ensemble de l'œuvre, comme le véritable récit des fondations, des origines, celui qui met en place les données essentielles de l'univers imaginaire de Beaulieu. En cela il rappelle inévitablement *La fortune des Rougon* qui possède un statut analogue dans l'œuvre de Zola, lançant l'histoire « naturelle » et « sociale » de la célèbre famille des Rougon-Macquart destinée à illustrer les grandeurs et les folies d'une période sombre de la France du XIXe siècle. Chez l'écrivain naturaliste, on a affaire à un projet concerté : s'inspirant à la fois de l'exemple balzacien, de la conception de l'histoire et de l'écriture de l'auteur de *La comédie humaine,* et du modèle des sciences expérimentales de son temps, Zola, avant même d'écrire le premier roman de sa série, est animé par une vision très claire du contenu futur de l'œuvre et des formes qu'elle prendra. On ne rencontre pas cette dimension volontariste et systématique chez Beaulieu, *Race de monde !* apparaissant plutôt comme une première tentative pour dessiner les contours d'un univers qui demeure, à ce stade, assez flou et qui trouvera, dans les romans à venir, sa substance, constituant peu à peu un monde riche et complexe, digne d'une représentation « épique ».

Cette visée totalisante, encore incertaine, est timidement, et sans doute inconsciemment, formulée dans l'épigraphe de Melville qui ouvre le récit : « Exemple d'une méthode journalistique consistant à tirer une phrase de son contexte, phrase qui sans ledit contexte ne veut plus rien dire ou veut trop signifier : ces Canadiens sont des ânes[8] ». En lisant le titre du roman sur fond de cette citation, on pourra avancer que la « race de monde » en question, désignée, de manière exclamative, sur un mode énigmatique, trouvera dans le contexte du récit sa signification et sa fonction de famille élue, vouée à illustrer, à travers ses déboires et malheurs, le destin de la collectivité québécoise qu'elle symbolise exemplairement dans sa singularité et sa démesure.

---

8. *Race de monde !* Montréal, Éditions du Jour, 1969, p. 7. Les références des citations de ce roman seront dorénavant placées entre parenthèses dans le corps du texte. J'utilise l'édition originale de 1969. Le roman a été revu et corrigé, avec parfois des modifications importantes, en 1978-1979, et publié dans cette nouvelle version chez VLB éditeur. Il s'agit d'un autre cas intéressant d'auto-textualité que j'examine ailleurs dans ces pages.

La famille « dentifrice » Beauchemin est représentée en effet comme une famille typique du Québec de la période précédant la Révolution tranquille et l'invention de la pilule, cette fabuleuse innovation technologique appelée à bouleverser les mœurs et les mentalités de la vieille société canadienne-française. Chez les Beauchemin, on n'en est pas là : le père et la mère, d'origine rurale et de tradition chrétienne, obéissant à la Loi de Dieu et de la nature, procréent gaillardement, un enfant n'attendant pas l'autre dans une épuisante course à relais qui les dote bientôt d'une grosse famille de douze enfants bruyants et turbulents. Pour les nourrir, ils se voient obligés de quitter d'abord le village natal de Trois-Pistoles pour l'arrière-pays de Saint-Jean-de-Dieu, puis, la terre s'étant révélée de roche, pour la grande ville de Montréal, haut lieu de la folie, de toutes les turpitudes et de la mort qui représente un pôle central de l'espace imaginaire de Beaulieu avec, bien sûr, l'autre pôle majeur, celui des origines, essentiellement mythique, du pays des Trois-Pistoles, foyer magique et sécurisant de l'enfance et, au-delà, des commencements les plus archaïques. À travers l'épopée burlesque – dans ce premier récit – de cette famille extravagante, l'écrivain met en place le cadre spatio-temporel du noyau dur de son œuvre : la saga de la légendaire tribu des Beauchemin.

Présentée rapidement au début du récit, évoquée plus que décrite, la famille Beauchemin appartient de plain-pied à l'univers misérable, pitoyable, de la pauvreté, de la marginalité et de l'anomie sociale : « Nous sommes une famille de fous, note Abel, héros principal et narrateur du roman, une famille où personne ne se parle, où l'on se méfie autant de soi-même que des autres, une famille de gens maigres de partout, des os comme du cerveau » (p. 59). Une famille aussi disloquée, décomposée que nombreuse, en processus de désintégration accélérée surtout après l'arrivée à Montréal, où elle perd tout principe de cohésion : « Je pense, note encore Abel, que nous nous méprisons tous. Il y a trop d'humiliations, trop de dépossession dans notre existence pour que nous acceptions de ne plus nous diviser contre nous-mêmes. Je ressens douloureusement ce déracinement » (p. 68). La séparation, la coupure d'avec l'origine, l'éloignement de l'espace matriciel provoquent une fracture irréparable qui mine totalement l'édifice familial, échec global et définitif qui se répercute au niveau de chacun de ses membres : le père est dépossédé de son autorité et de son prestige, la mère perd son aura de gardienne du foyer, les enfants se dispersent dans toutes les directions et, pour la plupart, tournent mal, renonçant aux lois, règles et modèles de l'espace familial et social de naguère.

C'est le destin de cette famille – et plus précisément de certains de ses membres – qui est au cœur de ce premier roman énoncé sur un registre relevant davantage de la satire burlesque que du réalisme critique, de la bouffonnerie picaresque que du lyrisme épique. Je reviendrai sur ce choix stylistique plus loin, me contentant de faire remarquer ici que Beaulieu, tout à la fois, joue et ne joue pas de la représentation, hésitant manifestement à trop prendre au sérieux son projet, le traitant le plus souvent sur le mode parodique comme s'il s'agissait d'un jeu. À travers ce grand jeu sur les mots, ces calembours et autres contrepèteries, il dresse néanmoins un premier portrait saisissant de quelque figures particulièrement intéressantes qui seront reprises et développées plus avant dans le cycle, dont celles de Jos, Steven et Abel lui-même, son porte-parole plus ou moins autorisé.

Jos est l'aîné de la famille et voué, à ce titre, à remplacer éventuellement le père et à assumer l'héritage, à assurer notamment la continuité de la lignée. Or, rien n'est moins sûr car Jos, comme tous ses frères, est un perpétuel candidat à l'échec et, en cela, le « symbole d'une famille sans racines, sans idéal, sans beauté » (p. 31). Scandalisé par la misère qui afflige ses parents, refusant un monde qui lui apparaît sans grandeur, il s'engage dans une recherche en forme d'impasse, dans une quête mystique aussi furieuse que fumeuse dont *Jos Connaissant* offrira bientôt le récit. Il incarne la « tentation » religieuse telle qu'on pouvait la connaître à l'époque de la contre-culture glorieuse, ce en quoi il est bien un héros de son temps.

Steven, lui, symbolise, dans son être et par sa conduite, la poésie. Étranger à la réalité empirique, il ne vit qu'en fonction d'idéaux qui en sont la très exacte contrepartie. Il rêve de femmes magiques, diaphanes et pures, qu'il pourrait aimer de manière désincarnée, il ambitionne de devenir romancier tout en se révélant essentiellement comme un poète hanté par le sublime, et il aspire confusément à une forme de sainteté, ce qui le distingue radicalement d'Abel qui paraît complètement immergé dans une lubricité et une vulgarité sans limite. Dans une famille formée soit d'esprits conformistes – comme Charles U qui n'a d'autre ambition que la réussite sociale la plus banale, ou Félix qui accepte passivement la vocation de prêtre à laquelle il est destiné –, soit de marginaux voués à la délinquance comme Machine Gun Jean-Maurice ou à la destruction des autres et de soi comme Abel, Steven représente d'une certaine manière un espoir, l'espoir que la pureté et le salut soient encore possibles dans le monde « en démanche » des Beauchemin.

Par cette évocation des principales figures de la célèbre famille, Beaulieu crée l'espace social dans lequel évolueront les personnages centraux de sa saga. *Race de monde !,* à ce titre, présente une incontestable dimension sociographique, indispensable toile de fond de cet univers imaginaire. Le roman, cependant, ne saurait être réduit à cela ; il propose également une première version d'un thème promis à un grand avenir, celui de la sexualité, cristallisé ici autour d'Abel et de sa passion dévorante pour la si bien nommée Festa.

LA SEXUALITÉ : DE L'ABJECTION À LA RÉDEMPTION

La sexualité est une affaire complexe et compliquée chez Beaulieu, quoi qu'en dise parfois son alter ego, Abel, qui a tendance à la réduire au coït banal, à une manifestation primitive, instinctuelle, à une poussée irrésistible de la nature. Évoquant sa première expérience avec Quasimodole, par exemple, il confiera avec morgue : « la chose ne me marqua pas plus que cela » (p. 26), ajoutant avoir compris « tous les mécanismes de l'affaire et surtout la supériorité du mâle » (p. 25), le triomphe de ce qu'il appelle le « sexe extérieur » sur le « sexe intérieur ». Supériorité donc impliquant différence, inégalité, domination de l'homme sur la femme qui pourra s'exercer à l'occasion par la violence. On est déjà loin, à ce premier niveau, de la simplicité de l'instinct génésique ; on se situe très nettement, au contraire, dans le registre de l'imaginaire.

Abel est ainsi bientôt décrit comme un « obsédé sexuel », aimant, comme il le dit lui-même, « l'absolu de la quochonnerie » (p. 59). Il s'y livre avec frénésie, se comportant comme un chat de ruelle, grand fauve surexcité fondant voracement sur ses proies :

« J'y apprends à fourrer les filles debout, accoté à une poubelle, rien qu'en relevant leur jupe, rien qu'en baissant leur keulotte. Ou je me fais sucer derrière le hangar du Cardinal. C'est le vice dans les ruelles » (p. 59). Des filles, il précise encore qu'il se « crisse de leur beauté, de leurs bouches en cul de poule, de leurs seins seins » (p. 59), ne voyant en elles que l'objet de son plaisir à lui, de son propre et unique contentement. Ici, la sexualité ne conduit donc pas à l'autre, elle n'est pas le truchement privilégié d'une rencontre, sinon d'une communion. Elle est essentiellement une pratique solitaire, et davantage encore lorsqu'elle semble passer par autrui, dans un rapport où on n'échange rien, où on ne partage rien, si ce n'est un sentiment commun de totale déréliction.

Cela est très clair dans la relation qu'Abel entretient avec Festa. Le nom de l'héroïne est déjà, en soi, tout un programme ; il signale on ne peut plus explicitement que la sexualité est affaire de fesses et de fèces, liant indissolublement coït et défécation. Comment mieux exprimer la vision scatologique de la sexualité du personnage d'Abel et, par-delà, de son créateur ? Cette conception perverse fait penser à la description de la sexualité zolienne proposée par Jean Borie[9]. Pour l'écrivain naturaliste, la femme est soit un objet de plaisir, que la figure de la prostituée incarne de manière exemplaire, soit une vierge qui échappe à la sexualité, soit encore une mère sanctifiée par la venue de l'enfant et qui fait pour cela l'objet d'un culte. En tant qu'être sexué, elle représente pour l'homme un danger, ayant commis on ne sait trop quelle faute dans des temps archaïques, crime dont ne demeure plus qu'un souvenir obscur sur lequel un mythe s'élabore, celui de la femme traîtresse et infidèle que l'homme doit mater. On retrouve cela dans l'imaginaire d'Abel, Festa étant réduite en quelque sorte à un tas, à un sac dans lequel on se vide, allant jusqu'au bout de l'avilissement de l'autre et aussi, bien sûr, de soi.

Ce rapport d'hostilité culmine dans des fantasmes de violence physique dont les journaux jaunes comme *Allo Police* fournissent régulièrement des illustrations plus macabres les unes que les autres. Abel imagine, par exemple, qu'il frappe Festa et lui inflige

---

9. Jean BORIE, *Zola et les mythes. De la nausée au salut*, Paris, Seuil, 1971 ; se reporter plus particulièrement aux pages 43-75.

une sévère correction physique avant de la laisser morte. En cela, ce type d'hallucination préfigure les futurs délires sanguinaires d'un Barthélémy Dupuis dans *Un rêve québécois* ou les bacchanales de Berthold Mâchefer et d'Ida – ce nouvel avatar de Festa – dans *Oh Miami, Miami, Miami.*

Ces fantasmes meurtriers peuvent être lus comme des manifestations, inversées, d'une crainte de la femme, d'une angoisse sourde s'apparentant à un complexe de castration. Si Abel se comporte comme un assassin et un violeur dans son imaginaire surchauffé et comme une brute dans ses rapports affectifs avec les femmes, c'est sans doute parce qu'il redoute de perdre à l'échange, de n'en retirer que de l'absence et du vide : la gaillardise tonitruante n'est que le masque d'une fragilité de grand enfant, l'envers d'un manque.

Derrière cette sexualité débridée et envahissante, il y a donc autre chose. « Couché sous Festa », pour reprendre le titre du chapitre central du roman, Abel réfléchit sur le sens de son existence, sur le « bonheur, le sens de la vie et de la mort » (p. 91). Évoquant une conversation récente avec Steven, il s'interroge sur la grande question qui se pose à tous les humains : doit-on « accepter la vie » (p. 93), et si oui, à quel prix, dans quelles conditions ? Il fait remarquer au « poète » que la vie des Beauchemin « c'est le canal dix, *Allo Police,* Pierre Lalonde, Tony Roman et Madame X », ajoutant qu'il « trouve ça laid » (p. 94) et guère de nature à justifier une vie.

Ce qui est important, ce n'est donc pas la sexualité mais ce à quoi elle peut conduire : condamnée comme activité maléfique[10], elle est « récupérée » en tant que composante d'une tentative plus noble consistant à assurer son salut par l'écriture. La débauche la plus extrême, les orgies les plus excessives sont pratiquées, dans cette optique, comme une ascèse radicale à travers laquelle on pourra éventuellement accéder à l'absolu que laisse entrevoir la littérature, celle-ci étant conçue comme une entreprise de dépassement vers une mystérieuse grandeur : la Beauté, ce secret, que chacun porte au fond de soi.

---

10. Abel termine son chapitre « amoureux » ainsi : « J'ai dû absexer. Un dernier coup de langue et je quittai Festa, la tête pleine de détritus comme une serviette sanitaire, les pensées remplies de décharges, de pisse, de sang, de couilles, de pets, d'ovules. Drôle d'amour » (p. 97). On ne saurait en effet ici dire mieux que le narrateur lui-même sur sa curieuse relation au caractère anal très prononcé.

ÉCRIRE L'EXTRÊME « QUOCHONNERIE » DU MONDE

Le monde, ce n'est pas seulement le cadre spatio-temporel délimité par le roman. C'est cela, bien sûr, qu'incarnent les deux lieux extrêmes de Saint-Jean-de-Dieu et de Montréal-Mort, les deux formes opposées et complémentaires d'une même dépossession globale, matérielle, sociale et culturelle : chassés de la campagne par la misère, les Beauchemin continuent en ville de s'enfoncer dans une pauvreté multiforme qui ressemble de plus en plus à un inéluctable destin. Le monde, c'est en outre la culture populaire dégradée dans laquelle baignent tous les personnages, y compris Abel et Steven qui pourtant la rejettent violemment ; quoi qu'ils fassent, ils sont soumis à un intense battage médiatique qui, de la télévision-spectacle à la publicité en passant par la chanson, le cinéma et les journaux à potins, ne fait résonner que le discours artificiel et creux d'un univers social fondé sur les apparences, les distractions frivoles et la plus profonde niaiserie. La sexualité ne représente donc qu'une facette d'une « quochonnerie » généralisée qui recouvre tout et face à laquelle l'écrivain, au départ, se retrouve fort démuni. Comment tirer, de la laideur et du malheur, le « rameau d'or », comme dirait Hermann Broch, de la poésie et de la beauté ?

C'est autour de cette question que Beaulieu élabore la problématique centrale du roman. Steven, le poète qui veut devenir romancier, constate, par exemple, « qu'une famille comme la nôtre ne saurait suffire à ce grand romancier que je veux être. *Il y a trop de quochonnerie ici. Et pas assez de majestitude.* Voilà » (p. 18)[11]. Et Abel, son frère jumeau en littérature, fait aussi sienne cette conclusion en des termes analogues : « Moi je me demande comment la pouaisie peut être possible quand on est le sixième d'une famille de douze enfants ; quand les parents sont pauvres ; quand les seuls journaux, les seuls livres, les seules émissions de radio et de télévision que l'on lit, entend et voit refusent systématiquement la pouaisie, la dénoncent et la rejettent » (p. 56).

Comment tirer grandeur et beauté de la désolation et du malheur ! Comment faire surgir la littérature de la culture populaire dégradée et d'un univers social en désintégration ? C'est là la grande question

---

11. Je souligne.

qui assaille aussi bien le poète que le romancier Beauchemin, ces deux figures qui, réunies, pourraient produire l'Écrivain total que rêve déjà de devenir Beaulieu durant cette période cruciale des apprentissages[12]. Comment rendre possible la poésie, manifester l'aspiration au dépassement, le désir de la « vraie vie » qui assure aux êtres leur pleine humanité ?

À ce moment de l'œuvre, il n'y a pas de réponse assurée à cette question ; Abel n'a pas encore fait de pari pascalien sur les vertus rédemptrices de la littérature. Bien au contraire, il doute énormément de ses possibilités, estimant qu'un écrivain est un « mutilé. Un vétéran de la guerre des mots », et ajoutant que « c'est peu de choses au fond » et que tous les romans sont par définition des « romans sciés. Inachevés. Inachevables. Des créations absurdes » (p. 93). « Le romancier, note-t-il, c'est quelqu'un qui scie des pages, des phrases, ou qui les prend, sciées comme des bûches, et essaie de recoller les morceaux. Mais l'arbre que cela donne ne convainc personne, ne rafraîchit personne, ne réchauffe personne » (p. 117). Comment mieux exprimer un réel désarroi face à la littérature, lui-même l'écho d'un désespoir plus fondamental face à l'existence ? Le roman se termine en effet sur un constat de désastre total ; Abel se considère on ne peut plus malheureux : que peut l'écriture confrontée à un tel désemparement ?

Si le romancier fictif désespère, il reste que le texte de Beaulieu témoigne, à sa manière, des éventuelles vertus de la littérature, de ses possibilités d'exprimer ne serait-ce que cette situation d'abandon, de déréliction. Comment ? Se pose alors la question des stratégies d'écriture. Dans le contexte littéraire évoqué par *Race de monde !*, et qui rend assez bien compte de l'état du champ littéraire de l'époque, il semble qu'il y ait deux grandes voies, deux manières d'écrire possibles. Celle offerte par le roman français traditionnel incarné par Mauriac, Gide, Bernanos ou Peyrefitte, évoqués ici comme des anti-modèles, à rejeter violemment. Celle, à l'inverse, représentée par des figures d'écrivains soit « maudits » comme Baudelaire ou Rimbaud, soit partisans d'une littérature collée sur l'expérience comme Cendrars ou Miller, soit praticiens de l'expéri-

---

12. Complémentarité qu'a bien fait ressortir Pierre NEPVEU dans *L'écologie du réel,* Montréal, Boréal, 1988, plus particulièrement p. 127-140.

mentation langagière comme Prévert ou Queneau. Abel se réclame bien évidemment de cette dernière lignée, recourant abondamment, par exemple, au calembour comme « dernier rempart protégeant de l'abrutissement » (p. 56).

Ce qui est dit du calembour vaut, par extension, pour la stratégie globale d'écriture empruntée par Beaulieu. Il pratique en effet dans ce roman une écriture de la dérision en mettant à contribution diverses techniques : le jeu de mots, utilisé à une très large échelle et avec, il faut le dire, un bonheur inégal[13], la parodie du registre épique, mis en forme sur le mode mineur de la comédie – ce qu'il appellera ailleurs l'épique « drolatique » –, et le burlesque de situation, comme dans le chapitre où Abel narre son expérience d'employé de banque. Ces diverses techniques sont au service d'un propos contestant de l'intérieur le caractère faussement sérieux des formes littéraires dominantes considérées comme inaptes à traduire tout le tragique de la condition humaine.

Délibérément écrit dans un tel registre stylistique fondé sur l'ironie et la parodie, le récit laisse au lecteur une impression curieuse, un malaise diffus dont il n'est pas aisé de décrire la nature exacte. Tout se passe comme si Beaulieu à la fois refusait et acceptait la littérature, jouait et ne jouait pas le jeu, paraissant irrésolu, hésitant à franchir le pas qui l'engagerait totalement dans cette aventure, saisi de vertige devant une entreprise aussi exigeante que risquée, sans aucune garantie de sécurité. À travers les jeux de mots douteux et les calembours qui ne sont souvent que facéties et facilités, c'est cette crainte qui est ici exprimée et qui sert de contrepoids à la très grande assurance dont fait preuve l'écrivain à d'autres moments et qui prendra ultérieurement la forme, en certaines occasions, d'une mégalomanie effrénée.

Écrire, ce ne sera donc jamais autre chose qu'évoquer de manière exacerbée, outrancière, la « quochonnerie » du monde et de l'homme. Et l'écriture elle-même, comme mouvement, sera une pratique

---

13. Je n'en fournis qu'un échantillon, prélevé parmi plusieurs dizaines d'occurrences de même farine : « Je me lève. Je baille. J'enfile mon pantalong. Les zieux fermés. Et qu'est-ce que je vois tout à coup en les rouvrant ? Rien. Je ne vois encore rien. Pas assez ouverts, les zieux. Frotte. Décrotte. Motte. Dans la flotte, les crottes. Hein, cocotte ? Quelle botte ! » (p. 73). Beaulieu renoncera peu à peu à ce genre de jeux de mots relevant, comme le signale Abel lui-même, plus de Gamache, auteur de vulgaires pochades, que de Ducharme ; une partie de son travail de révision de 1978-1979 porte d'ailleurs sur cet aspect.

bâtarde, empruntant à tous les genres, à toutes les formes, les mélangeant sans contraintes autres que celles liées à l'édification de l'énorme et monstrueuse œuvre à laquelle aspire déjà confusément l'écrivain dans ces premières tentatives qui marquent la naissance de son prodigieux univers.

***

Dans ces deux premiers romans, Beaulieu, en somme, met en place les paramètres centraux de l'œuvre à venir. Il en dresse le cadre spatio-temporel délimité par l'axe Trois-Pistoles–Montréal, invente un personnage d'illuminé, Satan Belhumeur, qui aura une nombreuse descendance de détraqués en tous genres, et esquisse un tableau d'ensemble de la célèbre famille des Beauchemin. À ce stade, il n'est pas en possession d'un projet concerté de saga faisant de la tribu une figure allégorique du peuple québécois, mais il pressent confusément qu'il pourrait construire autour de ce noyau un véritable univers, doublant le monde réel et le donnant à voir sous un nouveau jour. Il élabore deux thèmes appelés à connaître plusieurs reprises et variations : celui de la quête (mystique) du Sens couplé, dans des proportions variables, à celui de la sexualité, foyer de cristallisation des désirs les plus lancinants, les plus obsession-nels de cet univers.

Enfin, et c'est ce qui est le plus important, il formule la problé-matique centrale de l'œuvre, celle qui lui sert de structure porteuse depuis les origines jusqu'aux productions les plus récentes, soit les rapports complexes de la littérature et du réel ; cela apparaît aussi bien dans la volonté sourde de dire qui anime Satan que dans la réflexion que poursuit Abel sur le pourquoi et le comment de cette pratique singulière qu'est l'écriture en contexte québécois. Reste, sur ces bases, à édifier pierre par pierre, dans le bonheur, l'effort et la souffrance, le fabuleux monument que constitue cette entreprise considérée dans sa totalité.

L'ENFER QUÉBÉCOIS : DE LA DAMNATION AU SALUT

Au tournant des années 1970, Beaulieu s'engage avec frénésie dans l'écriture ; il publie en quelques années plusieurs romans significatifs et des essais importants sur ses écrivains fétiches d'alors, Hugo et Kerouac. Dans le prolongement des textes fondateurs, il produit les premiers titres de « La vraie saga des Beauchemin » (*Jos Connaissant, Les grands-pères* et *Don Quichotte de la démanche*), donnant à ce projet une impulsion décisive ; en parallèle, il écrit quelques romans de la marge, centrés sur des personnages extravagants, misérables et « fous », qui incarnent la face négative de son univers, l'envers de l'épique glorieux réservé aux Beauchemin.

À travers ces personnages délirants (le Malcomm de *La nuitte de Malcomm Hudd*, le Barthélémy d'*Un rêve québécois*, le Berthold de *Oh Miami, Miami, Miami*), il exprime une vision sombre de la condition québécoise qui s'offre comme une contrepartie de l'optimisme romantique qui sous-tend à d'autres moments sa conception de l'avenir collectif. Le discours halluciné, paranoïaque de ces personnages profondément perturbés est l'écho noir, désespéré d'une situation de manque radical qui n'a pas qu'une dimension et une signification individuelles ; il exprime brutalement, dans ses excès, ses vulgarités, le tragique d'une dépossession qui paraît bien être, par moments, irrémédiable, indépassable, prenant la forme d'un inexorable destin. Le « voyage au bout de la nuit » des personnages apparaît ainsi comme une métaphore d'une odyssée collective, d'une navigation aventureuse, sans boussole, sans même d'étoile pouvant servir de repère à une expédition se déroulant dans une totale obscurité, sans garantie aucune qu'on arrivera un jour à bon port, au foyer natal, au lieu béni des toutes premières origines.

VOYAGE AU BOUT DE LA NUIT (ÉTHYLIQUE)

La nuitte de Malcomm Hudd forme le premier volet de cette trilogie du mal et du malheur. Le titre même du roman est emblématique : il désigne très explicitement à la fois la structure circulaire du récit, l'espace clos qui le ceinture le temps d'une nuit exemplaire, et son thème principal, celui du voyage initiatique, de la recherche d'une lumière sur soi et le monde dans l'obscurité opaque d'une nuit primordiale.

Mais ce titre est en même temps, insolite : qu'est-ce que cette « nuitte » désignée de manière aussi déroutante et d'où vient ce « Malcomm Hudd » énigmatique auquel il renvoie mystérieusement ? Un récit affublé d'un tel titre peut-il être sérieux, être autre chose que la pochade qu'il semble annoncer ? Sur ce point l'épigraphe empruntée au Prologue du *Gargantua* de Rabelais est révélatrice de la gravité d'un propos qui, au-delà du simple divertissement signalé par son enseigne, est axé sur la mise en lumière de la vérité profonde recherchée par le héros du roman : « C'est pourquoi, écrit Rabelais, faut ouvrir le livre et soigneusement peser ce qu'y est déduit. Lors connaîtrez que la drogue dedans contenue est bien d'autre valeur que ne promettait la boîte, c'est-à-dire que les matières ici traitées ne sont tant folâtres comme le titre au-dessus prétendait[1] ».

De quoi s'agit-il donc exactement au cours de cette « nuitte » que traverse de manière chaotique ce curieux personnage de Malcomm Hudd voué, comme son nom le suggère, à perturber le cours normal des choses et du monde ? Qui est-il et dans quel univers surgit-il avec son allure effarée ?

Sur le plan événementiel, factuel, il n'est pas aisé de dégager les paramètres spatio-temporels du roman qui semble bien se dérouler pour l'essentiel dans la conscience confuse, profondément troublée, du héros-narrateur. Du début à la fin, en effet, c'est Malcomm qui parle, ou plutôt délire, et c'est sa voix cassée, heurtée, que l'on entend le plus souvent, la parole étant quelquefois, mais rarement, donnée aux personnages secondaires du récit : Ricki, Bob, Annabelle. Et ce délire incohérent, cette dérive parolière, paraît se produire dans un non-lieu, un espace réduit à la conscience et à l'imaginaire désarticulés de Malcomm. Les seuls espaces concrets évoqués sont une chambre minable où il vient se réfugier avec Ricki

---

1. *La nuitte de Malcomm Hudd,* Montréal, Éditions du Jour, 1969, p. 12. Les références des citations de ce roman seront dorénavant placées entre parenthèses dans le corps du texte.

pour y consommer des orgies – réelles ou fantasmées ? –, une taverne où il se livre à des libations sans fin avec des camarades d'infortune rencontrés par hasard et qu'il amuse par sa faconde de conteur extravagant, et un restaurant Honey Dew où Ricki aurait tenté de se suicider. Pour le reste, le « monde » social, historique, n'a d'autre consistance que celle que peut fournir la mémoire, le souvenir du passé mythique de l'enfance d'abord, puis des premiè-res expériences avant l'Événement inaugural, traumatique qui a mis fin à l'Histoire, à l'avenir possible, et scellé du coup le sort de Malcomm en un destin tragique : l'abandon et la trahison par la femme en général, et plus précisément par la Mère, abandon radical et définitif qui hante tous les héros masculins de Beaulieu et dont ils cherchent furieusement, mais en vain, réparation.

À cet espace flou, à cette temporalité encore plus évanescente, le récit ne fournissant en effet aucun véritable point de repère, correspond une « action » tout aussi minimale : il ne se passe rien sur le plan événementiel, aucune action dont une analyse pourrait dégager une cohérence et une logique. Certains gestes sont évoqués – une nuit d'amour avec Ricki, la tentative de suicide de celle-ci au Honey Dew, un projet de voyage à New York dans le cadre d'un présumé trafic de drogue, l'assassinat (dans un passé antérieur) du mystérieux personnage de Goulatromba, le cheval féerique, par Annabelle, la mort de la mère, etc. –, mais ils ne sont pas disposés dans une séquence aisément reconnaissable et qu'on pourrait logiquement reconstituer. Le lecteur doit par conséquent s'orienter dans un brouillard qui est celui de la pauvre tête perdue, délirante et dérivante, de l'homme des tavernes fini, détruit jusqu'à la racine, qu'est devenu Malcomm.

Nous sommes donc en présence du seul et long monologue, paraissant ne plus pouvoir connaître de fin, de ce personnage totale-ment absorbé, englouti par l'interminable nuit éthylique dont il est désormais prisonnier. C'est cet ivrogne à la conscience fruste et troublée qui « parle » le récit, c'est par lui que nous avons accès au monde intérieur du personnage, à ses craintes, à ses angoisses qu'il tente maladroitement de noyer dans l'alcool. C'est dans son délire que nous sommes entraînés, tentant de voir clair dans ce déluge de mots et d'images fugitives, flottantes, dans ce flux incessant de pensées élémentaires qui lui tient lieu de discours et dans lequel il essaie lui-même péniblement de trouver une fuyante vérité. Cette parole torrentielle, Malcomm la décrit de manière imagée et fort juste lorsqu'il affirme à propos de Ricki qu'elle est « intarissable, ça tenait du délire et de la nausée, ça pissait d'elle dans une hémorragie qui la laisserait bientôt pantelante au bout de son songe » (p. 45) ; ce flux incontrôlé qui charrie tout, la laideur la plus obscène comme la beauté la plus pure, les fantasmes les plus pervers comme les pensées les plus élevées, constitue la substance même de l'écriture du roman qui s'inscrit ainsi dans le prolongement du monologue intérieur joycien, mais en le radicalisant, en le poussant pour ainsi dire à bout, l'adoptant comme véhicule privilégié pour nommer l'Interdit et l'Inavouable.

Ce monologue qui apparaît, à première vue, complètement déstructuré prend forme malgré tout autour de trois motifs donnant lieu, chacun, à plusieurs reprises et variations : celui de l'imaginaire symbolisé par Goulatromba, la bête fantastique menacée par le monde et d'abord par la Femme, cette ennemie séculaire ; celui de l'enfance, incarné par la mère, figure associée aussi bien à la menace d'un irrémédiable abandon qu'à la sécurité des origines ; celui du « réel » représenté par un espace social fantasmé comme étranger et hostile au moi du héros. C'est par rapport à ces trois ordres de réalités que Malcomm tente de trouver un sens à sa vie, une vérité qui lui échappe dans le tohu-bohu de son expérience quotidienne et qu'il poursuit au cours de ses divagations éthyliques.

L'alcool apparaît ici comme une panacée, comme un expédient facile et commode pour retrouver la sécurité perdue à la sortie de l'enfance et être délivré de l'angoisse liée aux rapports aux autres et à son propre univers intérieur disloqué, de la crainte de la mort, cette menace constante, et de la dureté d'un monde tenu pour une puissance hostile. Bière après bière, dans une quête frénétique interminable, Malcomm essaie en vain de guérir la « grande peine » dont il a « oublié l'origine, un insondable chagrin » (p. 219-220) relié à la figure de Bob et, par delà, à celle du père, envié et détesté car premier détenteur de la mère et de la sécurité qui lui est associée. À la fin de sa « nuitte » alcoolique, et au terme du récit, Malcomm « comprend » qu'il doit tuer Bob car celui-ci représente son double sombre, la noire figure tutélaire qui lui bloque l'accès à sa vérité :

le retour rêvé au pays magique de Trois-Pistoles et au sein de la mère, d'où tout vient et où tout doit finalement retourner.

La nuitte de Malcomm Hudd peut être ainsi lue comme un grand roman familial, comme la mise en forme symbolique de l'éternel triangle parental fils – père – mère. Malcomm, en l'occurrence, se perçoit comme le fils abandonné d'une mère « incestueuse » et d'un père castrateur, comme un être menacé puis délaissé par les deux figures parentales, d'où sa totale déréliction[2]. À travers la consommation excessive d'alcool, c'est une réponse à ce désastre premier et fondamental qui est recherchée dans l'angoisse, la peur, la confusion ; l'alcool facilite en effet cette quête des vérités ultimes mais, en même temps, la rend fort problématique : comment voir clair dans le brouillard éthylique, comment départager le « réel » de l' « imaginaire », l'événement du fantasme, et trouver la « parole d'or » (p. 195) qui permettrait enfin de se réconcilier avec soi-même et avec le monde ?

La nuitte de Malcomm Hudd, dans cette optique, peut être aussi lue comme un récit d'apprentissage, comme la mise en forme d'une expérience rituelle, initiatique, relevant foncièrement de la quête du Sacré.

DE LA « QUOCHONNERIE » AU SACRÉ :
LE SENS D'UN PARCOURS

« Comment vivre ? » (p. 36), « comment être homme lorsqu'il est si facile, si commode d'être bête comme ses pieds ? » (p. 37), comment parvenir à la « terre promise » ? (p. 38) se demande inlassablement Malcomm au cœur de son délire, comment rejoindre le « fond » de sa « vérité » ? C'est là l'interrogation fondamentale sans cesse reprise, reformulée au sein même de la plus noire désespérance, au cours des pires excès, des abjections les plus répugnantes. « Les recommencements sont-ils possibles, se demande-t-il encore,

---

2. Dans une perspective psychanalytique plutôt classique, André Vanasse a pu déceler dans certains des premiers romans de Beaulieu – dont *La nuitte de Malcomm Hudd* – une « problématique de la castration » pluridimensionnelle, protéiforme, elle-même liée à ce qu'il appelle un « phantasme de la fusion primordiale » faisant du père un éternel ennemi pour le fils, dans la rivalité qui les oppose pour la conquête de la mère. Voir André VANASSE, *Le père vaincu, la méduse et les fils castrés,* Montréal, XYZ, 1990, plus particulièrement p. 45-58.

peut-on faire la nuitte sur les premiers jours de son existence et repartir véritablement à zéro ? » (p. 55) en renouant avec la « sécurité du passé figé, immortel dans son absence de changement, invulnérable dans son objectivité que lui conférait cérémonieusement le recul du temps qui métamorphosait les étapes ultimes de la naissance et de la mort, en faisant des actes vides de sens et par là même pleins d'une vérité étrange et créatrice de tous les mythes, de tous les mystères et de tous les surréalismes » (p. 212) ? Est-il possible, en somme, de renaître en surmontant le traumatisme initial de la perte, de l'abandon qui vous a voué à jamais à la solitude et à l'angoisse ?

C'est là la question centrale que se pose le héros, lucide dans son ivrognerie, conscient de son malheur, en quête d'un sens à donner à sa souffrance et à son isolement. Le sens, cette transcendance absente d'une vie aliénée, dépossédée, engluée dans le quotidien le plus plat, Malcomm le cherche d'abord à travers l'amour et la sexualité, valeurs incarnées dans la figure énigmatique d'Annabelle, symbolisant tour à tour la mère, la vierge-épouse et la putain désirées par le héros et formant une sorte de constellation floue, lieu de cristallisation de tous les fantasmes.

Annabelle, c'est d'abord l'épouse « légitime », la conjointe de rêve qui se révélera, le temps des noces envolé, une traîtresse, une ennemie notamment de Goulatromba qu'elle tuera dans un geste de colère, assassinant ainsi la part de rêve qui habite l'imaginaire assoiffé d'Absolu de Malcomm. Annabelle, c'est ensuite Ricki, serveuse et danseuse de son état, que le héros rencontre lors d'une beuverie et avec qui il cherche, dans des ébats marqués par la perversion, à rompre sa solitude. Il n'y arrivera pas plus que Ricki elle-même, d'ailleurs, qui recherche désespérément chez Malcomm ce qu'elle aimait auparavant chez Bob, son double sombre. Et à travers cette Annabelle II, cette métamorphose dégradée d'Annabelle I, il ne cherche au fond qu'à rejoindre la femme ultime, la mère, l'Annabelle III qui l'a « abandonné » à jamais en mourant et, à travers elle, les « beaux jours » de l'enfance innocente, le paradis perdu de la communauté unifiée, paisible et rassurante des origines.

Les relations affectives et érotiques, à première vue, ne semblent donc rien engendrer, ne conduire à rien d'autre qu'à un renforcement du sentiment de solitude et d'abandon qu'éprouve le héros.

Cependant, comme Abel méditait sur le sens de sa vie durant ses ébats orgiaques avec Festa, Malcomm a l'impression, en pénétrant les femmes avec ses doigts, de communier au « mystère de l'Incarnation, de l'Espérance et de la Charité » (p. 140). Et Ricki rêve de connaître des transes qui la feront monter au ciel où elle se voit « enfanter un fils de Dieu » (p. 150) qui la rendrait à son innocence première, à sa virginité native. Malcomm, par ailleurs, au cœur même de la débauche la plus excessive, la rebaptise Annabelle II « au nom du Père, du Fils et du Saint-Esprit » (p. 47) dans un simulacre à composante blasphématoire ; mais qu'est-ce que le blasphème sinon un signe, inversé, du sacré ?

La rédemption est donc au bout de l'orgie, la sainteté s'atteint dans l'abjection la plus totale. Malcomm souhaite ainsi confusément sa renaissance dans l'eau du Saint-Laurent fantasmé comme fleuve sacré, comme un Gange dont il pourrait surgir purifié, lavé de ses excès et délivré de sa médiocrité. Mais il est forcé de constater que le fleuve est pollué et qu'il ne saurait donc en revenir transfiguré après y avoir trouvé sa « délivrance » et le « salut du monde » (p. 75). Malcomm ne renonce pas pour autant à sa quête ; avortée sur les rives et dans les eaux du Saint-Laurent, elle prendra une nouvelle forme, encore plus hallucinatoire, dans l'odyssée fantastique qui le conduit sur Pluton, en compagnie de Bob, son alter ego, son double sombre, l'autre face de son moi complexé et perturbé.

Ce passage est d'une troublante étrangeté. Malcomm cherche en effet, dans la liaison intergalactique qu'il vit avec Bob, autre chose que la « facilité désœuvrée », la « haine », la « perdition », la « corruption » et le « vice » (p. 186) qui caractérisent l'existence des terriens, y compris la sienne propre, souhaitant être libéré pour toujours des « œuvres du monde et des pompes de Satan » (p. 187), de la « folie du sexe, quochonnerie monumentale absorbant la vie des hommes de cette maudite ville de puants ! ô Grand Morial de ma nuitte !, monstrueux trou du cul ! » (p. 195). C'est pourtant au sein de cette « quochonnerie », cette « folie du sexe », qu'il trouve en partie sa vérité et l'illumination qu'il recherche. C'est au cœur de ce « cauchemar d'ivrogne » (p. 197) qu'il réalise la fusion de ses deux personnalités (la lumineuse, assoiffée d'absolu, et la sombre, immergée dans la corruption et le vice), qu'il rejoint enfin

Annabelle, au-delà du plaisir orgiaque, se résorbant dans son ventre, « poche immense des œuvres irréalisables qu'engloutit le néant prenant possession du monde » (p. 197). C'est au terme de cette régression fantasmatique qu'il renoue avec son enfance, avec la mère, le père et, au-delà, avec les ancêtres, les grands-pères qui constituent la lignée à laquelle il appartient et dont il est coupé dans la vie aliénée qui forme la trame de ses jours.

Cette quête se déroule, bien entendu, dans le cadre d'un discours délirant, dans le brouillard et les ténèbres d'une « nuitte » éthylique. Au petit matin, lorsque la parole torrentielle, diluvienne, de Malcomm fait relâche enfin, rien ne signale qu'une « libération » effective a eu lieu et que notre ivrogne a été transformé. Mais son délire témoigne tout de même d'une recherche, il met en relief une résistance, incohérente, irrationnelle, « improductive », aux conditions qui ont fait de lui une loque ; il rappelle que l'existence ne saurait être réduite à une acceptation résignée et que l'aspiration au sens, à l'absolu demeure, en dépit de tout, y compris au sein de ce qui semble une totale déréliction. Dans sa misérable tête égarée, Malcomm effectue un parcours initiatique, en quête de transcendance au cœur même de la plus abjecte obscénité. Dans un monde déserté par les dieux, comme l'avait déjà constaté Satan Belhumeur, c'est dans et derrière le mal, la laideur, le vice qu'il faut chercher le sacré.

Si la dimension religieuse de la recherche de Malcomm ne fait pas de doute, peut-on en dire autant du projet de l'auteur et du roman examiné ici ? Écrire la « quochonnerie », c'était là l'ambition fortement auto-proclamée d'Abel dans *Race de monde !*, le récit fondateur. Écrire la « quochonnerie » pour dire la vérité d'un monde fracturé, en décomposition avancée, bien sûr, mais aussi pour en signaler, au fer rouge, les limites et les apories. Car le monde ne saurait être réduit entièrement à cette laideur qui n'en est que la face sombre, bien que la plus visible ; derrière l'horreur, la corruption et le vice, il doit y avoir autre chose, des aspirations au dépassement de ces données brutes et brutales, quelque chose comme une grandeur, une beauté que masque l'abjection et qu'il s'agit de mettre au jour.

La nuitte de Malcomm Hudd, dans cette perspective, est l'expression d'un constat, d'un diagnostic porté sur une société qui se défait, qui perd ses assises, sa cohérence et sa cohésion, laissant chacun sur son quant-à-soi, livré à toutes les errances et les dérives possibles lorsqu'il n'y a plus de centre et de sens. Mais le roman, à travers certaines échappées lumineuses, fait également entendre autre chose qui est l'aspiration à retrouver une grandeur perdue, l'unité première liant le moi originel aux autres et à l'univers perçu comme totalité. L'écriture, favorisant cette prise de conscience, s'inscrit dans le registre du sacré, y compris lorsqu'elle emprunte la voie du blasphème et du sacrilège : par delà les imprécations ordurières, elle fait, en définitive, résonner la parole du divin, en quoi elle est foncièrement rédemptrice.

Cette observation vaut-elle également pour un roman aussi extrême qu'*Un rêve québécois,* récit le plus désespéré et désespérant de Beaulieu, et l'une des œuvres les plus morbides, en première approximation, de toute la littérature québécoise ? Y a-t-il à tirer de cette histoire d'horreur, de viol, de meurtre et de sang une signification qui permettrait de la rattacher « naturellement » – et non comme parasite monstrueux – à la problématique de l'écriture réparatrice, au sens psychanalytique, et rédemptrice dans l'acception plus large retenue ici, c'est-à-dire comme manifestation d'un surplus de sens, d'un appel pathétique à l'absolu ?

VOYAGE AU BOUT DE L'HORREUR : LA TRANSGRESSION DE TOUS LES INTERDITS

Rédigé à l'époque de la Crise d'octobre 1970, entrepris avant celle-ci et terminé après et sous son « influence », *Un rêve québécois* s'inscrit donc dans un cadre sociopolitique bien précis et particulièrement sombre de l'histoire du Québec moderne. Dédicacé à la mère des célèbres frères Rose de la cellule felquiste responsable de l'enlèvement de Pierre Laporte, il comporte des allusions explicites à l'Événement, tant dans les textes placés en épigraphes que dans la caractérisation de son personnage-héros, Barthélémy Dupuis, associé un moment à Pierre Laporte, à la victime expiatoire donc du drame sociopolitique « réel », et dans l'évocation également des circonstances ponctuelles entourant la Crise : la présence de l'armée dans les rues de Montréal ou de bâtons de dynamite dans la cave de Barthélémy.

Ce rapprochement pose d'ailleurs problème dans la mesure où il suggère une analogie, sinon une équivalence, entre le rêve délirant et sanguinaire du héros – violer et tuer son épouse – et la revendication de liberté portée, gauchement et maladroitement sans doute, par les felquistes. Le récit porte en effet à établir un rapport de réciprocité entre les deux victimes expiatoires – la Jeanne d'Arc dans le roman, Pierre Laporte dans la Crise –, signalant du coup le caractère aberrant de l'un et l'autre « actes de libération » : opérations extrêmes, désespérées et absurdes qui ne changent rien à la condition réelle des protagonistes – Barthélémy dans le roman, les felquistes et le peuple québécois dans la Crise –, mais qui ont pour « mérite » d'en révéler cruellement la dépossession, l'aliénation. Reste que cette « leçon » n'est rien moins qu'évidente et que le roman, au moins en surface, semble suggérer que l'action « terroriste » est aussi criminelle qu'insensée. Ce n'est qu'au deuxième degré, si l'on peut dire, que cette action trouve son sens et sa justification, comme celle de Barthélémy Dupuis d'ailleurs, geste crapuleux n'ayant de valeur et de portée que comme symptôme, signe d'une totale détresse, du fond de laquelle surgit toutefois une aspiration à un changement profond, à une transformation radicale plaçant le héros sur la voie d'un éventuel « salut ».

Nous sommes en présence, comme dans *La nuitte de Malcomm Hudd,* d'un délire tenu par un autre « damné de la terre », un abonné au bien-être social et au chômage vaguement acoquiné à la petite pègre, nourrissant son imaginaire par la lecture d'*Allo Police* et cherchant dans l'alcool une improbable solution à ses malheurs. Nous n'entendons cependant pas la seule voix de Barthélémy, comme c'était le cas pour celle de Malcomm dans le roman précédent ; le récit, cette fois, est porté par deux voix – et se situe sur deux registres langagiers, le joual et le français « standard » – : celle, d'une part, du héros évoquée essentiellement à travers des interjections, des manifestations parolières très élémentaires (jurons, sacres, etc.) et celle, d'autre part, de sa conscience confuse, troublée, exprimée par un narrateur à la troisième personne, décrivant de l'extérieur les gestes de Barthélémy et tentant de rendre plus explicites les perceptions, les sensations non immédiatement lisibles, décodables dans les phrases incohérentes du pauvre être égaré, véritable loque humaine, qu'est devenu le héros.

Au total, cela donne encore une fois un récit qui semble flotter dans un espace-temps irréel, confus, sans coordonnées précises, sans points de repère fixes pour orienter la lecture et permettre de reconstruire une histoire cohérente, logique, dégageant un sens clair, transparent, aisément interprétable. Le lecteur avance à tâtons dans le roman à l'instar de Barthélémy perdu dans sa nuit. L'anecdote, pour l'essentiel, s'organise autour du retour du héros à sa maison après un séjour dans une clinique de désintoxication alcoolique. Sitôt sorti de « Dorémi », notre homme ne peut résister à l'appel de la taverne, engouffrant moult bières pour trouver le courage de revenir au foyer conjugal où il se propose d'accomplir « quelque chose de noble, il ne savait pas quoi encore mais il était sûr qu'il passerait à l'Histoire[3] », quelque chose qui va prendre la forme du viol puis du meurtre – « phantasmatique » : dans le « réel » il s'en prend à une poupée – de sa conjointe traîtresse, la Jeanne-D'Arc au nom soigneusement prédestiné. C'est là la donnée de base factuelle, événementielle, du récit : le reste se passe, comme on dit, « dans la tête » de Barthélémy, dans un monologue en forme de spirale qui nous est maintenant familier.

Ce héros, comme précédemment Malcomm, est représenté comme un personnage dépouillé de tout, dépossédé du sens même de sa vie « se déroulant dans la moiteur et l'obscur, dans le monde caoutchouté défaisant ses spirales, puis les recomposant, sans originalité, presque par habitude, et au hasard d'un déroulement, d'un débordement, d'un *vide* qui lui suçait la moelle épinière » (p. 18-19)[4]. Le narrateur évoque encore plus loin ce qu'il appelle le « rapetissement du quotidien » dans lequel évolue ce « vieux chien » (p. 19), cette « vieille carcasse de bête sauvage tuée à coups de hache » (p. 53) à qui plus rien n'arrive et qui est totalement coupée du monde. Un monde symbolisé pour une part par l'univers factice des centres commerciaux, et pour une autre part par l'espace carcéral de « Dorémi », représenté comme une bête malfaisante, monstrueuse, un « gros hippopotame » (p. 26) dont Barthélémy subit les sévices outrageants, y étant soigné comme une brute, une

---

3. *Un rêve québécois,* Montréal, Éditions du Jour, 1972, p. 16. Les références des citations de ce roman seront dorénavant placées entre parenthèses dans le corps du texte.
4. Je souligne.

masse indifférenciée de chair et de sang, amputée de son humanité, dans l'humiliation la plus extrême. C'est pour échapper à ce monde menaçant qu'il se réfugie à la taverne ou chez lui, dans sa maison, fantasmée comme un véritable paradis, un havre de paix et de bonheur associé à la Jeanne-D'Arc des jours heureux, avant la Trahison, et au souvenir apaisant de l'enfance qu'il retrouve dans le lit des vieux parents qu'il occupe désormais avec sa conjointe.

Sur le temps réel de cette fameuse « nuit historique » se greffent donc les temps plus anciens du mariage – relativement récent –, de l'enfant perdu – lors d'une fausse couche ? –, de la camaraderie avec les copains devenus policiers (Fred, Baptiste) et maintenant rivaux et adversaires, de l'enfance et de l'abandon originaire par la mère. Le motif de la trahison, déjà mis en fiction dans *La nuitte de Malcomm Hudd* et qui ne cessera plus par la suite de hanter l'œuvre de Beaulieu, est repris ici et ré-élaboré dans des termes voisins. Barthélémy, comme Malcomm, se sent victime d'une trahison par la femme aimée qu'il imagine en complaisantes relations avec ses ex-amis. Au-delà, il se sent trahi encore plus profondément par l'avortement – voulu ou non, cela demeure mystérieux – de Jeanne-D'Arc, perdant l'enfant en qui il a placé toutes ses espérances ; c'est celle-ci qu'il tient responsable de cet acte manqué, de ce traumatisme dont il sort transformé, devenant agressif, aigri et sombrant dans la déchéance alcoolique. « Le bébé, elle l'avait tué » (p. 160), estime Barthélémy, trahison suprême qu'on ne peut pardonner car elle bouche totalement l'horizon et renvoie inexorablement à un lourd passé, lui-même marqué par l'abandon maternel.

Barthélémy, d'une certaine manière, règle ses comptes avec les femmes, et d'abord avec la mère, cette incarnation de la traîtrise ultime. Dans son esprit détraqué, il ne fait donc qu'exercer une bien légitime vengeance, en tentant de réparer par un geste magique le mal qu'on lui a fait. La Jeanne-D'Arc devient de la sorte une victime expiatoire d'un cérémonial visant d'abord à exorciser son propre malheur. Le meurtre horrible, et l'ignoble boucherie qui le suit, l'immonde dépeçage du cadavre encore chaud de l'épouse, ne sont, dans cette optique, que les actes obligés d'une messe noire, d'un rituel sacrificiel et sacrilège dont Jeanne-D'Arc devient le bouc émissaire tout désigné. Ce cérémonial scabreux est représenté comme un spectacle que Barthélémy se donne à distance de lui-même en quelque sorte : il *regarde* la monstrueuse opération à laquelle se livre son double possédé, rendu fou par sa passion destructrice, spectacle qui le fascine et dont il tente, dans la confusion de l'engourdissement éthylique, de dégager le sens.

Le « mystère » odieux sous forme de sacrifice meurtrier imaginé par l'ivrogne – et au-delà par l'auteur – est ainsi conçu et vécu comme un rite initiatique au cours duquel, à travers tous les excès – car la sexualité notamment est ici vraiment excrémentielle, à un niveau encore plus insupportable que dans *La nuitte de Malcomm Hudd* –, une recherche authentique s'exprime, en dépit de tout : recherche d'une fusion sexuelle dans la scène de travestissement où Barthélémy joue le rôle de Jeanne-D'Arc, rêvant de devenir une sorte d'hermaphrodite ; quête d'un sens global à l'expérience que pourrait peut-être procurer la violence purificatrice, « l'avenir ne pouvant désormais s'ouvrir qu'une fois l'excès arrivé à son bout » (p. 157), permettant ainsi une « première naissance qui rendrait tout enfin possible » (p. 159).

Ce cérémonial meurtrier est donc vécu comme un acte de sanctification, comme une ascèse monstrueuse et radicale au terme de laquelle le héros espère trouver sa vérité. Il se termine toutefois par un échec, le rêve se métamorphosant en cauchemar d'autant plus désastreux et désespérant que les voies de la quête avaient été excessives : « Il se disait qu'il avait atteint le fond mais il ne savait pas de quel fond il s'agissait : tuer la Jeanne-D'Arc ne suffisait peut-être pas, la mutiler et l'outrager ne constituaient sûrement pas une fin ni une délivrance souhaitable. Tout était plus subtil, moins facilement identifiable, tout ne relevait sans doute pas de la Jeanne-D'Arc ni de lui-même d'ailleurs ni de la grosse main de Baptiste posée comme un défi dans le califourchon secret. *Il pensa qu'il avait toujours été joué* » (p. 170)[5]. On retrouve ici encore l'idée d'un destin maléfique, fixé de toute éternité, auquel tous les individus semblent promis à la naissance, et certains plus que d'autres, bien sûr, lorsqu'ils appartiennent à des univers en décomposition, comme c'est le cas de la société québécoise évoquée par Beaulieu dans ses premiers romans.

---

5. Je souligne.

Récit d'un cérémonial crapuleux en forme de simulacre, encadrant une tentative de libération et de sanctification, *Un rêve québécois* peut être lu lui-même comme un acte de purification, comme la symbolisation, distanciée, d'un univers à conjurer, d'une réalité à exprimer de manière exacerbée pour en être quitte, étape douloureuse, mais nécessaire, d'un parcours où il s'agit de produire, au-delà de l'écriture de la « quochonnerie », une littérature appelant au dépassement, à la réconciliation et à l'unité.

Cette interprétation me paraît d'autant plus plausible que le questionnement sur l'écriture est au cœur de l'œuvre suivante, de ce grand récit initiatique que constitue *Oh Miami, Miami, Miami*. Dans une étude antérieure[6], j'ai signalé qu'avec ce roman Beaulieu passait d'une *littérature du constat,* fondée sur la description de l'enfer québécois, à une *littérature du problématique* centrée sur les rapports du réel et de l'imaginaire, de la société et de l'écriture. C'est là en effet l'enjeu central que soulève ce roman à travers le récit, souvent loufoque, de l'odyssée floridienne de l'anti-Ulysse Berthold Mâchefer, p'tit gars de Shawinigan en quête d'identité et de liberté dans le grand paradis sexué qu'est devenu Miami, ce foyer de cristallisation érotique de l'imaginaire québécois dépossédé.

DE SHAWINIGAN À MIAMI : LA RENAISSANCE ROUGE

Oh Miami, Miami, Miami se présente comme un récit complexe, baroque, éclaté, sur le plan de la composition. Il raconte une « histoire alambiquée[7] » comportant de nombreux étagements réunis de manière floue à première vue, dans le cadre d'une « narration aberrante » (p. 174), échevelée, portée par de nombreuses voix : celles des personnages principaux (Berthold Mâchefer, Maurice Jalbert, Faux Indien), celle d'Abel Beauchemin cherchant son inspiration à Miami, celle d'un narrateur anonyme intervenant dans le récit pour relayer Abel lorsque celui-ci se trouve à court d'imagination ; ce concert polyphonique est lui-même orchestré par un super-régisseur qui n'est autre, bien sûr, que le romancier lui-même.

---

6. Jacques PELLETIER, *Le roman national,* Montréal, VLB éditeur, 1991, p. 99-133.

7. *Oh Miami, Miami, Miami,* Éditions du Jour, 1973, p. 173. Les références des citations de ce roman seront dorénavant placées entre parenthèses dans le corps du texte.

Sur le plan structurel, *Oh Miami...* fait donc irrésistiblement penser à la manière aquinienne, aux ingénieuses et déconcertantes manœuvres d'écriture de l'auteur de *Prochain épisode* et de *Trou de mémoire* sous l'influence duquel le roman paraît avoir été produit. Une influence qu'on retrouve également dans la « mise en abyme » que forment les diverses épigraphes coiffant chacun des « livres » du récit, citations toutes empruntées à Melville et qui « reflètent » le roman à la manière de miroirs aussi bien sur le plan de la forme – légitimant le choix de la technique de fragmentation privilégiée par l'auteur – que sur celui du contenu thématique, évoquant les motifs centraux de la chute, de la folie, de la renaissance et de la métamorphose de la mort en son contraire absolu, la vie[8].

Oh Miami... témoigne ainsi, de manière éblouissante, de la virtuosité de Beaulieu, de sa complète maîtrise des techniques d'écriture les plus modernes et les plus sophistiquées. On ne saurait toutefois réduire le roman à cela sans perdre de vue l'essentiel, c'est-à-dire le discours qui, à travers cette structure éclatée, est tenu sur les rapports du (des) héros au monde, à l'univers de la sexualité d'abord, de la culture et de la littérature ensuite, de la collectivité enfin, question elle-même inextricablement liée à celle de l'écriture. C'est donc une problématique complexe, axée sur plusieurs enjeux importants, que le roman met en place, à l'intérieur toutefois d'une matrice unificatrice, soit le grand récit d'apprentissage caractérisant le romanesque contemporain dont Beaulieu bouscule cependant le modèle canonique auquel nous sommes habitués ; de là son aspect déroutant surtout pour qui ce type de pratique littéraire n'est pas familier.

À un premier niveau, *Oh Miami...* se présente comme un récit autobiographique, comme l'histoire de l'initiation sexuelle, puis sociétale, du héros-narrateur, Berthold Mâchefer, dont le lecteur apprendra au cours du roman qu'il s'agit d'une « créature » inventée par Abel Beauchemin pour se venger d'un ex-employeur, portant le même nom, qui l'a congédié dans un temps antérieur à sa vocation d'écrivain. Il s'agit donc d'un personnage au statut indéterminé,

---

8. Mon propos étant autre, je ne fais pas ici une analyse qu'on pourrait pousser loin sur le plan narratologique, le roman étant l'un des plus riches de toute l'œuvre sur le plan structurel. Rien n'est simple ici, pas plus la forme du récit que la sexualité « tordue » qu'il thématise.

flottant, doté d'une consistance faible – « existant » vraiment ou pure création « imaginaire » dans la logique de la fiction, bien sûr, on ne sait trop –, ayant à se débattre et à se définir, comme les héros des romans précédents, dans le cadre d'un « roman familial » trouble, perturbé où il fait figure de victime expiatoire.

Orphelin doublement abandonné par une mère faible choisissant de se suicider dans les eaux froides de la rivière Saint-Maurice et par un père violent à la fois admiré et haï en tant que porteur du spectre menaçant de la castration, lui aussi mort d'une balle à la tête dans un geste rageur et désespéré, Berthold mène une existence lamentable, sans grandeur, de vendeur dans une boutique de friperies de Shawinigan. Prisonnier de son passé, il vit essentiellement dans le souvenir des parents perdus, de la mère surtout qu'il retrouve chaque soir dans le culte dévot et fétichiste qu'il voue au kimono en soie porté naguère par elle. C'est pour se libérer de ce passé, de ses fixations à la mère qu'il rêve un jour de tout quitter, espérant trouver à Miami les voies pouvant le conduire à une nouvelle naissance, à une « innocence retrouvée » (p. 67) qui pourrait lui rappeler les « deux ou trois épisodes heureux de la première vie » (p. 66-67).

Nous sommes donc en présence d'une quête prenant la forme d'un retour à l'origine, à l'archaïque précédant les crises nées du « roman familial ». À Miami, représentée d'abord comme un paradis, comme le lieu édénique d'une sexualité joyeuse et sans contraintes, puis comme l'espace caricatural, absurde, de la « kétainerie » (p. 179) québécoise dans toute sa splendeur, Berthold va subir une double initiation, sexuelle avec Ida – petite-bourgeoisie de Québec en mal d'hommes et d'émotions fortes –, sociétale avec Faux Indien qui lui révélera une vérité plus fondamentale sur lui-même, sur cette identité fuyante qu'il a recherchée jusque-là en vain.

Ida incarne une sexualité dévorante, capable de tous les excès, monstrueuse. Avec son nom prédestiné, à connotation on ne peut plus freudienne, elle symbolise la bête humaine, la « machine amoureuse » dans ce qu'elle peut comporter de plus primaire, de plus instinctuel. Berthold connaît avec elle une nuit d'amour torrentielle, forcenée, marquée de violence, la battant et étant battu par elle, s'avilissant dans des pratiques excrémentielles particulièrement répugnantes, sous le regard goguenard d'une paire de dentiers incarnant, de manière on ne peut plus voyante, la menace d'une innommable castration. Dans ce passage, Beaulieu atteint des sommets dans la pornographie qu'il ne dépassera plus par la suite, sinon de manière ponctuelle dans la description des débats érotiques d'Abel et d'Olga dans *Steven le hérault*. Au bout de cette « quochonnerie » il y a une réelle levée des interdits, de tous les interdits, et en cela une libération partielle, bien que limitée : « Rien n'avait eu lieu avec Ida » (p. 263), constate un Berthold/Momo amer, prenant conscience que Miami est devenue le « tombeau grand ouvert de son rêve défait » (p. 264) et qu'il n'a rien appris de fondamental avec Ida, sinon la solitude et la détresse qu'il y a inévitablement au fond de l'expérience sexuelle, surtout lorsqu'elle s'autorise tous les excès et toutes les perversions ; au terme, il n'y a que soi aux prises avec soi, et donc une indépassable déception liée au constat inéluctable de la fragilité de tout, et d'abord de ce qui, en principe, devrait vous rapprocher le plus d'autrui, c'est-à-dire la proximité sexuelle. Ici cette expérience capitale débouche sur l'absence et le néant.

Cette libération authentique, qui le ferait renaître à soi et trouver sa vérité, Berthold/Momo va plutôt la rencontrer dans les bras et la parole de Faux Indien, personnage énigmatique qui fait office de principale figure initiatique du roman. À sa manière toute personnelle, il incarne la contre-culture, courant idéologique important des années 1970, déjà représenté dans l'œuvre de Beaulieu, notamment à travers les figures de Satan Belhumeur et de Jos Beauchemin. Comme ces derniers, il est habité par un « Grand rêve » (p. 268) et estime que la vie n'est que « l'une des formes intérieures de la Manifestation » (p. 268), que « l'extérieur est une illusion, il n'y a de vérité qu'en ce qui fait bouger l'esprit » (p. 272), qu'en somme, pour reprendre un cliché de l'époque souvent claironné par un Raoul Duguay : « tout est dans tout », et vice-versa, dans le meilleur des mondes !

C'est de ce personnage fascinant et fantasque, de ce « grand-prêtre » (p. 309), de cette réincarnation de Moïse fendant les eaux de la mer Rouge pour libérer son peuple – « Faux Indien n'avait qu'à souffler dans l'océan pour que les eaux se séparassent et fissent, dans les abîmes, un passage sacré au bout duquel le vrai

Momo et le vrai Faux Indien les attendaient, assis sur les grandes chaises rouges sacrées » (p. 273) –, de ce nouveau Christ rouge que Berthold/Momo recevra sa délivrance. Métamorphosé, devenu un nouvel homme, promis à un avenir radieux, il parcourra désormais le monde sous le nom de Géronimo, rebaptisé ainsi par Faux Indien lors d'un cérémonial érotico-religieux au cours duquel celui-ci le pénètre au nom de Dieu et de sa foi en l'homme rouge.

Ce faisant, Beaulieu opère un déplacement significatif dans le roman qui s'organise, à partir de là, autour des rapports qui lient et opposent à la fois Faux Indien, partisan de la renaissance rouge, et Abel, écrivain de l'immobile. Ce déplacement n'annule cependant pas ce qui précède ; la quête érotique demeure une voie d'accès, une manière privilégiée, bien que semée d'embûches, un passage nécessaire pour rencontrer le divin. En une formule brutale mais pertinente, on pourrait soutenir que le cul, ici comme presque toujours dans cette œuvre, mène au ciel ou, à tout le moins, par son caractère limité et décevant, appelle au dépassement, à la transcendance.

Or c'est bien une quête de sens de cet ordre qui anime Faux Indien dans ses recherches sur la civilisation amérindienne et sur la nouvelle culture métisse que les Français auraient pu construire s'ils avaient pris une juste mesure du territoire américain et de ses habitants. Ce qu'il propose, c'est un récit mythique des fondations et des occasions manquées. On aurait pu, selon lui, construire ici une « Nouvelle Arche de l'Alliance » (p. 312), créer un monde radicalement neuf en intégrant l'apport indigène, le sang rouge. C'est en cela que le cas exemplaire de Riel lui apparaît particulièrement intéressant car « le Métis, s'il avait pris le pouvoir, aurait créé une nouvelle religion dans laquelle le rêve de l'Amérique française se serait reconnu et accompli » (p. 314). Riel, pour ce rêve grandiose, est considéré comme le « dernier homme vertical » de ce pays qui, renonçant au rêve et à la grandeur, ne pouvait que « se ratatiner comme une peau de chagrin et appeler Saint-Jean-de-Dieu son village et mêmement son asile : ce pays pourrit comme une vieille tomate, s'écrase tout au fond de son néant » (p. 312)[9].

---

9. Beaulieu développe ici, dans un cadre fictionnel, l'argument central du *Manuel de la petite littérature du Québec* qu'il rédige alors en parallèle : l'histoire du Québec est celle d'un inéluctable déclin, par trahison des promesses et des possibilités liées aux premières origines.

C'est pour saisir quelque chose de cette grandeur possible et perdue que Faux Indien travaille à recréer un légendaire Amérindien dans lequel figureraient en bonne place « tous les Canadiens français qui avaient choisi la vie rouge » (p. 320). Le roman en présente une première esquisse, à développer et à approfondir sans doute un jour dans *La grande tribu*. Faux Indien regrette toutefois que ces figures héroïques ne soient pas allées au bout de leurs possibilités, devenant Indiens à coup sûr, « mais si peu Québécois, alors qu'ils auraient pu être les deux en même temps et, l'étant, beaucoup plus que Sauvage et Québécois » (p. 322-323). Et, conclut-il : « Voilà le sens de ma démarche : que mon québécois rougisse et que l'homme rouge en moi s'enquébécoisi [*sic*] » (p. 323).

Désir utopique, sans doute, tourné vers un futur improbable car historiquement défait à jamais, irréversible, semble-t-il, et qui est aussi la manifestation d'une nostalgie de l'origine, d'un besoin de retour à l'univers familial et au monde des ancêtres : « Quand je retournerai à la Pointe-aux-Trembles – à la maison natale –, dit encore Faux Indien, je serai mon Père, je serai ma Mère, je serai tous ceux qui ont été avant eux et tous ceux qui sont venus ou viendront encore » (p. 330). Par là il rejoint les préoccupations littéraires du romancier Abel Beauchemin et leur dialogue se trouve au centre du récit qui devient ainsi, pour reprendre l'expression de Melville, le « joint » qui assure l'unité et la cohérence profondes du roman derrière son aspect à première vue chaotique, hétérogène, sinon contradictoire ; c'est ici que les trois niveaux apparemment disjoints d'*Oh Miami...* convergent et s'imbriquent en un tout unifié.

Si Abel n'occupe pas le centre de ce récit, que Beaulieu n'inclut pas dans « La vraie saga des Beauchemin », il y joue tout de même un rôle important sur le double plan de l'action et de la thématique. Il est en effet le « créateur » du personnage de Berthold qui apparaît comme un double dégradé, caricatural des héros pitoyables déjà mis en scène dans ses romans précédents et c'est en tant que « projection » fantasmatique qu'il faut d'abord comprendre ce personnage. Or celui-ci est le symbole de ses propres difficultés en tant qu'écrivain, de son incapacité de se renouveler comme auteur et de créer autre chose qu'une éternelle répétition du même ; échec se doublant, sur le plan littéraire, d'une impuissance encore plus fondamentale à réussir sa vie, notamment sa vie amoureuse avec Judith, la femme préférée entre toutes.

Abel écrit en effet furieusement pour rejoindre Judith mais, en dépit de son acharnement, il ne fait que creuser le fossé qui les sépare. Et la femme aimée, délaissée dans les faits au profit des mots, ne peut que se révolter contre lui et contre sa passion pour l'écriture qui semble passer avant tout malgré ses dénégations : « il n'y a que les livres pour toi, lui crie-t-elle, tu ne vis que là-dedans, que suis-je pour toi, un roman, non je ne veux pas [...] mais pourquoi Abel ne penses-tu qu'à tes maudits livres, la maison en est pleine, brûlons-les, brûlons-les, Abel ! » (p. 236). Cri du cœur désespéré qui ne change rien dans la réalité puisque Abel est littéralement prisonnier de sa passion, voué de toute éternité à demeurer un Prince des Ténèbres de l'écriture, engagement sans possibilité de retour qui le dévore et lui fait dévorer tous ceux qu'il rencontre sur son chemin, à commencer par ses proches et avant tout par la femme aimée, sacrifiée plus ou moins consciemment et volontairement au Livre.

Cette contradiction entre la vie et l'écriture, entre le réel et les mots, est également inscrite sur un plan plus général, celui du rapport entre la vie sociale, historique, et le projet même d'écriture d'Abel qui est d'exprimer, sur le mode épique, la « mythologie des pays québécois ». Or qu'est-ce que la réalité québécoise sinon l'incarnation même de l'échec, de la dégradation, du refus de vivre et de s'assumer pleinement ? Que peut-on attendre et espérer d'une collectivité formée pour l'essentiel d'individus aussi dérisoires que Berthold et Ida ? Que pourrait bien engendrer et porter un tel néant ?

C'est à ce point précis, au cœur de cette désespérance, que la quête d'Abel rejoint celle de Faux Indien. Celui-ci recherche une improbable vérité dans la mythologie amérindienne, alors qu'Abel la cherche dans l'écriture. Dans les deux cas, il s'agit d'activités compensatoires, fondées sur un déplacement, sur une prise de distance à l'endroit du réel au profit de l'imaginaire : « J'imagine pourtant bien, écrit Faux Indien, que nous nous ressemblons un peu dans l'utilisation que nous faisons de notre *folie*. Toi, tu inventes des romans et moi je creuse le passé amérindien de l'Amérique. Nous avons tort tous les deux car tout cela est déjà dans les musées et ne peut plus guère nous être de quelque secours. J'ai mis longtemps à connaître le secret de mon père, qui est aussi le tien – je veux parler ici de notre *immobilité* à tous. Ton œuvre est bâtie là-dessus et sa continuité, qui est celle de ses personnages, n'a pour but que sa *fixation dans l'immobilité* » (p. 336)[10].

À quoi alors servent cette recherche sur la culture amérindienne et l'écriture du récit épique ? C'est la question fondamentale que pose Beaulieu à travers les figures – doubles et complémentaires – de Faux Indien et d'Abel qui, par leur anachronisme même, questionnent l'ordre et la marche du monde « réel » et appellent, par des moyens peut-être inefficaces, à son dépassement, à sa métamorphose. « Récit de cul » à l'origine, le roman se transforme insensiblement en réflexion, en méditation sur les fins ultimes de la littérature, elles-mêmes associées aux raisons dernières de vivre tant sur le plan individuel que collectif.

***

Oh Miami... se présente donc comme le terme d'une suite de romans, d'un mini-cycle, évoquant l'enfer québécois, la face sombre de cette collectivité promise à la disparition, à un inexorable déclin. Les personnages détraqués, hallucinés, dépossédés, de Malcomm, de Barthélémy, de Berthold, incarnent autant de cas de figures de l'aliénation québécoise : le délire éthylique et son éternel et impuissant ressassement, la violence fantasmatique, gratuite et absurde, la débauche avilissante qui conduit au dégoût de soi.

Mais, derrière ces manifestations aberrantes, il y a autre chose : une quête forcenée, désespérée, d'une « vraie vie » qui pourrait donner un sens à l'expérience et grâce à laquelle on pourrait peut-être échapper à la damnation et accéder au salut, à la sérénité que procure la réconciliation de soi avec soi, avec autrui et avec le monde.

C'est cette nécessité, cette urgence, que ces romans du mal et du malheur mettent en relief à travers leurs aberrations, leurs excès en tous genres. C'est cette exigence fondamentale qui inspire également le versant « positif » de cette œuvre, la grande geste inlassablement réamorcée, relancée, reprise de « La vraie saga des Beauchemin », ce récit des fondations, nécessaire pour que la « suite du monde » puisse enfin advenir.

---

10. Je souligne.

« LA VRAIE SAGA DES BEAUCHEMIN » :
LA QUÊTE DÉVORANTE DE L'ÉPIQUE

Dans *Race de monde !,* le récit des origines, Beaulieu met en place les coordonnées spatio-temporelles essentielles du grand roman familial dont il présente une première esquisse. Centré sur le destin des Beauchemin, une famille nombreuse canadienne-française ne constituant rien de moins qu'une « tribu » dont les membres ne cessent de circuler sur l'axe Trois-Pistoles – Montréal, partagés entre la temporalité figée, immobile, de l'arrière-pays et celle, éclatée, morcelée, du monde moderne, ce roman à multiples volets devait évoquer, sur le mode allégorique, l'histoire de la collectivité dont la célèbre tribu serait une figure symbolique exemplaire.

Le projet, par son ambition et son ampleur, rappelle irrésistible-ment les grandes entreprises antérieures d'un Balzac ou d'un Zola, par exemple. De ce dernier, Beaulieu retient l'idée de situer son univers dans un cadre familial, micro-société dans laquelle il est possible d'inscrire des destins représentatifs de la communauté globale à laquelle elle appartient, qu'elle incarne et synthétise. De Balzac, il conserve la préoccupation historique et sociologique : il s'agira de rendre compte, à travers des destins singuliers, du passage de cette société de la tradition à la modernité, de décrire, par des fictions, la période de transition qui marque la fin de la culture rurale ancienne, fondée sur le culte des ancêtres, de la famille et de l'histoire, et l'entrée dans un monde nouveau où ce modèle est progressivement remis en question, puis détruit par la logique capitaliste qui régit désormais les rapports sociaux.

S'il évoque ces exemples illustres, le projet beaulieusien s'en écarte toutefois dans la pratique, ne s'inscrivant pas dans le registre stylistique privilégié par ces auteurs, soit le réalisme objectivant dont relèvent, chacune à sa manière, les entreprises de Balzac et de Zola. Il n'est plus possible aujourd'hui de recourir spontanément à un tel registre d'écriture qui présuppose une croyance en l'Histoire et à la possibilité d'en rendre compte qui apparaît perdue à jamais. Si bien que la saga rêvée, ce projet mythique qui hante l'œuvre depuis les débuts et qui sert de moteur à la création beaulieusienne, ne pourra être produite dans un régime de représentation réaliste, sur le mode historiographique, mais devra l'être par d'autres stratégies d'écriture mieux adaptées à une histoire qui trébuche, vacille, se décompose selon un processus que Beaulieu qualifie d'hystérique. Pour exprimer cette « hystérisation » d'une culture et d'une société, le réalisme ne saurait convenir ; il faudra donc emprunter d'autres moyens, dont notamment les fameuses « épiphanies » conçues et utilisées par Joyce, inspiration majeure de Beaulieu sur le plan stylistique.

Cœur de l'œuvre sur le plan symbolique, principal foyer de cristallisation des aspirations les plus profondes de l'écrivain, « La grande tribu » représente environ le tiers de la production romanesque totale de Beaulieu, un second tiers étant formé des « Voyageries » et le dernier tiers de romans divers inclassables sous l'un ou l'autre de ces « chapeaux ». Dressant en 1981 un portrait global de son œuvre, produite et à venir, Beaulieu prévoyait que « La vraie saga des Beauchemin » devrait compter, une fois terminée, dix romans. Six ont été effectivement publiés jusqu'à maintenant, de *Race de monde !* jusqu'à *Steven le hérault,* série qui comprend une nouvelle version des *Mémoires d'outre-tonneau* annexé, après d'importantes transformations, à « La vraie saga... » sous le titre énigmatique de *Satan Belhumeur.* Ajoutons que des fragments de *La grande tribu* ont aussi paru dans *Le carnet de l'écrivain Faust,* donnant une esquisse de ce que cette œuvre majeure devrait être, soit une vaste épiphanie, une récréation mythologique des « pays québécois », pour reprendre une image affectionnée par l'auteur.

Comme toute classification, celle proposée par Beaulieu en 1981 pose problème. D'une part, parce que l'annexion d'un titre comme *Satan Belhumeur,* par exemple, ne va pas de soi, le héros de ce roman n'étant pas un Beauchemin. D'autre part, parce que des titres, non retenus dans la série, appartiennent d'une certaine manière à « La vraie saga... ». Ainsi, on assiste dans *Les voyageries* à l'irruption de personnages de la célèbre famille, et ce cycle, saisi globalement, apparaît lui-même comme une étape, possédant une large autonomie bien sûr, dans le développement et l'établissement de *La grande tribu.* Et à l'intérieur de ce cycle, un récit comme *Le discours de Samm,* conçu comme une sorte de « supplément » aux *Voyageries,* reprend, à travers son personnage central, Abel, et sa thématique axée principalement sur l'écriture, les grandes préoccupations qui caractérisent l'univers de « la Vraie saga… ». Si bien qu'on est justifié de le considérer comme un prolongement direct du *Don Quichotte de la démanche* dont il relance, dix ans plus tard et dans un contexte nouveau, après le livre sur Melville, la problématique majeure : quel sens attribuer à cette activité singulière qu'est l'écriture ? Question qui hante l'œuvre entière depuis les origines.

Malgré ses limites, le découpage proposé par Beaulieu est utile parce qu'il assure un certain ordre, une certaine logique, à une production diversifiée et foisonnante qui, au premier regard, peut sembler sans centre et sans sens. Or, s'il y a un noyau central dans cette œuvre, un foyer originel, c'est « La vraie saga… » qui le constitue, irradiant de multiples manières dans l'ensemble de la production beaulieusienne.

En dernière analyse, tout, aussi bien les essais, le théâtre que les autres romans, renvoie à ce projet fondamental, à cette ambition démesurée qui anime l'écrivain, lui faisant inlassablement accumuler livre par-dessus livre pendant près de trente ans, dans l'espoir sans doute insensé qu'enfin l'Œuvre définitive, indépassable, surgisse, qui illuminerait tout, après quoi il n'y aurait plus qu'à se taire, réconcilié avec soi et avec le monde. C'est cette visée qu'on retrouve, à travers divers avatars, sous diverses formes, dans les recherches des membres de la tribu, de Jos « connaissant », en quête d'un sens mystique qui pourrait orienter sa vie, à Steven « le hérault », assoiffé d'une pureté dont la poésie lui paraît l'incarnation exemplaire, en passant par Abel, le romancier troublé cherchant en vain à concilier la vie et l'écriture.

LA VOIE DE L'ILLUMINATION MYSTIQUE

Jos Connaissant, publié en 1970, peut être reçu et lu comme la première tentative d'Abel Beauchemin pour donner corps, substance concrète à la famille évoquée à très larges traits dans le récit originaire. Jos, c'est l'aîné de la famille, et en tant que tel c'est d'abord à lui qu'il revient d'assurer la filiation chez les Beauchemin et de faire fructifier l'héritage, dans la mesure bien entendu où cette famille dépossédée, exilée, est pourvue d'un héritage, d'un passé à assumer et d'un avenir à construire, d'une histoire à bâtir, ce qui est pour le moins fort problématique, comme le suggérait déjà *Race de monde !*

Jos Connaissant, c'est d'abord le roman de ce personnage bizarre, fantasque, troublé et troublant, à la recherche de sa vérité personnelle et de celle de sa famille à travers diverses expériences : expérience de l'amour avec Marie, expérience religieuse sous forme d'une quête de la sainteté, expérience du délire (alcoolique et paranoïde) exprimant un désir de retrouvailles avec la mère et l'enfance sur un mode fusionnel. Ces diverses expériences se chevauchent, s'entrecroisent dans le cadre d'une intrigue qu'on peut ramener à quelques données élémentaires : une visite, dans le Vieux-Montréal, de Jos accompagné de Marie, suivie d'une semaine d'échanges amoureux orgiaques, elle-même précédant la mort de la mère et les funérailles au « pays natal » de Trois-Pistoles où l'accompagnent Jos et plusieurs membres de la famille.

C'est sur cette structure actantielle, événementielle, sommaire que Beaulieu construit son roman par étagements, le récit mettant en effet en jeu et en rapport au moins quatre niveaux temporels : la temporalité contemporaine de l'action structurant le texte qui tient en quelques semaines, la temporalité récente d'un voyage de trois ans dans l'Ouest canadien effectué avec l'ami Satan Belhumeur, la temporalité « sacrée » de l'enfance, période bénie de la fusion avec la mère sous le regard parfois attendri, parfois sévère, du père, la temporalité plus ancienne, archaïque, des ancêtres, de la lignée à laquelle, quoi qu'on fasse et qu'on veuille, on appartient irrémédiablement.

C'est essentiellement à travers la conscience troublée, malheureuse, souvent délirante, de Jos que ces diverses temporalités et les univers auxquels elles renvoient sont accessibles au lecteur. En cela ce roman « familial » ne diffère pas fondamentalement des récits antérieurs de Beaulieu. Ce qui nous est donné à lire et à entendre, c'est à nouveau la voix mal assurée, trébuchante, d'un personnage qui se cherche dans la confusion, dans le clair-obscur d'un malaise, d'un mal à être et à vivre qui prend parfois ici la forme d'une chute dans ce qu'Aquin appelait « l'aura épileptique », ce trou noir dans lequel on sombre et on se perd, victime de puissances maléfiques auxquelles on ne peut échapper et qui, s'acharnant, vous transforment en pauvre loque sans prises sur son destin. Le personnage, ainsi construit, apparaît comme un avatar de ces autres personnages de marginaux et de fous qu'étaient Satan Belhumeur et Malcomm Hudd dans les récits précédents. Jos lui-même, d'ailleurs, précise qu'on a en effet affaire, dans ces diverses figures, au « même personnage », Homosexuel, Platonique et Neurasthénique jouant la « même Scène sacrée » (p. 103)[1], notation dont s'autorisera Gérard Bessette pour analyser les divers personnages des premiers romans de Beaulieu comme s'il s'agissait d'un seul et unique personnage connaissant plusieurs appellations[2].

On aurait tort toutefois de se fier entièrement à la remarque de Jos et à l'extrapolation qu'en fait Bessette, car elle nie une dimension centrale de ce nouveau personnage qui est son appartenance à la famille, au clan des Beauchemin et, par-delà, à la collectivité qu'elle symbolise, variable capitale qui assure une signification d'ensemble nouvelle à ce roman, irréductible à celle des romans antérieurs.

Lorsque s'ouvre le récit, Jos relève d'une cuite carabinée et, en bon ivrogne, décide que ce sera la dernière, qu'il sera sobre désormais, se vouant à l'essentiel, à la connaissance de soi, du monde et du passé de l'enfance et du plus loin que l'enfance. Aîné de la grande tribu des Beauchemin, il est paradoxalement seul, coupé de la famille, elle-même dispersée dans le grand Montréal et qui ne se réunit que fort épisodiquement dans le petit appartement des parents, rue Monselet, dont Jos a été banni, chassé par un père scandalisé par les extravagances, les excès et les « folies » d'un fils qu'il ne comprend pas et qu'il renie.

---

1. Victor-Lévy BEAULIEU, *Jos Connaissant*, Montréal, Éditions du Jour, 1970, p. 72. Les références des citations tirées du roman seront dorénavant placées entre parenthèses dans le texte.

2. En cela, Bessette s'inspire librement de la méthode d'analyse suggérée par le psychocritique Charles Mauron. La démarche n'est pas sans pertinence : elle met en évidence des ressemblances et des récurrences d'ordre structurel dans l'univers du romancier, mais elle n'insiste pas suffisamment sur les différences entre les divers personnages qui tiennent largement, il est vrai, à des variables d'ordre sociologique plutôt que d'ordre psychologique. Bessette, par exemple, ne s'intéresse guère à la recherche mystique de Jos ; il s'agit là pour lui d'une dimension négligeable du personnage, alors que j'estime au contraire qu'elle constitue une donnée centrale de sa personnalité et qu'elle fournit une clef majeure pour une compréhension extensive de la signification d'ensemble du roman. Voir Gérard Bessette, *Trois romanciers québécois*, Montréal, Éditions du Jour, 1973, plus particulièrement p. 41-42 pour la méthode d'analyse et p. 18, 23 et 30 pour le personnage de Jos.

Ce qu'on saisit rapidement comme lecteur, c'est que ce contentieux avec le père remonte loin, à la première enfance, au traumatisme initial qui a marqué Jos pour toujours, au fameux épisode de la becquée d'un coq sur le pénis de l'enfant dans le poulailler derrière la maison familiale, douleur cuisante éprouvée sous le regard à la fois amusé, goguenard et réprobateur du père. Celui-ci est donc associé à l'épisode central de la vie du héros, le plus douloureux, le plus traumatisant, à une sorte de castration, à une mutilation qui lui interdira, et pour longtemps, toute possibilité d'une vie sexuelle épanouie. Le père est donc un ennemi redoutable et redouté, un rival aussi qui possède la mère et qui en bloque l'accès au fils qui, à trente ans, demeure obsédé par sa grande passion pour une figure sacrée qu'il poursuit dans les relations ponctuelles qu'il entretient avec d'autres femmes, généralement perçues comme des avatars dégradés de l'image maternelle.

Les psychocritiques de l'œuvre beaulieusienne ont signalé, à juste titre, l'importance de ce traumatisme originaire. Il imprègne, et pour longtemps, sinon pour toujours, la personnalité et l'imaginaire du personnage qui demeure, adulte, submergé, paralysé par sa passion dévorante et décevante pour une mère qui ne peut que lui échapper, y compris à travers ses figures substitutives incarnées ici par Marie, la serveuse de restaurant. Ce manque fondamental, qui se traduit par une immense nostalgie de l'univers réconcilié, apaisé, de l'enfance sous la gouverne protectrice de la mère, Jos va chercher à le combler de diverses manières, et notamment par l'alcool, la sexualité et la spiritualité.

L'alcool est sans doute la voie la plus accessible et la plus facile. Jos, comme son ami Malcomm, l'emprunte durant une longue période, se livrant à des libations excessives qui lui valent une solide réputation d'ivrogne dans le grand Montréal-Nord où il sévit. Il boit sans arrêt, vidant verre après verre, pour échapper à sa vérité et à l'angoisse existentielle qui le tenaille sans relâche. Il cherche à atteindre par l'alcool un état de bien-être, de plénitude qui pourrait être un équivalent de l'univers sécurisant de l'enfance, un substitut du paradis perdu que représentait le rapport fusionnel à la mère. Mais l'alcool, on le sait, ne donne pas vraiment accès à ce paradis perdu, il n'en procure qu'un mirage vite dissipé lorsque l'aube se profile et que le jour congédie les rêveries trompeuses de la nuit.

C'est ce que Jos semble avoir compris lorsque, à l'orée du récit, il renonce à chercher une solution de ce côté, devinant qu'elle ne saurait être qu'artificielle, profondément insatisfaisante, bien en deçà de la grandeur et du salut auxquels il aspire obscurément, y compris dans le délire éthylique.

Ce dépassement de soi impossible dans la surconsommation alcoolique, Jos va aussi le chercher dans sa relation avec Marie, serveuse dans un restaurant minable et ancienne danseuse de cabaret. Comme lui, Marie est paumée, dépossédée, aliénée, réduite à une « petite vie » sans signification dont elle tente de s'évader par l'alcool qu'elle « tète » goulûment, dans lequel elle se noie pour oublier le grand ratage qu'est sa vie. Elle a en effet manqué sa vie professionnelle, passant de danseuse étoile dans de chics cabarets à petite *waitress* dans des restaurants très ordinaires ; elle a connu l'échec amoureux à travers des liaisons purement physiques qui lui font voir le monde comme formé d'une « gagne de cochons » (p. 153), elle a enfin subi un échec encore plus fondamental comme femme, ayant été soumise à « la grande opération », ne pouvant plus dès lors se reproduire, se prolonger et se sauver dans sa descendance, et se sentant désormais « vide » (p. 53), inutile, sans intérêt et sans valeur.

C'est avec cette pauvre fille, qui a dix ans de plus que lui, ce qui lui facilitera la projection sur la figure idéalisée de la mère, que Jos vivra ce qui semble bien être sa première véritable expérience sexuelle. Avant, il a éprouvé une attirance trouble pour Satan Belhumeur, mais sans qu'on sache trop si celle-ci s'est vraiment traduite en acte ou si elle est demeurée à l'état de fantasme. Dans son rapport avec Marie, au cours de la semaine orgiaque qu'il passe à son petit appartement derrière des volets clos, le couple s'étant délibérément coupé du monde, Jos se révèle tour à tour tendre, compatissant, dans la mesure où la *waitress* représente la Mère qu'il veut sauver de la mort, et agressif, violent, lorsqu'elle incarne la traîtrise de l'ennemie séculaire qu'est généralement la femme pour les héros beaulieusiens : « Oh, s'écrie-t-il au sein d'un coït particulièrement exacerbé, il fallait toujours aller jusqu'au bout, entrer en elle *avec violence,* battre contre le vagin inondé, hurler comme elle, la *briser de partout,* la *détruire* par mes cris et par ma démence, ce qui était la seule manière de la conserver, de la *tuer* mais de me l'approprier » (p. 172-173)[3]. L'amour, ainsi perçu et vécu, est un accaparement, un rapt, une « appropriation », pour reprendre les termes de Jos, qui se réalise dans la violence, qui culmine dans le meurtre (réel ou imaginaire) et qui, pour cela même, ne peut qu'aboutir à la destruction et à l'échec, renvoyant les amants à leur quant-à-soi et à leur profonde solitude.

À l'instar des héros des premiers romans, Abel, Malcomm, Berthold plus tard, Jos se livre à tous les excès avec Marie, s'adonnant à une sexualité perverse, dégénérant même en gestes répugnants, manifestant une débilitante régression au stade anal. Ici encore on retrouve la vision excrémentielle de la sexualité qui caractérise souvent les rapports érotiques des personnages de Beaulieu, expérience des limites au bout de laquelle on espère obtenir la rédemption, la révélation d'une vérité définitive sur soi qui illuminerait tout et donnerait un sens plein à l'existence. Mais cela ne se produit pas, l'excès débouchant plutôt sur le dégoût, la haine, de soi et de l'autre, exacerbant le désespoir déjà logé profondément en soi et éloignant ainsi de la « sainteté » à laquelle on aspire fiévreusement.

Ce désir de « sainteté », non comblé avec Marie, Jos va dorénavant le poursuivre dans le cadre d'une expérimentation mystique, le roman prenant ainsi une nouvelle signification qui se superpose à la première et qui le tire du côté d'une quête religieuse du sacré.

C'est ce sentiment du sacré qui singularise Jos, le distinguant notamment de Marie : « Elle ignore, dit-il, que je passe toute la nuit éveillé parce qu'il faut qu'il y ait quelqu'un dans le monde qui songe à l'Apocalypse » et, précise-t-il, qui se préoccupe « de son Salut » (p. 15-16). Jos se sent donc investi d'une mission de sauveur, de rédempteur du « monde malheureux » de la « vie Agonique » (p. 23) dont sont victimes les membres de sa famille d'abord, et plus largement les habitants du monde moderne perçu phantasmatiquement comme une « grande fourmilière anarchique » (p. 136), une « poubelle » (p. 17), un « cloaque » (p. 123) qu'il entend purifier par ce qu'il appelle le « second souffle de la ré-création » (p. 149).

---

3. Je souligne. On entend là des échos familiers, déjà modulés à de nombreuses reprises dans l'œuvre antérieure de l'écrivain : l'amour est un combat meurtrier dans lequel chacun joue sa peau contre celle de l'autre.

Pour accomplir sa mission, Jos emprunte la voie royale de la méditation, de la descente en soi, de l'abandon à « l'Eau de l'intérieur » (p. 25), à l'extase mystique qui conduit à la grande illumination et à la paix avec soi-même et avec le monde, démarche qu'il qualifie de « lente marche vers la Sainteté » (p. 145). Cette quête, il ne l'effectue pas au sein des religions traditionnelles mais par l'expérimentation de diverses doctrines ésotériques de provenance orientale, à la manière des acteurs célèbres de la contre-culture glorieuse de ces années-là, dont Allen Ginsberg, explicitement évoqué dans le texte [4].

La pratique de la méditation ne déclenche toutefois pas que des transports mystiques chez Jos, elle provoque également chez lui des excitations troubles alors même qu'il se trouve en pleine « montée vers la Face de Dieu rutilante au fond de l'Azur » (p. 64), à la poursuite éperdue d'un « Rêve » flottant devant lui comme une « Corde d'Argent » (p. 148). Il constate alors, horrifié, que son pénis est en érection, une érection si puissante qu'elle « occupe tout l'espace de la pièce » (p. 65), excroissance monstrueuse qui fascine Jos et l'entraîne dans un délire induit également par le haut mal épileptique. Il en vient alors à se méprendre sur lui-même au point de se concevoir comme un nouveau Christ amorçant une « Religion Prophétique, la Ghost Dance du Verbe qui était comme un Char de feu ailé » (p. 175) sur lequel il harangue la foule de ses fidèles.

Au terme du processus, il devient littéralement « Fou » en tant que « Christ écartelé sur la croix du Délire » (p. 248). En quoi il symbolise, croit-il, « l'Image de ce pays, j'allais devenir sa Pensée Outrageante. Je ne pourrais jamais rien imaginer de trop Fou ou de trop Inutile, il faudrait même que j'aille assez loin car c'était au fond du Délire qu'il se reconnaîtrait et s'assumerait » (p. 249). Le délire est tenu ici pour la principale caractéristique de la psyché canadienne-française. Fou, mégalomane, paranoïaque, Jos, au fond, n'est qu'une incarnation exemplaire, une figure hypostasiée, de la collectivité, une symbolisation poussée à l'extrême limite de son destin suicidaire. Il prend alors la décision de renoncer à la

---

4. Beaulieu intègre de cette manière un courant socioculturel important de l'époque, qu'il annexera ensuite, dans un deuxième mouvement, au courant néo-nationaliste, central du début à la fin de son œuvre. En cela, la problématique formulée dans *Jos Connaissant* annonce ce qui viendra par la suite à partir de *Oh Miami, Miami, Miami*.

méditation, à sa quête mystique, détruisant le Bouddha devant lequel il priait, en brûlant les morceaux épars, et revêtant un nouveau masque, celui de Paquet Pollus – qui deviendra le Sorcier de Longue-Pointe dans la version révisée de 1978 –, masque derrière lequel il parcourra la route traversant le Québec, de Hull à Blanc-Sablon, pour en faire « voir de Belles aux gens établis tout au long » (p. 249) de cette voie royale. Dans *Don Quichotte de la démanche*, il refera surface en tant que chef d'une secte, ironiquement baptisée « les porteurs d'eau », secte vouée à révolutionner le Québec, à le rendre à sa vocation amérindienne, ou plus précisément à sa vraie nature de société métisse.

Jos glisse donc insensiblement du mysticisme oriental au messianisme ; le roman prend alors une nouvelle dimension, une nouvelle signification qui l'inscrit dans la perspective nationaliste telle que Beaulieu la définit, c'est-à-dire à partir d'un cadre de référence familial et « tribal ». Le récit donne ainsi à lire une recherche du passé, « de notre vrai passé, comme le dit le héros dès sa première prise de parole, le passé du plus loin que l'enfance, le Passé réel des commencements et des capricieuses origines. *Là seulement est la vérité* » (p. 11)[5]. On ne saurait être plus clair et plus précis ; ce qui préoccupe Jos, c'est l'origine, la généalogie, l'histoire de sa famille considérée comme l'histoire d'un monde déchu, perdu, à exhumer et à se réapproprier, condition indispensable pour la compréhension et la transformation éventuelle, bien que hautement improbable, du présent. En cela il s'agit, pour reprendre une expression heureuse de Madeleine Gagnon, d'un véritable « roman archéologique » visant à retrouver les traces d'une sorte de continent englouti, la culture et la société des toutes premières origines.

Jos Connaissant ne se présente toutefois pas comme le récit épique de l'odyssée des Beauchemin, du débarquement en Amérique au grand naufrage que représente l'exil à Montréal-Nord. Il ne contient pas non plus de véritable monographie sur l'état actuel de la famille, totalement engluée dans « la petite vie » ; comme le note le père, Charles Beauchemin, « on rêve Petitement quand on vient de Saint-Jean-de-Dieu, on n'a pas le cerveau comme une Grosse

---

5. Je souligne.

Machine, on est tout près des choses, tout près du Passé et habité par le souvenir des autres. Oui, l'imagination des vieux, de ce qui nous a précédés, de la misère que nous continuons, des chances manquées de Jadis. On pourra jamais aller Ben loin » (p. 119). C'est ce déclin, cette déchéance qu'Abel, figure plutôt allusive dans le roman, cherche à comprendre dans le personnage de l'oncle Phil, cette incarnation pathétique de l'échec familial, qu'il veut « s'approprier pour ne plus être coupé du monde, pour creuser son enracinement, pour se reconnaître, pour ne plus avoir à se baptiser sans cesse de nouveaux Noms insignifiés et incapables de l'Exorciser, pour ne pas devenir fou de cette Folie douce et heureuse de la lâcheté, de la vie ficelée à l'arbre de la Facilité qui n'est que l'envers de la *dépossession des Beauchemin* » (p. 124)[6].

Cette dépossession, que symbolise de manière caricaturale et dérisoire l'oncle Phil, est également le fait de l'ensemble de la famille, à commencer par le père représenté comme un roi déchu, un créateur de monde dans « un autre Temps et dans un autre Lieu » (p. 94), un fondateur dépouillé de sa grandeur ancestrale, devenu « un mutilé qui a trop vécu pour ne pas s'être Atrophié » (p. 95). Pour échapper à cette aliénation, il y a la folie douce, l'acceptation résignée de son sort ou, ce qui est plus rare, la fuite dans la « folie glorieuse », pour reprendre une expression de Jacques Ferron, celle qui vous coupe de l'univers et vous enferme pour toujours dans la prison d'un moi déboussolé, ayant perdu ses références, tombant en chute libre. C'est ce qui arrivera plus tard au père Charles, comme le donnera à entendre *Steven le hérault*. La mère Beauchemin, elle, incarne plutôt la résignation silencieuse, acceptant sa condition sans révolte, vivant son destin comme une fatalité, comme une longue fatigue, jusqu'au cancer final qui l'emporte et fournit l'occasion à la famille de reprendre contact avec le « pays natal ».

Le « pays natal », on le sait, est lui-même en « démanche » ; il est « petit », « démuni » (p. 233), sans vie et sans avenir, dépouillé d'une grandeur et d'une noblesse qui ne peuvent désormais être atteintes que par la mémoire. Le pèlerinage au « pays natal » se transforme en une marche de mort, en raison des funérailles de la mère bien sûr, mais plus fondamentalement encore, parce qu'il ne

---

6. Je souligne.

reste plus rien du royaume mythique appréhendé dans l'enfance, plus rien d'autre que des réminiscences fugaces des ancêtres, des oncles et des grands-pères, autrefois forgerons, possesseurs du feu, créateurs de formes et de mondes, devenus fossoyeurs ou, pire, dépossédés de tout et réduits à l'exil. Cette « saga » est ici évoquée par bribes, par touches rapides, dans des fragments épars, discontinus, sans liens serrés, à l'image d'une histoire incohérente, sans d'autre sens que celui d'une perte et d'une défaite définitives. Ce qu'Abel et Jos cherchent désespérément, c'est un sens dans ce non-sens, une cohérence dans cette désorganisation, une logique dans ce désordre qui pourraient donner accès à une plus grande maîtrise d'un présent lui-même perçu comme un désastre.

On saisit peut-être mieux maintenant toute la complexité de *Jos Connaissant,* sa réalité pluridimensionnelle, le récit se situant, au moins, sur quatre registres. Celui d'abord du fantasme élaboré dans l'épisode du coq, cet événement traumatisant qui marque profondément la psychologie du héros et son rapport à autrui. Celui ensuite du discours amoureux représenté dans la liaison de Jos et de Marie, relation sadomasochiste à connotation anale prononcée, vouée à l'échec mais tout de même ouverte vers un dépassement, impossible dans la liaison elle-même. Celui, en troisième lieu, de l'idéologie à travers les bizarres aspirations religieuses de Jos constituées d'influences « orientales » mal digérées et également d'éléments caractéristiques de la contre-culture à l'américaine. Celui, enfin, du mythe, de la fable magique que pourrait constituer le récit épique – mais est-il possible ? – de l'aventure familiale, tribale, des Beauchemin.

Ces divers registres ne se suivent pas selon un ordre linéaire et logique ; ils sont inextricablement imbriqués, pris dans une sorte de nébuleuse, de magma confus que le discours illuminé, halluciné, de Jos, lui-même symptôme d'une aliénation radicale, n'éclaire guère. Pour y voir clair vraiment, il faut se reporter à la conception beaulieusienne de l'histoire comme dérive hystérique, à tout le moins dans le cas du Canada français ; c'est cette vision qui, seule, peut donner un sens à la curieuse et souvent énigmatique production romanesque qui nous est donnée à lire, ici comme dans la plupart des romans de « La vraie saga des Beauchemin ».

Publié une dizaine d'années plus tard, *Satan Belhumeur* se présente, de plus d'une manière, comme une reprise et une variation sur le thème principal de *Jos Connaissant,* soit la voie mystique comme mode privilégié pour parvenir au salut. Dans la préface du roman, Beaulieu écrit qu'il s'agit d'un « livre tout à fait nouveau[7] » rédigé à partir de quelques pages de *Mémoires d'outre-tonneau.* On a donc affaire ici à un « beau cas » d'autotextualité[8], le récit inaugural servant de générateur à ce nouveau volet de « La vraie saga des Beauchemin ».

Le héros, Satan Belhumeur, dont le nom est déjà en soi un signe de contradiction, n'appartient pas à la célèbre famille qui est toutefois très présente dans les figures d'Abel, de Jos et de Steven ; l'action du roman ne se déroule plus dans un espace fantastique comme c'était le cas dans la première version, mais dans le monde très concret, très « réaliste » du Montréal-Nord imaginé par Beaulieu. C'est ce qui justifie sans doute la « récupération » de ce récit dans « La vraie saga... », rapatriement qui n'apparaît pas du tout évident au premier abord. Satan, en effet, demeure pour l'essentiel une copie conforme, bien que plus développée et ramifiée, du personnage créé au moment de la rédaction des *Mémoires d'outre-tonneau* ; il est toujours porteur de ce « monde étrange, silencieux et impersonnel » (p. 15) qui lui procure une aura singulière, en en faisant un être à part, un marginal, dans un univers prosaïque où des êtres comme lui n'ont pas vraiment leur place.

Satan ne connaissant pas de transformations majeures sur le plan psychologique, il n'est donc pas question d'en reprendre longuement l'analyse à ce titre. Je me contenterai de souligner qu'il est toujours décrit comme un être angoissé, solitaire, enfermé dans un imaginaire dévorant qui lui tient lieu de prison. Malade en proie au vertige épileptique, qu'on relègue à Saint-Jean-de-Dieu dans les périodes de crise aiguë, il est cependant doté de traits nouveaux qui accentuent sa dimension sociale et historique. Il est ainsi pourvu

---

7. *Satan Belhumeur,* Montréal, VLB éditeur, 1981, p. 13. Les références des citations tirées de ce roman seront dorénavant placées entre parenthèses dans le texte.

8. J'étudie ailleurs dans ces pages le phénomène capital de l'intertextualité généralisée qui est une caractéristique récurrente de l'œuvre de Beaulieu. L'autotextualité, qui en est une modalité singulière, est fascinante en tant que telle, et elle est particulièrement révélatrice pour qui s'intéresse à la genèse et au développement de cette œuvre totalement habitée par la hantise du Livre et de la littérature.

d'une famille, fils rebelle et révolté de parents juifs, membre dégénéré, dévoyé, du peuple élu qu'il trahira en se métamorphosant en nouveau Christ. Il a aussi un métier, celui de vendeur de surplus militaires et, en tant que tel, il deviendra un ennemi public pour les hommes d'affaires de Montréal-Nord, dont il refuse et conteste la conception du progrès économique et social. Satan demeure par conséquent un être étrange, une créature mystérieuse, appartenant au registre du fantastique, mais il possède désormais une existence sociale, il vit et agit dans le monde concret d'un Montréal régi par les spéculateurs et les notables à leur service.

C'est dans cet univers qu'à l'instar de son ami Jos il poursuit, à sa manière, une recherche de sainteté, se percevant et agissant comme un prédicateur s'adressant à des fidèles menacés par une Apocalypse qui s'avance à grands pas : « en vérité je vous le dis, annonce-t-il à ses disciples, la fin du monde est recommencée depuis tout le temps » (p. 23). Et faisant preuve d'un syncrétisme œcuménique déconcertant, il se prend, dans son délire, successivement pour le grand prophète Mahomet, pour Moïse sauvé des eaux conduisant le peuple élu à la terre promise, pour Bouddha obéissant à l'enseignement du *Tao,* enfin pour le Christ souffrant à la tête couronnée d'épines.

C'est cette dernière figure qui fait l'objet d'un développement plus poussé dans le roman[9]. Comme le Christ, Satan s'oppose aux « vendeurs du temple » que sont ici les spéculateurs et les notables de Montréal-Nord désireux d'exproprier son commerce pour réaliser le développement économique accéléré de leur municipalité. Comme Jésus, il fait l'objet d'une colère « populaire » suscitée par les notables et, à défaut d'être crucifié, il est menacé d'internement à Saint-Jean-de-Dieu en tant que fou dangereux à retirer du monde. Ce diagnostic de « folie », il est vrai, repose sur une incontestable réalité, Satan se révélant effectivement malade, victime de crises d'épilepsie qui le conduisent à s'auto-mutiler, à se castrer à la fin du

---

9. Par le personnage du grand-père, Maguid de Mezeritch, Beaulieu évoque aussi abondamment le destin du peuple juif, nation « élue » dont Satan s'estime en outre un « roi » et un « prophète » (p. 221). Il y a là une première allusion importante à *La bible,* à l'Ancien Testament, qui deviendra une référence majeure dans la suite de l'œuvre, et particulièrement dans *L'héritage* où elle sera vénérée comme un livre sacré, dépositaire de la Loi et garant de la Foi, par le patriarche Xavier Galarneau.

récit. C'est pour échapper au délire qu'il se réfugie dans la prière, y trouvant une paix, une réconciliation avec l'univers impossible à obtenir dans la vie active ; méditant, priant, il se « laisse avaler par le cosmos et l'avale aussi, abolissant l'espace et le temps » et il devient « ouvert de partout », « mangeant » les étoiles et étant « mangé » par elles, « enfin débarrassé des secousses de l'instant » (p. 163).

Cette quête mystique possède, on le voit, un sens en elle-même ; elle est un moyen d'atteindre à la grande réconciliation tant désirée avec soi, avec autrui et, plus globalement encore, avec le monde. Mais elle est aussi *impure,* ayant partie liée avec la folie et le détraquement sexuel. Satan, comme Jos, satisfait des désirs pervers, y trouvant une compensation douteuse à des échecs affectifs, et notamment à l'immense passion, inassouvie, qu'il ressent pour Jos dont il souhaiterait être la « femme » (p. 208).

C'est à ce point que la jonction s'opère avec « La vraie saga des Beauchemin », Satan étant lié à Jos par un rapport amoureux et à Abel par un rapport d'amitié. Ce dernier est alors en pleine crise sur le plan de l'écriture. Cherchant par le pouvoir des mots à obtenir un pouvoir politique et social réel, il n'a réussi dans son œuvre qu'à évoquer le dérisoire et le grotesque. Au terme d'une entreprise dans laquelle il s'est engagé totalement, il n'a pu que constater son échec sur le double plan de l'écriture et du pouvoir, son désespérant « manque à vivre » et « à créer » (p. 214). Cependant, au-delà du « dérisoire », du « grotesque » et du « carnavalesque, cette trinité sainte de la blancheur » (p. 216), Abel pressent qu'il y a autre chose à exprimer, à représenter qui pourrait légitimer cette démesurée, cette folle entreprise qu'est l'écriture. Ce dépassement qui lui donnerait un sens plein, c'est la production du récit ultime de l'aventure fabuleuse de la « grande tribu », c'est la résurrection, à travers une fable faisant appel à la mythologie, de la lignée familiale et, au-delà, de la communauté dont elle symbolise le destin.

C'est ainsi que le Sens, poursuivi sans véritable succès par les voies obscures du mysticisme, fera l'objet d'une autre forme de quête dans la pratique forcenée de l'écriture, autre stratégie permettant peut-être de parvenir enfin à l'Absolu, au point oméga qui guide et oriente, telle une étoile lumineuse dans la nuit opaque, toute l'entreprise littéraire de Beaulieu, depuis les premières œuvres fébriles de la jeunesse jusqu'à cette flamboyante et indépassable épiphanie que devrait constituer la « grande tribu ».

La littérature pourrait-elle réussir là où la mystique religieuse a échoué ? C'est la question centrale que pose ce grand récit sur la création qu'est *Don Quichotte de la démanche*.

LA VOIE DE L'ABSOLU LITTÉRAIRE

Sur le plan événementiel il ne se passe rien d'extraordinaire dans ce roman axé essentiellement sur la problématique de l'écriture. Comme c'est généralement le cas chez Beaulieu, « l'action » tient en quelques épisodes dans la vie du héros, et plus précisément au cours d'une journée singulière où il est confronté à son destin.

Entre deux nuits de désespoir et deux séjours à l'hôpital pour crise nerveuse, Abel Beauchemin, en vingt-quatre heures, vit quelques séquences en soi assez banales : une promenade à la maison paternelle rue Monselet dans Montréal-Nord, suivie d'un retour à son bungalow de Terrebonne où il recevra d'abord la visite d'un curieux personnage, Abraham Sturgeon, écrivain raté recyclé en détective privé amateur, ensuite celle de son beau-frère, Jim « la tapette », qui lui offre d'acheter sa maison, et où il assistera, impuissant et désespéré, à la mort brutale de sa chatte, la mère Castor, avant d'être envahi, au cours d'une prodigieuse rêverie, par la meute des personnages créés dans les nombreux romans dont il est déjà l'auteur.

Le récit est pris en charge par un narrateur à la troisième personne, mais nous n'avons pas pour autant une vision de l'extérieur des événements qui sont filtrés, et déformés, par la conscience et les perceptions du personnage halluciné, profondément perturbé, qu'est Abel. Le « Don Quichotte de la démanche » qu'annonce le titre du roman, c'est d'abord lui, ce chevalier à la triste figure du langage et du Livre, engagé dans un obscur et pathétique combat avec lui-même et avec ses démons. C'est d'abord à partir du drame existentiel qu'Abel traverse, qu'on a intérêt à lire, à comprendre et à expliquer, si possible, le roman : éclairage nécessaire pour saisir tous les enjeux et toutes les implications de la réflexion sur l'écriture qui se déploie à l'intérieur d'une interrogation plus large sur le devenir de la collectivité québécoise.

Lorsque s'ouvre le récit, rien ne va plus dans la vie d'Abel. Il n'avance pas dans son écriture, tournant en rond à l'intérieur d'une spirale qui a de plus en plus tendance à se refermer sur elle-même, ne conduisant à rien, sinon à un éternel ressassement, à une incessante reprise des mêmes personnages dans des situations platement analogues, sans qu'il y ait véritable création. Sa vie personnelle apparaît, de même, comme un cul-de-sac. Ses amours avec Judith, qui l'a quitté pour Julien, son amant, sont au plus bas, si bien qu'il est seul pour affronter les monstres qui viennent le hanter la nuit, monstres d'autant plus terrifiants qu'il en est le géniteur et qu'il ne peut les chasser sans congédier du même coup son imaginaire. Il tente donc de les apprivoiser par l'alcool, à l'instar des héros qu'il a créés, dont il devient lui-même un clone, « un ivrogne dont les hallucinations obsessionnelles ne passaient plus dans les romans qu'il écrivait : il se complaisait à les vivre, terrorisé par la présence en lui de tous ces doubles dont il avait cru s'être débarrassé en composant sur eux, ce qui n'avait fait que déchaîner son imagination. Avec le résultat qu'Abel parlait maintenant de ses fictions comme si elles eussent été authentiques[10] ».

L'alcool apparaît ici encore comme une solution compensatoire, comme une tentative, fort aléatoire, pour combler des manques fondamentaux, soit essentiellement la solitude et l'angoisse engendrée par cet état de déréliction. Abel a beau appartenir à une famille nombreuse, cela ne l'empêche pas de se sentir coupé aussi bien de sa famille que du monde. Ce sentiment tragique l'habite depuis toujours, depuis qu'il est né, au cours d'une tempête, dans « le déchaînement des temps », événement vu rétrospectivement comme le « sombre augure » d'une future « vie tourmentée, tumultueuse » (p. 16), événement d'autant plus chargé de menaces qu'il coïncide avec la naissance, en parallèle, d'un veau à trois pattes (lui-même

---

10. *Don Quichotte de la démanche*, Montréal, L'Aurore, 1974, p. 140. Cette citation, à première vue, paraît militer en faveur de l'hypothèse de Bessette évoquée précédemment. Elle éclaire le processus de création beaulieusien dont Abel, sur le plan des formulations d'ordre programmatique, peut, à juste titre, être tenu pour un porte-parole de l'auteur. Cela ne signifie pas toutefois que la confusion romancier/personnages, valable pour Abel, le soit également pour Beaulieu ; il ne se « perd » pas dans ses créatures, y compris dans Abel, qu'il sait garder à distance lorsque c'est nécessaire, et qu'il n'hésite pas à traiter sur le mode ironique, notamment dans ce roman, éblouissant récit, incontestable réussite littéraire d'un drame en forme de catastrophe. Les références des citations tirés du roman seront dorénavant placées entre parenthèses dans le texte.

image préfiguratrice de la Rossinante à trois pattes du Don Quichotte amputé qui viendra hanter ses nuits). Depuis lors, il essaie tant bien que mal de réparer ce manque initial, cette naissance – abandon dans un temps de bruit et de fureur, d'abord en s'abreuvant goulûment aux seins de sa mère puis, plus tard, aux tétines des petits veaux, geste qui lui procure une émotion « pure » et « totale » (p. 30), qu'il aimerait prolonger avec Judith – mais il constate qu'il est malheureusement « trop grand » (p. 79) pour qu'elle « l'allaite » –, et qu'il retrouve partiellement dans l'alcool, mais au prix d'une véritable déchéance.

Abel, en somme, est représenté – et se perçoit lui-même – comme un personnage immature, comme un « pauvre petit enfant démuni dans une carcasse trop lourde » (p. 37), comme un être en train de s'effondrer, de se défaire, ployant sous une culpabilité morbide entretenue par un fantasme obsédant, celui d'avoir tué de ses propres mains l'enfant de Judith « en lui frappant la tête sur la commode » (p. 98) de leur chambre. Bref, il se considère comme un « salaud », ayant même abandonné son père « au sort de sa mort lente » (p. 164), et il est désespéré par son incapacité « d'arrêter le temps ou de le faire tourner de telle manière qu'il pût y trouver, non son compte, mais la simple volonté d'être » (p. 206), le goût de vivre et de poursuivre son œuvre.

Face à ce désastre, à ce naufrage, que peut la littérature ? Peut-elle remédier au « triste état » (p. 111), au malaise existentiel qui afflige Abel, réparer et unir ce qui, dans sa vie, est séparé ? C'est là une des grandes questions que soulève le roman concernant l'écriture, ses fonctions et ses pouvoirs.

D'emblée, dès l'incipit du livre, l'écriture est associée à la mort. Abel, qui sent les mots lui échapper, ces mots qui l'ont si bien servi jusque-là, est saisi par un vertige qui va se transformer par la suite en évanouissement. Il comprend, avec horreur, qu'il ne pourra plus jamais écrire de roman. Il éprouve alors une frayeur d'autant plus intense que l'écriture constitue sa principale, pour ne pas dire son unique raison de vivre maintenant que tout le reste est à vau-l'eau. Abel était devenu écrivain pour se débarrasser du mal qui l'habitait, note le narrateur, pensant pouvoir ensuite se reposer au terme de cet exercice ; or, voici qu'il constate, avec stupeur, que non seulement il n'a pas trouvé le repos et la paix recherchés mais que son mal s'est aggravé : « Écrire, ce n'était que rouvrir une blessure, celle qu'il s'était faite jadis quand on habitait Saint-Jean-de-Dieu » (p. 22). Les mots lui apparaissent désormais non plus comme des amis bienveillants pouvant soulager le mal de vivre, mais comme des ennemis, des instruments au service d'un immense mensonge, d'une méprise totale sur soi : « Un million de mots déjà et qu'avait-il appris en les écrivant ? Qu'ils étaient des à peu près (ces fœtus conservés dans des bocaux de verre remplis de formol), qu'on ne pouvait leur faire confiance, pas plus qu'à soi, et que plus on en imaginait, plus l'effroi grandissait en soi » (p. 28).

Les mots semblent dorénavant inaptes à traduire le réel, à en proposer un équivalent juste, satisfaisant, permettant une meilleure compréhension de l'univers et de sa propre situation, et du coup élargissant son champ de conscience. Les mots sont infirmes, ce sont des « fœtus », des êtres inaboutis et l'écriture ne peut faire surgir que « l'inessentiel puisque, au-delà du secret, il n'y avait encore et toujours que le secret » (p. 90). Cette « écriture cassée, boiteuse, claudicante » (p. 97) qu'il pratique furieusement depuis des années se révèle d'une « totale », d'une « absolue indigence » (p. 202), ne pouvant rendre que ce qu'il y a de moins intéressant, de moins significatif en soi. Elle n'arrive pas à percer et à dire le « secret » originel, cette « blessure » traumatisante subie pendant l'enfance et qui continue de vous tenailler et de vous empêcher, une fois devenu adulte, de vous épanouir pleinement.

Ne pouvant exprimer adéquatement le réel, étant ontologiquement déficients, comment les mots pourraient-ils apporter une authentique libération, fournir le cadre et le moyen d'une auto-analyse réussie ? N'apprenant pas grand-chose sur soi, et sûrement pas l'essentiel, pourraient-ils au moins aider à entrer en communication et en communion avec autrui ? C'est là une deuxième question que soulève le roman à partir de la relation problématique, hautement menacée, qu'Abel entretient avec Judith.

Si les deux amoureux sont séparés par leur passé – ils proviennent de milieux sociaux et culturels différents –, il semble bien qu'ils le soient encore davantage par l'écriture, cette passion dévorante dans laquelle Abel se consume totalement, ne disposant plus ensuite du temps et de l'énergie qu'il faudrait pour aimer pleinement Judith. Il écrit pourtant pour s'en rapprocher, pensant que les mots pourront constituer des ponts entre elle et lui, faciliter leurs échanges, exprimer la vérité de leur amour. Mais il n'en est rien ; les mots et les livres se dressent entre eux comme des barricades, des tranchées infranchissables : « Pourquoi la vie ne te suffit-elle pas ? » (p. 100) s'écrie dans un moment de colère Judith qui finira, de guerre lasse, par quitter Abel. Elle juge qu'il demeurera inexorablement, quoi qu'elle fasse, prisonnier des mots et de l'univers du mensonge dans lequel il trouve tout de même un « ventre maternel » (p. 157), une possibilité, aussi fragile soit-elle, d'un retour à l'origine, au monde sécurisant de l'enfance et du plus loin que l'enfance qui, pour lui comme pour Jos, le frère aîné, représente l'ultime vérité.

Il n'est pas sûr que l'écriture puisse donner accès à cela, pas plus qu'elle ne rend plus aisés et spontanés les rapports à autrui. Pratique décevante en tant qu'exercice d'appropriation de soi, pourrait-elle devenir l'instrument privilégié pour exprimer, à travers une symbolisation exemplaire, la réalité du monde auquel appartient l'auteur ? C'est là le troisième élément de la problématique de l'écriture posée par le roman, réflexion qui recoupe et reprend les éléments essentiels de la démarche d'un Hermann Broch, proposée en particulier dans *La mort de Virgile,* ce grand poème sur le sens de la vie, de la mort et de l'art inspiré par le destin de l'auteur de *L'Énéide*[11].

Comment pourrait-on tirer une œuvre puissante d'une réalité en décomposition, en « démanche » ? Car c'est bien ainsi qu'est perçue et décrite la situation du « pays incertain », à travers notamment le discours prophétique de Jos, frère et créature imaginaire d'Abel, qui paraît exprimer, bien qu'en termes excessifs, la vision de l'auteur sur cette question[12].

Pour Jos, le Québec « constitue le dépotoir de l'humanité, un formidable bouillon de culture, la matrice d'une nouvelle civilisation », et ses « Porteurs d'Eau » sont les « chevaliers de l'Apocalypse,

---

11. L'influence de Broch est extrêmement importante dans le réseau intertextuel qui sert de toile de fond à ce roman. J'étudie ce phénomène plus longuement ailleurs dans ces pages, examen qui montre bien jusqu'à quel point son apport a pu être décisif dans la genèse et la structuration même de *Don Quichotte de la démanche.*

12. Pour s'en convaincre, il suffit de se reporter au *Manuel de la petite littérature du Québec,* Montréal, L'Aurore, 1974, ou au recueil, *Entre la sainteté et le terrorisme,* Montréal, VLB éditeur, 1984 ; on trouvera exprimé là, en termes analytiques, ce qui est donné sous une forme souvent fantasmatique dans les romans : le Québec est vraiment, pour Beaulieu, un pays livré à une dérive sans fin.

les anges trompettant le jugement dernier du vieux monde » qui précédera l'établissement d'un monde « transmuté », fondé sur un « nouvel art de vivre global » (p. 155). La chance du Québec, pour l'aîné des Beauchemin, réside donc dans son état de décomposition, son déclin appelant en quelque sorte une résurrection dont il sera le maître d'œuvre, l'artisan principal de la « mission prométhéenne » (p. 228) que cette société doit accomplir sous sa direction éclairée. Il s'agira, en effet, de créer rien de moins qu'un « nouveau cosmos », une nouvelle civilisation planétaire dont le Québec métamorphosé proposera une « configuration définitive » (p. 231). Le propos de Jos, en somme, recoupe et reprend, dans des termes prophétiques, l'analyse proposée par Faux Indien dans *Oh Miami Miami Miami* et le « programme » qui en découlait : la volonté de réaliser une « révolution spirituelle » exemplaire, généralisable ensuite à l'ensemble de l'univers.

Le roman, à travers le discours halluciné, délirant, de Jos, s'inscrit dans la grande et vieille tradition du messianisme québécois faisant de ce peuple une nation élue, vouée par la Providence à un destin exceptionnel[13]. L'évocation par Jos du déluge comme principe de purification exprime aussi cette dimension ; le Québec, sauvé du naufrage, incarne la future humanité, la nouvelle alliance proposée comme modèle aux peuples de la terre ayant échappé à l'Apocalypse.

Ce discours messianique est modulé d'une autre manière par le Don Quichotte fabuleux imaginé par Beaulieu. Le chevalier à la triste figure reprend dans le récit, de manière parodique, le propos de Jos, lui imprimant une tournure caricaturale. Pour ce Don Quichotte fantasque, le Québec, pays « sans peuple dont le passé n'est qu'une longue et vaine jérémiade, dont la littérature n'est qu'une inqualifiable niaiserie » (p. 257), par son archaïsme même, par son refus du modèle étatsunien, dispose d'une chance historique ; il lui souhaite la venue d'un héros« qui serait pour vous ce que moi je fus du temps de mon Espagne » (p. 258), assurant de sa « complaisance » la secte des Porteurs d'Eau. Le discours de Don Quichotte redouble donc celui de Jos, mais sur une autre scène, celle de la fable mythologique élaborée par Cervantès.

---

13. Sur la mise en scène littéraire du messianisme québécois, on pourra se reporter avec profit au livre de Réjean BEAUDOIN, *Naissance d'une littérature*, Montréal, Boréal, 1989, 210 p.

Le chevalier à la triste figure apparaît ici comme une doublure de Jos sur le terrain de l'action, d'Abel sur le plan de l'écriture. Comme Don Quichotte, le héros messianique et l'écrivain à l'imaginaire bloqué apparaissent en porte-à-faux par rapport à l'univers dans lequel ils vivent, profondément anachroniques et en cela tout à fait dérisoires. La « mission » de Jos est vouée à l'échec comme sans doute le projet littéraire d'Abel, cette reconstitution rêvée d'un monde disparu, disloqué dont il ne reste plus que quelques reliquats. Est-il possible, à partir de ces débris, de ces traces évanescentes, de retrouver et de reconstruire cet univers et d'édifier une œuvre qui en serait la révélation, l'illuminante épiphanie ?

C'est à cet impossible projet qu'Abel s'agrippe, en réélaborant le programme dans chaque nouveau roman, en réaffirmant de manière obsessionnelle sa ferme résolution d'écrire un jour cette légende, sinon cette épopée, de la « grande tribu » évoquée allusivement à travers quelques figures familiales. Dans *Don Quichotte...*, plus qu'ailleurs, on trouve une ébauche de cet univers dans les esquisses rapides de quelques membres de la famille immédiate et des réminiscences rappelées par des séjours – imaginaires – dans ce que l'auteur appelle les « maisons d'enfance » et les « maisons des ancêtres » de la famille Beauchemin.

L'enfance, c'est, bien entendu, l'univers sécurisant s'épanouissant à l'intérieur du triangle formé par les villages de Saint-Paul-de-la-Croix – lieu de naissance d'Abel –, de Saint-Jean-de-Dieu et de la petite ville de Trois-Pistoles, univers magique, lieu béni en raison de la présence protectrice de la mère et hostile par moments à cause de la présence menaçante du père, monde que nous connaissons de manière fragmentaire par les flashes qui activent par intermittence la mémoire d'Abel, le déportant du côté de ce qui paraît bien être pour lui l'essentiel : le passé, de l'enfance et du plus loin que l'enfance, c'est-à-dire des ancêtres s'enfonçant dans la profondeur du temps. Un passé qui n'existe plus qu'à travers quelques photos jaunies dans des « petits encadrements noirs » (p. 51) et qu'on ne peut reconstituer que par les témoignages des survivants, de plus en plus rares, que par des archives, des registres paroissiaux ou encore, et c'est l'ambition folle d'Abel, grâce à l'écriture conçue comme un *travail mémoriel, exhumation archéologique* par l'imaginaire. C'est à cette entreprise insensée qu'il compte se livrer à partir de quelques photos racornies remisées au « grenier » de la maison des ancêtres de Trois-Pistoles, grenier qui symbolise ce fameux « passé du plus loin que l'enfance » (p. 227) qui obsède tant Jos et Abel.

L'écriture est valorisée, tenue pour un absolu, dans la mesure où elle facilite ce contact avec l'essentiel. Si elle exprime gauchement le réel, n'en proposant souvent que des équivalents fort approximatifs, si elle s'avère un obstacle dans les rapports amoureux, s'interposant violemment entre Judith et Abel, elle conserve toutefois un pouvoir incontestable, celui de donner prise sur sa propre histoire à même celle de sa famille et de la communauté dans laquelle celle-ci s'insère, celui aussi de faire comprendre éventuellement le sens d'un échec, d'un pourrissement, d'un empêchement, historique aussi bien que personnel. C'est sur cette dernière « croyance », sur ce pari en la capacité de la littérature de manifester l'essentiel que se termine le roman, acte de foi que seule l'écriture de « La vraie saga... », ce geste sacré, saura ultimement confirmer et légitimer de manière éclatante et incontestable.

Cette problématique, qui est au cœur de toute l'entreprise de Beaulieu, qui en constitue le centre de gravité, l'axe central, on la rencontrera encore souvent par la suite, reformulée parfois autrement aussi bien dans « Les voyageries », et notamment dans *Discours de Samm,* que dans d'autres volets de la « Grande tribu » et en particulier dans *Steven le hérault. Discours de Samm* clôt, on le sait, le cycle des « Voyageries » sous la forme d'un « supplément », cette série qui, par ailleurs, se présente elle-même comme un « moment » dans le développement de l'entreprise beaulieu-sienne : un « moment » d'ouverture, de renouvellement que manifestent la création de nouveaux personnages et l'élaboration de thèmes faisant place à de nouvelles catégories temporelles, et notamment à des perspectives d'avenir. Cela dit, *Discours de Samm* rappelle et reconduit le projet fondamental de l'écrivain en projetant le personnage d'Abel au premier rang, en mettant en évidence son importance stratégique dans l'ensemble de l'œuvre, y compris dans « Les voyageries ».

Le récit est porté par deux voix, celle de Samm, l'Amérindienne qui a servi d'inspiratrice, du moins en partie, au cycle et que l'on retrouvera plus tard comme narratrice du « pèlerinage » consacré au *Docteur Ferron,* celle d'Abel qui s'impose rapidement comme la figure centrale du roman. On comprend vite, en effet, que, si Samm est dotée d'une voix, si elle parle en son nom propre, elle s'exprime néanmoins essentiellement à propos d'Abel qui la fascine, la trouble et la renvoie au drame capital de sa vie, à sa passion – incestueuse – pour un père maintenant mort, événement traumatisant qu'elle revit à travers son amour pour l'égocentrique et mégalomane écrivain qui apparaît comme un substitut de la figure paternelle si ardemment chérie et désirée. Malgré les apparences, en dépit de l'égalité des deux discours sur le plan quantitatif, c'est la vision du héros masculin qui l'emporte très nettement, en définissant les termes de la problématique centrale du récit dont le titre constitue, d'une certaine manière, un trompe-l'œil[14].

Encore une fois, Abel, dix ans après la crise mise en forme dans le *Don Quichotte...*, s'avère un personnage trouble, troublé et troublant, en proie à la maladie, alcoolique menacé par des problèmes au foie et sujet à des délires et des hallucinations qui lui valent régulièrement des séjours à l'hôpital. C'est au cours de l'une de ces « urgences » d'ailleurs qu'il fait la connaissance de Samm, alors qu'il est en train de rédiger son grand livre sur *Monsieur Melville*. Écrivain célèbre, auteur de téléromans populaires, il n'est pas pour autant apaisé. Il ne parvient toujours pas à écrire le grand roman dont il rêve, la maison d'édition qu'il dirige traverse des difficultés financières dont il n'arrive pas à se sortir[15] et sa relation avec Judith ne s'est pas améliorée avec la venue des « deux filles sauvages » à l'endroit desquelles il se révèle, au surplus, un mauvais père. Bref, à nouveau, rien ne va plus, dans la vie comme dans l'écriture : « je suis incapable de me satisfaire de quoi que ce soit, note un Abel

---

14. S'il y a ouverture, si la femme commence à parler dans l'œuvre de Beaulieu au moment de l'écriture des « Voyageries », en particulier à travers la parole délirante, hallucinée, de France dans *Sagamo Job J* ou celle, profondément perturbée, de l'enfant Una, il n'est pas sûr pour autant qu'une réelle perspective féminine – et encore moins féministe – fournisse le principe d'intégration des univers imaginaires évoqués par ces voix féminines qui demeurent surdéterminées par un regard phallocratique ou paternaliste, et ce, en dépit des « bonnes intentions » explicites de l'auteur. En profondeur, au niveau anthropologique et fantasmatique, celui-ci semble prisonnier d'une conception selon laquelle la femme fait figure d'ennemi, d'incarnation de la traîtrise, dont il n'arrive pas à se débarrasser et qui recouvre tout, y compris les voix féminines qu'elle mine de l'intérieur.

15. Pour ce qu'on en sait, Beaulieu paraît recourir ici à sa propre expérience, évoquée en des termes voisins, sous la forme du témoignage, dans *N'évoque plus que le désenchantement de ta ténèbre, mon si pauvre Abel*. Cela ne signifie pas toutefois qu'il s'agisse d'une pure transposition de l'expérience vécue, sans prise de distance et sans stylisation. Le biographique sert vraisemblablement de cadre anecdotique à un propos plus fondamental sur les fins et les fonctions de l'écriture.

désabusé et désespéré, pas plus de ma vie d'écrivain que de ma vie d'éditeur, pas plus de ma vie amoureuse que de ma vie de géniteur [...] tout se passant comme si je n'avais plus le contrôle sur rien[16] ». Partout, c'est l'impasse totale, sans failles par où pourrait percer quelque espoir, aussi fragile soit-il.

C'est sur ce fond de désespérance que le procès de l'écriture est à nouveau ouvert. Cette pratique qui le détourne de la vie réelle et des êtres chers est perçue par un Abel, écorché mais hyperlucide, comme une « imagination » (p. 60), comme une illusion, toujours à reprendre, à recréer car essentiellement décevante : « Et s'imaginer qu'après son écriture, note-t-il, l'on pourra, délesté enfin de tout, s'asseoir sur le pas de sa porte et fumer sereinement sa pipe, n'est-ce pas la pire des aberrations, celle qui voudrait qu'il y ait satisfaction de soi dans le fait d'écrire, et bien davantage, la *traversée lumineuse des apparences,* aussi bien dire la *réconciliation* » (p. 143)[17].

L'écriture, en cela, ne satisfait pas la pulsion fondamentale de l'être, cette poussée qui le porte vers autrui et vers un univers dans lequel s'intégrer, avec lequel il importe de se réconcilier, de trouver une unité sur le mode fusionnel. L'écriture, au contraire, sépare, divise, oppose le soi à soi, aux autres et au monde. C'est pourquoi, loin de procurer un « apaisement », loin d'être une force de vie, elle s'avère foncièrement un « gonflement de la mort » (p. 144), une pratique qui vous entraîne dans une chute, une perte sans fin. Activité mortifère, elle apparaît aussi comme une forme d'exil, conduisant à l'isolement et à la solitude, puis enfin au suicide, comme l'illustre éloquemment la mort fantasmée de Virginia Woolf dans les eaux glacées de la rivière des Prairies.

Si l'écriture n'était que cela, bien sûr, il faudrait y renoncer. Or, nous le savons, ce n'est pas le « choix logique » qu'opère Abel ; il persiste, malgré les déceptions, les échecs, à reprendre inlassablement ce geste apparemment dérisoire et absurde. C'est que l'écriture demeure un ultime refuge dans lequel il s'engouffre, faute d'avoir

---

16. *Discours de Samm,* Montréal, VLB éditeur, 1983, p. 86. Les références des citations du roman seront dorénavant placées entre parenthèses dans le texte.

17. Je souligne. Ce passage, dont on trouvait déjà une formulation analogue dans *Don Quichotte...,* condense admirablement les deux désirs, sans doute les plus profonds, des héros beaulieusiens ; « traverser les apparences », c'est retrouver l'essentiel, le fondamental, derrière l'accessoire, derrière les masques que revêt trop souvent le réel ; parvenir à la « réconciliation », c'est obtenir réparation du mal originaire, de la coupure d'avec les autres et à l'intérieur même de soi.

un lieu « où aller qui serait doux, gros et *maternel* » (p. 149)[18]. L'écriture est un ventre et pas n'importe lequel : celui de la mère, celui des origines, espace béni, sacré, fusionnel où la contradiction, la séparation, n'existe pas, pas encore car il y aura plus tard abandon, d'abord par la mère puis par le reste de l'univers, et l'écrivain – comme tout individu – se retrouvera dans la position d'un orphelin. L'écriture exprime ce désir de fusion, de retour à la mère, au monde apaisant des origines ; à travers elle, Abel tente de réparer, de colmater le mal radical qui le mine, cet abandon, d'autant plus définitif qu'inéluctable, qui est le lot de tous mais qu'il ressent d'une manière particulièrement exacerbée.

Le projet de « La grande tribu » s'inscrit à l'intérieur de cette quête forcenée de réparation, de récupération d'une intégrité, d'une unité, possible peut-être par le travail de la mémoire, par la reconstitution d'une histoire, personnelle aussi bien que collective. Ici encore il y a donc retour – réel par le voyage, mémoriel par le souvenir, imaginaire par l'écriture – à l'univers de Trois-Pistoles, « pays natal de tous mes terrorismes, comme le signale Abel, pays d'où le mal était venu en moi, cette *première blessure* qui, depuis les origines du monde, n'avait pas cessé de saigner, lovée dans mon estomac, pour me rendre pitoyable et affreux » (p. 121)[19]. C'est pour ne plus être « pitoyable et affreux » qu'il entend se lancer dans cette entreprise démesurée, excessive, que constituera « La vraie saga des Beauchemin », au terme de laquelle sera enfin atteinte cette grande réconciliation si ardemment désirée.

Dans ce roman, cependant, si cette ambition est réaffirmée avec force, elle ne donne pas vraiment lieu à un exercice de mémoire, comme c'était le cas dans *Don Quichotte...* dont certains passages préfiguraient concrètement la « grande tribu ». Sur ce plan, *Steven le hérault,* dernier volet à ce jour de la « saga », renoue, lui, plus directement avec le projet originaire, qu'il relance d'une manière assez curieuse.

La dédicace à « l'oncle Phil », personnage coloré de vieil ivrogne déjà représenté dans *Jos Connaissant* et évoqué allusivement à

---

18. Je souligne.

19. Je souligne. On retrouve ici encore, à peu près telle quelle, une formulation proposée dans les premières pages de *Don Quichotte...* que *Discours de Samm*, à l'évidence, prolonge de plus d'une manière.

de nombreuses reprises par la suite, signe, dès l'entrée du roman, son appartenance à l'univers des Beauchemin. L'oncle Phil est, en outre, dans le récit même, une figure importante, la symbolisation à la fois grandiose et dérisoire de la « petite vie », de l'échec lamentable de la « grande tribu », l'incarnation flamboyante d'un piétinement dans la non-Histoire et la non-Existence, d'un empêchement qui bloque la possibilité même du Livre, c'est-à-dire d'un accès à l'Absolu.

Le titre du roman renvoie si explicitement à Joyce qu'on pourrait penser que Beaulieu parodie l'écrivain irlandais si l'on ne connaissait pas l'immense culte qu'il lui porte, notamment à travers la figure du « poète » Steven, justement, qui, à Paris, en recopie pieusement l'œuvre de sa main dévote et tremblante. On remarquera cependant le déplacement opéré dans le titre même, Stephen « le héros » de Joyce devenant ici un Steven « hérault », c'est-à-dire celui qui révèle l'avenir, qui remplit une fonction prophétique, sorte de Jean-Baptiste annonçant l'arrivée du Messie, comparaison légitimée d'ailleurs par la représentation d'Abel en Christ ensanglanté à la fin du roman. Faisant allusion aux intentions d'Abel (Beaulieu ?) concernant ce récit, Steven dira qu'il « voulait faire de moi le hérault de la geste des Beauchemin, une manière d'archange annonçant à tous la venue du Livre définitif, celui de la tribu[20] ».

À l'origine, le roman devait être écrit en « vers libres » (p. 151), prendre la forme du chant, être porté par la voix lyrique, romantique, de l'écrivain idéalisé, angélique, voué à la pureté et à la beauté séraphiques que symbolise Steven. Or le récit qui nous est donné à lire, écrit à la troisième personne par un narrateur parfois ironique, à distance de ses personnages, parfois impliqué, surtout lorsqu'il s'agit d'Abel, épouse plutôt la forme du *roman picaresque,* structuré autour des exploits, des hauts faits d'un héros circulant de par le vaste monde à la défense de la veuve et de l'orphelin...

Les traces de cette tradition romanesque sont repérables dans les modalités d'énonciation du roman (sous forme de « résumés », de « vignettes » ouvrant chacun des chapitres) et dans l'importance accordée aux actions du héros (à titre d'exemples : l'expédition

---

20. *Steven le hérault,* Montréal, Stanké, 1985, p. 151. Les références des citations du roman seront dorénavant placées entre parenthèses dans le texte.

haute en couleur, tout en surprises et en rebondissements, d'Abel sur le train Océan Limited, la folle nuit d'amour lubrique de l'oncle Phil et de Beauté Féroce, l'agression d'Olga la danseuse par « l'homme au couteau », etc.). Le picaresque se rattache ainsi à l'épique, qu'il manifeste en quelque sorte sur un mode mineur, n'atteignant pas le caractère tragique de la grande épopée. Ce recours au picaresque, n'est pas « innocent » ; il renvoie à un propos fondamental mais en le mettant en perspective sur un mode distancié, ironique, le roman étant en effet une opération tout à la fois de sacralisation et de « laïcisation » du Livre. Et contrairement à ce qu'annonce le titre du récit, ce questionnement, en forme de procès, sur l'écriture place au cœur du livre le personnage d'Abel, déportant ainsi Steven à sa périphérie : dans le contenu concret du texte, dans sa matérialité, la littérature apparaît décidément comme le royaume quasi exclusif du romancier maudit.

Comme toujours, fidèle à son image et à sa légende, Abel est en crise. Comme d'habitude, rien ne va plus dans sa vie, dans ses rapports aux autres comme dans son écriture à laquelle il semble avoir renoncé. Judith et les filles sauvages ont disparu de sa vie, Samm également qui n'est pas représentée dans le roman et qui a été remplacée par Olga, une danseuse de cabaret née de la lecture d'un roman de Leonard Cohen. Revenu de tout, au sommet de la désespérance, Abel entretient avec Olga une relation qui rappelle celle de Berthold et d'Ida dans le roman floridien, consommant et épuisant leur rapport dans une sexualité à forte composante anale, essentiellement excrémentielle et régressive, elle-même l'envers, par ailleurs, de l'amour incestueux qu'il éprouve, comme toujours, pour la mère adorée qu'il pourchasse et reconnaît dans ses amantes passagères[21].

---

21. Sur l'inceste dans l'œuvre de Beaulieu, il y aurait beaucoup à dire. On le rencontre générale-ment sous la forme de l'une ou l'autre des modalités suivantes. Première modalité : l'inceste est un « crime » qui s'accomplit dans une violence plus ou moins exacerbée et qui laisse ses acteurs en proie à la haine d'eux-mêmes et d'autrui, traversés par des remords et une culpabilité sans limite : c'est le cas de Jos pour Mam, de Blanche et de Samm pour leur père, de Myriam pour Xavier dans *L'héritage*, etc. C'est l'inceste marqué du sceau de la faute et du malheur. Seconde modalité : l'inceste est une forme « spontanée », « naturelle », privilégiée du rapport affectif et sexuel et, pour autant, fait l'objet d'une célébration : c'est le cas du rapport incestueux d'Abel et de Steven avec leur mère, c'est le cas de l'amour de Gabriella et de Steven, de celui de Julie et de Junior dans *L'héritage*, etc. À quoi tient cette double et contradictoire représentation ? C'est là une question pour laquelle il n'existe sans doute pas de réponse simple et qui mériterait à elle seule une analyse qui mettrait à contribution

Brisé dans sa vie, paraissant désormais accepter passivement le monde sur le mode d'une sagesse qui ressemble à une douloureuse résignation, Abel a abandonné l'écriture, qu'il tient pour un geste dérisoire et mortifère, ses livres n'étant finalement que « des coups de griffe pour défigurer le silence » (p. 139), des produits d'une activité qui n'est qu'« un trompe-mort, inépuisable parce que vide » (p. 140). Loin d'assurer sa rédemption, les livres n'ont contribué qu'à le défaire, qu'à le déconstruire, qu'à l'enfoncer encore davantage dans une solitude absolue, dans un espace clos dont il ne parvient plus à s'échapper, condamné éternellement à tourner en rond sur lui-même comme un fauve dans sa cage. En quoi il ressemble à Joyce, son maître et son idole, « malheureux comme un chien parce que sa femme ne comprenait rien à ce qu'il écrivait, que sa fille était fêlée du chaudron et que lui-même, privé de l'historicité irlandaise, ne pouvait plus que devenir un alcoolique rabâcheur » (p. 178) ; il a lui-même échoué dans sa tentative de « faire venir le héros québécois, cette bizarre créature qui, pour avoir toujours eu un pied dans le Vieux Monde et l'autre dans la nouvelle Amérique, mais sans rien choisir vraiment, ne s'était toujours que retrouvé le cul dans l'eau, déliquescent et plaignard[22] » (p. 179).

La crise existentielle et littéraire qui l'affecte cette fois est d'autant plus profonde que le Père l'a abandonné, refusant d'écrire avec lui l'œuvre « de la plus haute autorité », cette « œuvre implacable parce que définitive » (p. 145) dont il aurait été le narrateur et le héros. Il a donc tenté de l'écrire seul, enfermé durant sept mois dans un appartement de la rue Notre-Dame avec pour tout environnement une simple table, une machine à écrire, un paquet de feuilles blanches et la petite *Bible* à côté. Mais il n'a pu parvenir à écrire seul ce « Livre impossible », tentative désespérée qui l'a laissé plus désemparé que jamais : « c'était un désastre, celui du Fils crucifié sur la croix de l'incompétence, par un Père qui refusait l'objet de

---

l'ensemble des données constituant la sexualité polymorphe de cette œuvre entièrement partagée, comme c'est le cas ici, entre *La bible* d'un côté et les « tableaux pornographiques » de l'autre, entre « l'absolu de la quochonnerie » et la sainteté la plus haute, entre l'horreur du mal et la splendeur du bien selon une logique strictement manichéenne.

22. On trouve ici des échos de formulations antérieures à propos de Joyce, notamment dans *N'évoque plus...* où le grand écrivain irlandais est rapproché de Jacques Ferron, notre « écrivain national » le plus important pour Beaulieu.

son sacrifice[23] » (p. 147). Échec dont il entend se venger, dans un premier temps, par la rédaction d'un autre Livre, qui serait le « Livre de l'absence et celui de la noire folie, celui dans lequel tout allait se défaire, à commencer par lui » (p. 147). Il y renoncera aussi, retrouvant un certain équilibre et la santé « mais dans un moi aboli et désormais sans ambition, qui n'avait plus à assumer la folie » (p. 147). D'où cette attitude détachée, cette sérénité qu'il affiche désormais avec ostentation mais qui n'est rien d'autre que l'image inversée d'un renoncement absolu. Au terme de ce renoncement, il n'y a de conséquent et de possible que le nihilisme et le suicide comme porte de sortie obligée. Se prenant, on l'a vu, pour un Christ abandonné par le Père, Abel va orchestrer son suicide sous forme d'un meurtre dont la responsabilité incombera à Steven – le frère complice et ennemi –, et il mourra le cœur transpercé d'une flèche d'arbalète, arrosant de son sang le « Livre défait » (p. 342), dernière image sur laquelle se referme le roman.

Assez curieusement toutefois, il semble – c'est ce que le texte laisse entendre par moments – que le Livre soit déjà écrit et qu'il appartiendra à Steven de l'accomplir, de le rendre à terme. Les rôles sont ainsi renversés, Abel se posant en hérault et Steven étant destiné à produire le Grand œuvre avec le Père : « Et quinze ans après, s'étonne Steven, le voilà qui renverse l'ordre des choses qu'il a lui-même établi, ce qui le met dans la situation du Hérault et moi dans celle devant la justifier. Quel invraisemblable retournement ! Et que cherche-t-il vraiment au fond de tout ça ? Que je lui dise non et qu'il reste pris avec le Livre ? » (p. 151). Acceptant en maugréant le témoin qu'entend lui refiler Abel, Steven emporte le manuscrit du Livre contenu dans deux petites caisses de bois ; il découvre avec

---

23. La métaphore christique court tout au long du roman, qui s'inscrit dans la longue tradition judéo-chrétienne : le fameux livre à écrire, qui illuminerait tout, c'est *La bible* qui contiendrait la légende du peuple élu que forment les Beauchemin. Du livre sacré lui-même, il est écrit, dans l'optique d'Abel, qu'« il avait fondé l'Histoire, et aboli l'Anecdote, et donné naissance au Prêtre qui était l'absolu de l'Homme délivré de l'homme, cette image ultime du Christ-Jésus et celle-là aussi de Confucius. Rien de plus que le Verbe enfin défait de sa chair, à la fois commencement et finalité » (p. 150). Et Steven, regardant la petite *Bible* sur la table de travail de son frère, se demande, songeur : « Était-ce là le projet d'Abel ? » (p. 150). Le Livre est ainsi renvoyé au texte majeur, capital de la culture québécoise, celui qui l'a marquée et imprégnée d'une manière décisive, indélébile, dans les couches les plus profondes de son être, du moins jusqu'à son entrée dans ce que l'on a convenu d'appeler la modernité.

stupéfaction qu'il s'agit en réalité du texte dactylographié de *L'avalée des avalés* de Ducharme reproduit *in extenso* et se demande avec étonnement si c'est bien là « le fameux livre inachevé dont son frère lui avait parlé » (p. 228). À cette question le roman n'apporte pas vraiment réponse, se contentant de signaler que Ducharme est un des auteurs préférés de Steven qui, au surplus, est rapproché de Mille Milles de même que Gabriella est associée à Chateaugué. Ducharme, comme Steven, incarne donc ici la poésie et la pureté, cette poésie et cette pureté si ardemment convoitées par Abel au cœur même de tous les excès et de tous les délires. La référence demeure toutefois énigmatique dans le texte même ; hors texte, nous savons que Ducharme est tout à la fois un écrivain magique pour Beaulieu mais aussi un rival, un frère ennemi comme Steven l'est pour Abel, et rien n'autorise à conclure que *L'avalée des avalés* doive être effectivement tenu pour le fameux Livre.

Quoi qu'il en soit, il est clair cependant que le « Livre défait » s'offre comme la métaphore d'un pays à la dérive, en chute libre, ayant renoncé à son accomplissement, se résignant comme l'oncle Phil – sa caricature grinçante – à la « petite vie », à un destin plus que jamais vécu comme une *fatalité* : « le pays, note le narrateur du roman, épousant le point de vue d'Abel, était devenu une réunion de moignons dérisoires » (p. 117), un monde affligé par la misère sociale, « déclassé par une pauvreté sans retour » (p. 157).

Tout se tient encore une fois, la dépossession collective, la dépossession de soi et du Livre désormais inaccessible se présentant comme autant d'inscriptions tragiques d'un même Événement, d'une même Fêlure, d'un même Traumatisme remontant à l'enfance, à l'Histoire que les circonstances, tant individuelles que sociales, réaniment, ramènent des profondeurs à la surface, écume frissonnante du temps.

Comme volet de la saga des Beauchemin, *Steven le hérault* poursuit l'évocation sociographique ébauchée dans *Race de monde !*, développée dans *Don Quichotte de la démanche,* mettant en relief cette fois le personnage de l'oncle Phil : personnage coloré de vieil ivrogne lubrique, amateur de bières et de femmes, possesseur aussi des secrets de la famille et recours éventuel pour l'écriture du Livre si le père s'obstine dans son refus de collaborer avec Abel. Si l'on excepte ce personnage, le portrait sociographique de la tribu tourne cependant un peu court, le narrateur se bornant à décrire en termes généraux la situation actuelle de la famille et à faire allusion sommairement à l'espace paternel, au monde de la coutume et de la tradition, à l'univers d'immobilité dans lequel naissaient et mouraient les ancêtres.

En vérité, cet univers, malgré son importance sur les plans symbolique et mythologique, n'occupe dans les faits, dans la texture même du texte beaulieusien, qu'une place assez congrue, n'étant mis en scène d'une manière extensive que dans *Les grands-pères,* seul « roman archéologique » complet à avoir été produit jusqu'à maintenant.

LA VOIE DE LA MÉMOIRE : LA QUÊTE DES ANCÊTRES

Le récit des *Grands-Pères* survient très tôt dans l'œuvre de Beaulieu. Sitôt le projet de la saga des Beauchemin ébauché, il surgit pour en fournir une première image, pour fixer le cadre spatio-temporel de l'« univers immobile » auquel appartiennent les ancêtres de la « tribu » dispersée aujourd'hui aux quatre vents.

Cet « univers immobile » de la coutume et de la tradition, le récit le reconstitue tant bien que mal à travers le drame d'un survivant, d'un « grand-père », Émilien, lui-même à l'article de la mort, dernier témoin d'un passé dont il ne reste à peu près plus rien. C'est à partir de la conscience brouillée, confuse, de ce personnage qui n'a plus de prise sur le temps, à qui la vie échappe, que le roman nous est donné à lire, sous une forme fragmentaire, à travers les remémorations obscures, les souvenirs flous d'un vieil homme abandonné par la raison, sombrant progressivement dans le délire tout en s'agrippant désespérément aux lambeaux de son passé.

Cet « univers immobile », trouvant ses racines dans les profondeurs du temps, se déployant dans une sorte d'éternité, sans origine assignable, constitue le cœur du roman, le foyer à partir duquel il s'organise et qu'il se propose de mettre en lumière. Son évocation, sa reconstitution, prend toutefois place dans le cadre d'un drame personnel, d'un destin singulier, celui de la vie et de la mort du vieil Émilien. Le récit met en scène une journée dans la vie du personnage, la dernière sans doute, après quoi il rejoindra vraisemblablement « de l'autre côté du miroir [...] le pays *immobile et blanc* »[24].

En cela, *Les grands-pères* n'est pas très différent des autres romans de Beaulieu, étant composé et structuré, sur le plan de l'action, autour de quelques épisodes marquants, scandant l'existence quotidienne du héros : son départ de la maison pour aller chercher de l'aide après l'évanouissement d'Émilienne II, son épouse actuelle, sa visite à l'église où il prie pour ses enfants morts ou dispersés en ville, sa promenade au Rang Rallonge, lieu béni de l'enfance, sa partie de cartes au magasin général de Saint-Jean-de-Dieu avec de vieux amis – d'autres « grands-pères » –, sa visite au vieux copain devenu fou, Chien Chien Pichlotte, elle-même suivie d'un passage à la maison où il a vécu avec sa première épouse, Émilienne I, grasse et douce femme dont il a la nostalgie, enfin son retour à la maison de la seconde Émilienne qu'il hait et qu'il agresse avant de passer, définitivement, de « l'autre côté du miroir ». On a donc affaire, encore une fois, à un récit circulaire évoquant, dans sa structure même, le « monde immobile » qu'il encadre.

La temporalité de l'action n'a guère d'importance ici. Le temps essentiel, primordial, c'est celui des origines que le vieux essaie de retrouver, de recréer à partir des débris exhumés par une mémoire trouée, de plus en plus défaillante, à l'image de l'univers déstructuré qu'elle tente maladroitement de faire revivre. Le récit est constitué par ces allers-retours continuels dans le temps, par ce travail constant, opiniâtre, d'une mémoire qui essaie, sans doute en vain, de sauver ce monde d'un oubli définitif[25].

Sauver un monde de l'oubli définitif me paraît être, en effet, l'enjeu central des *Grands-Pères*. Je ne m'attarderai donc pas à l'anecdote qui lui sert de cadre, à la relation haineuse qui lie Émilien à Émilienne II, fondée sur de nombreux griefs de part et d'autre et qui renvoie au vieux contentieux des rapports hommes-femmes qui traverse toute l'œuvre de Beaulieu. Émilienne II

---

24. *Les grands-pères*, Montréal, Édition du Jour, 1971, p. 157. Ce sont les derniers mots du roman (je souligne). Les références des citations de ce « récit », qualifié ainsi par l'auteur, seront dorénavant placées entre parenthèses dans le texte.

25. Sur la structure temporelle du récit, on lira avec profit l'éclairante étude de Jacques MICHON, « Les avatars de l'histoire : *Les grands-pères* de Victor-Lévy Beaulieu », *Voix et Images*, vol. 5, n° 2, hiver 1980, p. 307-318.

incarne à nouveau la figure de la femme ennemie, coupable d'une odieuse trahison que seul un lourd châtiment – fantasmé sous forme d'un meurtre – pourrait sanctionner. Derrière et au-delà de ce scénario récurrent, de ce canevas connu et usé, il y a autre chose, la volonté de recréer, par la mémoire et grâce à l'écriture qui la canalise, un univers, celui des origines et des perpétuels recommencements.

Ce travail mémoriel n'est pas effectué par un regard objectif, visant à rendre *scientifiquement* la vérité de ce monde, à en fournir une image photographique exacte. La reconstitution archéologique, bien au contraire, est conduite sur un mode on ne peut plus subjectif, épousant la vision troublée, hallucinée du vieil homme perdu, abîmé dans ses rêveries, qu'est devenu Émilien à la fin de sa vie. C'est donc par bribes que nous avons accès à cet univers qui comprend trois « moments » particulièrement suggestifs : la période sacrée de l'enfance, la vie adulte partagée avec Émilienne I et les enfants, la visite – décisive – à Montréal avant la guerre de 1939-1945. C'est à ces trois séquences temporelles que s'accroche avec acharnement la conscience d'Émilien et qu'elle fait revivre, tant bien que mal, en ordre dispersé dans le flux incohérent d'une mémoire qui se disloque.

L'enfance se déroule ici sous le regard et l'autorité d'une figure paternelle fortement valorisée, sinon idéalisée. Le père est un héros bienfaisant qui initie le fils à la vie réelle du travail et qui l'introduit, par là, dans l'univers apaisant de la coutume fondée sur la tradition. Il lui apprend à saigner les cochons, lui enseigne le travail des champs et, par ces apprentissages, lui inculque progressivement la conviction « que rien n'était compliqué et que si cela le devenait, il suffisait de cracher deux ou trois fois dans l'herbe pour que tout reprenne *la place qui lui était assignée de toute éternité* » (p. 43)[26].

Le père, ce quasi-Dieu, transmet ainsi au fils un héritage lui-même acquis de son propre père, du « grand-père » d'Émilien, descendant d'une longue lignée se perdant dans la nuit des temps. Il s'agit, et cela s'impose avec une évidence relevant d'une conception fixiste du monde, de reprendre l'héritage, puis de le repasser

---

26. Je souligne.

aux fils à venir, de s'inscrire en somme dans la chaîne ininter-
rompue des générations, de recommencer sans fin le geste de
l'ancêtre premier, du patriarche de la lignée devenu un personnage
mythique. Le monde immobile, c'est un espace sacré investi, habité
de part en part par le mythe, paraissant échapper à l'usure, au
ravage, du temps ; le père y figure comme un dieu débonnaire,
protecteur, fabriquant des jouets pour ses enfants tout en leur
enseignant les lois de l'univers qui régiront désormais leurs vies.

Émilien reprend donc, à sa manière, le flambeau du père. Il se
marie avec Émilienne I, la femme grasse et douce, chaleureuse,
qu'il aime dans la tranquillité routinière de la vie conjugale, lui fait
de nombreux enfants qui, eux – c'est son drame – rompent avec la
tradition, quittent le pays immobile pour les villes où ils espèrent
gagner mieux leur vie. Cette « trahison » est toutefois précédée par
une période heureuse, celle des premières années du mariage, de
l'établissement et de la vie à la ferme, partagée entre l'amour
rassurant d'Émilienne I et l'affection des enfants. C'est cet univers
sécurisant qui s'écroule avec la mort de l'épouse apaisante et le
départ des enfants, ce monde de « blancheur où, estime le vieux, il
ferait bon s'allonger, où il ferait bon prier pour tous ses enfants qui
étaient morts loin de lui pendant tellement de temps qu'il ne les
reconnaissait jamais quand on ouvrait, dans le salon funèbre, le
couvercle du cercueil » (p. 34).

Cet univers bascule donc avec la trahison des enfants et la
conscience vive, déchirante, qu'il en prend lors d'un voyage à
Montréal avant la guerre. Au cours de cette excursion effectuée en
compagnie de vieux amis, Chien Chien Pichlotte et les Émilien,
eux-mêmes autres « grands-pères » abandonnés, il se fait initier aux
plaisirs licencieux de la ville par les fils qui, avilissant le père,
savent que désormais « il n'oserait plus paraître devant eux. Ils
l'avaient tué, ils avaient brisé *l'image du Père* » (p. 116)[27]. Crime
impardonnable, attentat contre le principe sacré de la filiation,
contre la loi de la transmission (de l'héritage) qui régit l'univers
d'Émilien et qui provoque son retour en catastrophe à Saint-Jean-
de-Dieu, enceinte sacrée, espace numineux qu'il devient urgent

---

27. Je souligne. En entraînant le père dans la débauche, dans la souillure, les fils commettent un
véritable parricide, crime suprême dans cet univers patriarcal.

d'entourer « d'une palissade de pieux de cèdres » (p. 30) pour le protéger des démons qui tourmentent les habitants du monde moderne.

L'espace du roman est ainsi distribué selon une logique toute manichéenne entre l'univers de la tradition, d'un côté, et le monde contemporain, son envers, de l'autre. Le désir profond d'Émilien, c'est de perpétuer l'univers protégé de l'enfance, c'est de l'approfondir, de se l'approprier totalement afin d'y puiser sa pérennité et d'assurer son immortalité qui est celle, plus universelle, d'un mode de vie et d'un rapport global à l'existence selon un registre fusionnel. Il a donc rêvé longtemps qu'un jour ses enfants finiraient par revenir sur la terre paternelle « au centre de laquelle ils se réuniraient tous pour chanter leur accomplissement » (p. 83) sous les auspices de son père, du patriarche qui serait là pour accueillir ses petits-enfants et bénir leur retour au pays natal. C'est ce rêve qui s'écroule lors du séjour à Montréal et qui renvoie Émilien à sa solitude, naufrage personnel qui symbolise l'écroulement d'un monde. Le récit, sur le plan de la forme aussi bien que du contenu du propos, n'appartient, on le voit, ni au registre épique ni à celui du romanesque objectivant. Émilien n'est pas un héros hors du commun dont le roman mettrait en scène le destin légendaire, exemplaire. Il n'est pas non plus représenté comme un personnage effectuant un apprentissage dans le monde réel. Il est plutôt évoqué comme la figure hiératique, immobile, d'un univers circulaire fonctionnant à la répétition selon des règles et des rites fixés de toute éternité, et qui disparaîtra avec sa propre fin comme dernier membre d'une lignée qui n'arrive plus à se prolonger.

En cela le récit s'offre comme une sorte de chant funèbre, comme la célébration, souvent nostalgique, d'un « temps perdu » que l'écriture elle-même a grand-peine à restaurer, à réanimer, mission peut-être impossible, au-dessus de ses forces, qui pourrait cependant en légitimer l'exercice, en assurer la grandeur.

Ce défi, ici, est partiellement relevé, *Les grands-pères* fournissant des indications sur la forme concrète que pourrait prendre la « grande tribu », mais n'en proposant toutefois pas une représentation d'ensemble, sur le mode des fameuses « vieilles sagas » qui hantent Beaulieu aussi bien que Melville.

DE L'ÉCRITURE DU MYTHE
AU MYTHE DE L'ÉCRITURE

Tout compte fait, la « grande tribu » définie comme projet concret dès *Race de monde !,* roman des origines et premier volet du cycle, existe d'une certaine manière plus comme « programme narratif » que comme réalité effective.

Elle réunit et coiffe, bien entendu, un certain nombre de textes, construits pour l'essentiel autour de personnages contemporains, les fils les plus célèbres de la cellule initiale des Beauchemin, et notamment de Jos, le fils aîné, d'Abel et de Steven, les deux poètes (de la « quochonnerie » et du sublime), héros tous hantés, à divers titres, par un passé qu'ils désirent comprendre et parfois même prolonger. Mais dans la réalité matérielle, dans la chair textuelle des romans, ce passé n'est évoqué le plus souvent que fort allusivement, à travers les souvenirs brefs et flous de ces personnages ou les rêveries suggérées par les portraits des ancêtres conservés dans des encadrements jaunis par le temps.

Si l'on excepte *Les grands-pères,* la « véritable saga » est surtout présente à l'état de mythe, et je dirais même de mythe fondateur. Elle légitime l'entreprise d'écriture d'Abel (Beaulieu), en indique la visée, soit édifier l'œuvre totalisante qui symboliserait magistralement le destin de la famille Beauchemin et, au-delà, de la communauté qu'elle incarne exemplairement.

La « grande tribu » sert donc d'inspiration et de moteur à l'écrivain généralement égotiste, narcissique et mégalomane qu'est Beaulieu. Elle lui rappelle que l'écriture ne possède de véritable dignité que dans le travail et l'ascèse que l'écrivain accomplit sur lui-même pour en tirer l'œuvre de beauté et de vérité qu'attendent ses lecteurs et complices.

Conçue comme fable, comme parabole d'une aventure collective dans laquelle elle trouve son sens, cette entreprise acquiert une signification sociale et historique qui en accroît la portée tout en lui imposant de nouvelles exigences. D'où la difficulté de la rendre à terme, d'autant plus que le contexte, la réalité effective d'un pays à la dérive, ne la favorise guère. D'où aussi son éternelle relance et son non moins éternel report, son inachèvement, son empêchement, lui-même image d'une Histoire qui n'aboutit pas, interdisant, du coup, son récit, rendant improbable, sa narration, son assomption et sa métamorphose en œuvre flamboyante qui illuminerait tout, mettant fin, de ce fait même, à la nécessité d'écrire puisque tout serait dit une fois pour toutes et qu'il n'y aurait plus qu'à se taire, qu'à vivre simplement dans la tranquillité d'un univers enfin réconcilié et unifié.

Si le propos de Beaulieu est, incontestablement, de faire advenir le mythe, de retracer une généalogie, de démêler et de remonter le fil des générations, de retrouver et de recréer un monde à travers l'écriture du Livre saint, de *La bible,* qui contiendrait l'histoire et la légende des Beauchemin, il est évident qu'une telle recherche accorde aux mots et à la littérature un énorme pouvoir et une mission difficile, sinon impossible. Ainsi conçue, de fidèle sinon modeste exécutante du mythe, l'écriture court le risque de se transformer elle-même en objet de croyance et de culte, de devenir elle-même, plus ou moins consciemment et délibérément, un mythe justifiant *en soi* la pratique forcenée, frénétique d'un écrivain sacrifiant sa vie et celle des autres à ce nouveau Dieu, véritable Moloch dévorant avec férocité ses propres enfants.

C'est la tentation que l'on rencontrera sur la ligne d'horizon qui se profile derrière « Les voyageries », nouveau cycle fondé sur la souveraineté absolue de la littérature, sur sa survalorisation, sa mythification. Cette idéalisation apparaît comme la dernière croyance à surnager lorsqu'il ne reste plus rien, qu'on est revenu de tout, qu'on est tout juste disposé à effectuer cet ultime pari : que l'écriture, à défaut de donner un sens à l'expérience, constitue elle-même un sens, est elle-même l'Expérience, exigeant un engagement, une implication totale allant, si nécessaire, jusqu'à l'abdication de soi au profit de l'œuvre, vénérée comme une divinité devant laquelle on se prosterne en tremblant.

« LES VOYAGERIES » OU L'ÉCRITURE COMME ABSOLU

Écrit durant l'année 1974, publié début 1976, *Blanche forcée* inaugure de manière flamboyante une nouvelle période dans le parcours et l'œuvre de Beaulieu. Le récit ouvre, en effet, un nouveau cycle romanesque qui devait comprendre, à l'origine, quatre volets : *Blanche forcée*, bien sûr, puis *Sagamo Job J*, *Monsieur Melville* et *Una*. Au cours de sa rédaction, l'écriture engendrant l'écriture comme c'est souvent le cas chez cet écrivain exubérant, viendront s'ajouter le témoignage largement autobiographique que constitue *N'évoque plus que le désenchantement de ta ténèbre, mon si pauvre Abel*, et, en guise de « supplément », *Discours de Samm*, bouclant définitivement la longue traversée sur les eaux de l'écriture amorcée brillamment avec *Blanche forcée*.

Ces deux ajouts surgis dans le mouvement même de l'écriture accentuent la dimension proprement « littéraire », réflexive, de l'entreprise conçue d'abord comme un roman familial. Centré sur le personnage de Job J Jobin et construit autour de ses amours tumultueuses avec Blanche, la femme de rêve, et France, l'épouse délaissée, le récit connaît un déplacement significatif avec l'apparition, dans le second volet, du personnage d'Abel Beauchemin qui, d'une part, évoque, par sa simple présence, le projet originaire et fondamental de *La grande tribu* et qui, d'autre part, tire le cycle du côté de ses propres préoccupations comme écrivain. Si bien que le roman familial est progressivement et insensiblement recouvert, enveloppé par ce que l'on pourrait appeler, à juste titre, le roman de l'écriture.

Il y a donc du nouveau, de l'inédit, dans cette entreprise ouverte sur les grands espaces, sur le large, sur la mer, un souffle, un rythme qui la distingue très nettement de l'espace plus raréfié dans lequel s'épanouissait l'œuvre produite antérieurement. Mais il n'y a pas de rupture absolue, de renversement radical : le nouveau ne chasse pas l'ancien, ne l'évacue pas totalement, comme le signalent notamment

97

la présence d'Abel, dont Job J est une doublure, une projection à peine masquée, la fascination pour Melville déjà manifestée dans les romans précédents et l'insertion, enfin, du cycle dans le cadre plus englobant du projet mythique de « La vraie saga des Beauchemin » à nouveau reformulé très explicitement et très fortement ici.

L'autonomie des « Voyageries » demeure ainsi relative : elle se profile sur une ligne d'horizon plus vaste, bien que le cycle possède des caractéristiques propres, distinctes, qui lui assurent une place singulière dans l'œuvre prise comme un tout. On peut, par conséquent, aborder cette exploration du monde et du langage comme un univers possédant en soi sa cohérence, sa logique, comme une tentative visant à mettre à l'épreuve toutes les possibilités et toutes les ressources de l'écriture, en les poussant à leurs limites extrêmes.

Le cycle se présente en effet comme une immense symphonie faisant appel à plusieurs niveaux de discours et de registres d'écriture, du récit assez classique emprunté pour *Blanche forcée* à la « comédie » revendiquée pour *Discours de Samm*, en passant par la « lamentation » du *N'évoque plus...*, le « cantique » de *Sagamo Job J*, la « lecture-fiction » de *Monsieur Melville* et le « romaman », ce cri affolé qui porte *Una*. Autant de formes, de « genres », qui témoignent de la nature ambitieuse d'un projet qui entend prendre une nouvelle mesure des pouvoirs réels de l'écriture, de sa capacité – ou de son impuissance – à rendre compte de l'expérience tout en lui assurant un sens qui la légitime pleinement.

Cette nouvelle création, en cela, creuse et approfondit, d'une manière différente, l'interrogation la plus décisive et la plus lancinante de toute l'œuvre de Beaulieu, celle qui court entre les lignes, derrière les mots de tous ses textes depuis les débuts jusqu'aux productions les plus récentes : l'écriture peut-elle suggérer des valeurs, offrir des orientations ou, à tout le moins, se proposer elle-même comme finalité, comme impératif absolu s'imposant en soi et de soi ?

C'est cette question ultime qui sert d'axe central, de structure porteuse aux « Voyageries ». Le cycle apparaît cependant, à un premier niveau et en première approximation, comme un grand roman familial, comme le récit douloureux, pathétique d'un triangle amoureux, variable capitale autour de laquelle se déploie l'imaginaire de l'écrivain et à l'intérieur de laquelle la réflexion sur l'écriture elle-même prend forme. Je distinguerai donc, pour les fins de mon analyse, deux grandes dimensions dans l'œuvre : *le roman familial* proprement dit, thématisé surtout dans *Blanche forcée*, *Sagamo Job J* et *Una*, et *le roman de l'écriture* mis en scène principalement dans *N'évoque plus…*, *Monsieur Melville* et *Discours de Samm*, distinction qui, est-il nécessaire d'insister, a une fonction essentiellement heuristique, permettant de progresser plus efficacement dans la compréhension et l'interprétation des « Voyageries[1] ».

LE ROMAN FAMILIAL OU LA DESCENTE AUX ENFERS

LA PAROLE DU PÈRE

D'entrée de jeu, les épigraphes de *Blanche forcée* placent ce nouveau cycle sous le signe du voyage et, à proprement parler, de l'errance. Le décor, celui de la mer, du golfe de Gaspé, du grand large, est associé dans la citation de Faucher de Saint-Maurice à un « mal de dents », donc à une douleur, ou à tout le moins à une épreuve. L'autre citation, de Jacques Ferron, suggère un lien entre navigation, parole et folie. Le voyage, ici, c'est donc d'abord une exploration langagière, une aventure sur la mer des mots, portée par ce que Job J Jobin appelle joliment une « écriture hydrographique[2] », et qui prend souvent la forme d'une dérive, sinon d'un naufrage.

Ce voyage au bout des mots est pris en charge dans *Blanche forcée* par un nouveau type de personnage, assez différent à première vue des héros antérieurs de Beaulieu. Job J Jobin, en effet, n'est pas un pauvre type abonné au bien-être social et détruit par l'alcool. Il possède un métier, étant une sorte de journaliste indépendant et travaille à un grand reportage sur l'univers des baleiniers pour une chaîne de télévision américaine. Il appartient de plus à une longue lignée

---

1. Je reprends en ce point la démarche empruntée dans une étude antérieure publiée dans *Le roman national. Néo-nationalisme et roman québécois contemporain*, Montréal, VLB éditeur, 1991, p. 133-163. J'en retiens le cadre général en renouvelant et en approfondissant cependant certaines analyses, notamment en ce qui concerne la dimension méta-discursive des « Voyageries », et plus particulièrement son propos théorique aussi bien que pratique sur la littérature.

2. *Blanche forcée. Récit*, Montréal, VLB éditeur, 1976, p. 93. Les références des citations de ce roman seront dorénavant placées entre parenthèses dans le texte.

d'explorateurs, de marins, dont le grand-père Job J représente la dernière figure héroïque. C'est dans cette figure légendaire que Job J se reconnaît et c'est dans une glorieuse tradition aventurière qu'il se situe. On est donc très loin, apparemment, de l'univers étroit, mesquin, de Trois-Pistoles ou de Montréal-Nord représentés antérieurement.

C'est ce nouveau type de héros, homme du présent et de l'avenir, qui prend la parole dans ce récit centré sur ses amours avec Blanche. Son discours se présente sous une forme assez fruste, heurtée, balbutiante, relevant essentiellement d'un registre oral, traduisant des hésitations, un malaise profond sur le plan du langage et plus largement du rapport à autrui, et d'abord à la femme aimée. Ainsi que le signale Job J lui-même, « c'est très compliqué de raconter une histoire, à moins d'être suspendu comme une pesée à un fil de plomb et de s'y tenir. Sinon, ça éclate de toutes sortes de façons, imprévisibles et insatisfaisantes façons, gommant tout, bouldozant tout. Alors que je voudrais parler de Blanche » (p. 139). Il y a donc ici une tension entre deux préoccupations, deux désirs : rendre compte uniquement d'une passion, sur le mode du témoignage visant à débusquer une vérité, et construire une histoire cohérente, linéaire, structurée par un « fil de plomb », préoccupation qui est sans doute surtout celle de l'écrivain.

Le récit, d'une certaine manière, oscille entre ces deux possibilités, prenant le plus souvent l'aspect d'un « racontement baroque sacré », ce qui, précise Job J, « est loin d'être commode parce que ça fuit de partout, dans le désordre des mots où je me sens comme dans un piège à ours » (p. 89). C'est dans le cadre d'une curieuse « lamentation/prière qui finit plus » (p. 96) qu'il tente gauchement de retrouver le « temps perdu, ce qu'il reste du temps perdu dans la mémoire » (p. 89). Il y a donc du nouveau sur ce plan aussi : la prise de parole n'est plus la mise en forme d'un délire, d'une hallucination, elle se présente comme une tentative de retrouver, à travers un propos cohérent, un sens, la vérité d'une histoire.

Cette parole, toutefois, intervient dans un contexte qui nous est familier. Le temps « réel » du voyage qui sert de cadre au récit est très court ; tout se déroule en deux jours au cours d'un séjour éclair à Gaspé, lieu béni de la rencontre initiale du narrateur et de Blanche trois ans plus tôt. C'est dans ce cadre restreint que le travail de remémoration va s'effectuer, qu'une plongée décisive dans le temps va intervenir, bien que Job J affirme fortement ne pas s'intéresser au passé. Sur le plan de l'aménagement temporel du récit, on retrouve donc le processus habituel constitué d'allers-retours du présent au passé, lui-même formé de plusieurs strates, allers-retours qui s'inscrivent dans une structure circulaire très représentative de la manière de l'auteur.

Le drame se situe par ailleurs dans un espace nouveau. L'action principale du récit se déroule à Gaspé, lieu d'ouverture, de liberté, de rêverie. De là elle reflue, grâce au travail de la mémoire, vers la Mattavinie, autre espace de rêve où Job J travaille à son enquête sur l'univers des baleiniers, où Abel Beauchemin écrit, dans la fièvre et la folie, son grand livre sur Melville. Il y a donc un incontestable déplacement, sinon un renversement, des références spatiales de l'imaginaire beaulieusien qui semble quitter le monde rural fermé des arrière-pays en désintégration et s'ouvrir aux puissants vents du large, à l'espace fabuleux, magique, des grandes voyageries[3].

La voyagerie se révèle ici d'abord comme une quête, celle du narrateur-héros, Job J Jobin, qui « cherche seulement, selon son expression, à venir dans le monde du sens » (p. 15) pour pouvoir, une fois le passé liquidé, le vécu antérieur évaporé, renaître, devenir une « fabuleuse image nue » (p. 80) et tout recommencer à zéro comme si rien n'avait jamais existé. Pour cela, il faut toutefois comprendre ce qui s'est passé, notamment dans la passion dévorante éprouvée pour la femme aimée, remonter dans le temps, se livrer à un travail de « remémoration » (p. 69) qui prendra la forme d'une recherche, d'une enquête sur les raisons d'un échec, l'amour perdu de Blanche.

---

3. Cette nouvelle fascination provient de la lecture de Melville, bien sûr, mais aussi des récits de voyage de l'abbé Ferland, et notamment de sa narration d'une excursion effectuée sur la côte du Labrador en 1852. Beaulieu « emprunte » au récit de Ferland le nom de *La Doris* pour la goélette de son roman, ainsi que le patronyme de son capitaine, Coffin, un marin célèbre de l'époque, engagé, à la manière d'Achab, dans une chasse à finir contre une baleine mythique, « ventre soufré » rebaptisée ventre de soufre dans le roman. Au-delà de ces emprunts directs, explicites, il y a aussi une influence plus diffuse de l'historien-voyageur sur l'ensemble du cycle, sur son esprit, son atmosphère générale, influence beaucoup plus décisive que celle d'Aragon, par exemple, évoqué aussi à quelques reprises, surtout dans les deux premiers volets des « Voyageries », auquel Job J préfère, et de loin, ses Ferland « qui parlent juste des paysages, l'homme n'étant rien d'autre là-dedans qu'une boursouflure, qu'une excroissance, qu'un complément direct » (p. 137). Le récit du séjour de Ferland au Labrador est contenu dans *Opuscules, Louis-Olivier Gamache et le Labrador*, Montréal, Librairie Beauchemin, 1912.

Celle-ci est donc « forcée », comme le signale si bien le titre du roman, par un Job J désireux d'en percer le secret et qui lui extorque, non sans violence, une manière de « confession », espérant provoquer ainsi une catharsis qui la délivrerait de son passé oppressant et qui permettrait, du coup, une relance de leur amour défait. Au point de départ de la mésentente des deux héros, il y a une méconnaissance, une ignorance réciproque. Après le coup de foudre initial qui les a réunis à Gaspé trois ans plus tôt, suivi lui-même d'une brève période d'entente profonde dans les premiers temps de leurs amours, une période de méfiance et d'hostilités s'est ouverte, culminant dans la fameuse scène d'hystérie, au cours de laquelle tout a basculé dans la « chambre mauve » de l'Habitanaserie, au cœur de la Mattavinie. Cette crise qui fait définitivement tomber Blanche de l'autre côté du miroir, dans le désespoir total et la folie, s'inscrit elle-même comme dernière étape d'un processus de séparation, de prise de distance, de rupture, amorcé lors d'épisodes antérieurs vécus au Cap-de-la-Madeleine, alertes annonçant, de manière prémonitoire, sous forme de micro-drames révélateurs, la grande chute dans le vide éprouvée dans la « chambre mauve », maladie inguérissable à laquelle le suicide seul pourra mettre un terme.

Blanche apparaît ainsi, dans la vision et le discours de Job J, comme une grande « malade », comme l'incarnation même d'une maladie « d'une espèce compliquée qui peut pas se guérir, parce que ç'a pas de nom » (p. 42), comme une victime à délivrer de la toile « de fils d'araignée du passé » (p. 61) sur laquelle elle est clouée. Job J l'interroge sans relâche, sur un mode quasi policier, et découvre avec horreur qu'elle a été l'objet, enfant, d'attouchements incestueux par le père, Charles, figure adorée, véritable Dieu pour qui elle ressent toujours un obscur et tenace désir. C'est ce désir trouble qui va renaître plus tard dans sa liaison avec le député Catulle Lasalle, puis dans la relation amoureuse avec Job J. Elle est donc triplement « forcée », pour ainsi dire, par le père qui s'en empare dès l'enfance, par le député véreux et vicieux, par Job J, enfin, qui l'oblige, par son agression symbolique, à avouer son horrible et douloureux secret.

Si Blanche est « malade », son guérisseur se révèle, quant à lui, un véritable tortionnaire qui la pousse littéralement au suicide.

D'une certaine manière, en dépit des bonnes intentions qui semblent l'animer, il est responsable de sa mise à mort. Job J n'est donc pas seulement l'explorateur curieux, lumineux, dans la peau duquel il aime se représenter. C'est aussi un personnage perturbé, ombrageux, préoccupé surtout de lui-même, cherchant d'abord son plaisir et ses aises et assez indifférent, somme toute, envers autrui, si l'on excepte peut-être sa fille Una. Dans ses rapports aux femmes, à France, l'épouse délaissée, aussi bien qu'à Blanche, il s'avère essentiellement égotiste et même égoïste, imperméable aux malheurs des êtres qu'il prétend aimer de manière absolue.

Le traitement du rapport amoureux n'est donc pas très différent dans *Blanche* de ce qu'il était dans les œuvres antérieures. La femme est encore pour l'homme un adversaire dont il faut se méfier. Par quelque mystérieuse trahison toujours là, et qui se révélera tôt ou tard, elle provoque et appelle une juste violence, un châtiment dont son partenaire n'est qu'une sorte d'instrument, d'exécutant. Si bien que la victime devient ici, paradoxalement, le bourreau et que son amant semble n'intervenir qu'en défense bien légitime. Bref, on est toujours en plein régime phallocentrique, malgré le fait que le récit soit conçu et écrit comme un discours de célébration de Blanche, de la femme et de l'amour[4].

Job J, dans cette optique, n'est pas un personnage tout à fait nouveau. Il n'est pas obsédé par le passé familial, ce qui le distingue des héros masculins antérieurs de Beaulieu. Il n'est pas tout à fait marginal non plus, bien que dans *Una* il sera décrit comme une sorte de « pusher », ce qui le rend tout de même différent d'un citoyen modèle. Mais, à l'instar des héros précédents, il demeure largement asocial, privé de conscience historique, uniquement préoccupé par l'instant présent : « *Ça tourne,* dit-il, *c'est l'essentiel,* il y a Blanche, il y a les baleines, il y a moi circonstancié et il y a tout ce qui se profile derrière et devant, tous ceux qui m'agissent, par qui je suis et fais être. *Je crois à rien d'autre.* Demain c'est toujours de l'aujourd'hui. Et la vie est si courte et le reste pourrait être si long. Alors à

---

4. Rendant compte du roman peu après sa parution, Philippe Haeck a insisté à juste titre sur le rapport de domination, sur le paternalisme très appuyé dont fait montre Job J à l'endroit de Blanche, estimant avoir tout essayé « pour ramener Blanche, pour la sortir du trou où elle se laissait tomber » (p. 199). Voir « Une veillée au corps », *Chroniques,* n° 16, avril 1976, p. 38-39.

quoi bon ?[5] » (p. 122). Cet abandon à l'instant s'exprime également par un retrait du politique, par un rejet de toute participation à la sphère publique. À Blanche qui lui propose d'appuyer les grévistes de Firestone à Joliette, il oppose un refus radical, invoquant l'inutilité, l'inefficacité du geste, préférant demeurer avec elle, « faire des dessins d'eau sur son corps » (p. 126), et jouir avec intensité du moment présent.

En survalorisant le présent immédiat, Job J se situe au sein du courant de la contre-culture, alors dominant dans une large partie de la jeunesse nord-américaine, y compris au Québec. Cette appartenance explique en partie ses contradictions, notamment sur la question du sens à donner à la vie, à l'expérience. Tantôt il paraît engagé dans une quête de vérité, c'est ce qui détermine et légitime l'interrogatoire qu'il impose à Blanche. Tantôt il affirme que le sens n'existe pas, ou à tout le moins que cela n'a pas d'importance, que ce qui compte c'est ce qui surgit dans l'instant : « C'est ce qui se fait toujours neuf dans ma vie qui m'intéresse. Pas moi. Moi je n'existe pas, je suis rien et pas porté à devenir quoi que ce soit » (p. 125). Il y a donc un refus de s'inscrire dans une continuité, une tradition, une histoire, aussi bien sur le plan social que sur le plan personnel. D'où l'échec amoureux avec France d'abord, puis avec Blanche à qui il rend la vie impossible et qui s'en retire en se tranchant les veines des poignets.

Somme toute, par plusieurs aspects, Job J apparaît comme une doublure, une transposition d'Abel Beauchemin évoqué allusivement dans *Blanche* comme un « tchomme lointain » (p. 145) ; celui-ci avouera, plus loin dans le cycle, que Job J aussi bien que Blanche sont des créatures imaginaires[6] largement conçues à son image et à sa ressemblance, incarnant ses désirs et ses obsessions les plus tenaces. Il y a donc deux niveaux, au moins, dans ce récit inaugural : celui des personnages « fictifs » du roman familial, situés à l'avant-plan (Blanche, France, Job J, Una), celui du

---

5. Je souligne ; on ne saurait être plus clair sur ce culte de l'instant et du mouvement qui constitue le noyau dur des croyances du personnage.

6. Cette réalité est déjà suggérée dans le discours de Job J : « Je sais rien de Blanche. Que les longues heures passées à la faire venir, dans l'engouement des images fuyant par devant et par derrière, discontinues, flammèches éphémères dans le délire de vie » (p. 95). À travers ces mots, on ne peut s'empêcher de lire le propos même de l'auteur.

romancier Abel Beauchemin qui exprime, à travers eux, son propre désarroi, sa position intenable entre Judith – autre figure d'épouse délaissée – et Samm, ainsi que sa volonté de tout réconcilier par et dans l'écriture. Pour comprendre pleinement ce qui se joue de plus fondamental dans « Les voyageries », il ne faut donc pas perdre de vue que Blanche est « forcée » d'abord et avant tout par l'écrivain (Abel/Beaulieu), qu'elle symbolise le désir le plus absolu, « l'inaccessible étoile » des rêveries les plus hautes, toute la beauté du monde impossible à posséder dans la « vie réelle ».

Le discours de Job J exprime, sur le plan du roman familial, cette ambition et cet échec du « père » à assumer pleinement ses conquêtes amoureuses, ratage dont il rend responsables ses conjointes. *Sagamo Job J* nous fait entendre, pour sa part, la contrepartie de ce discours, le point de vue de la femme, à travers la parole délirante, hallucinée, de l'épouse abandonnée et malheureuse qu'est France.

LA COMPLAINTE DE LA MÈRE

Dans le complexe et prodigieux ensemble polyphonique que forment « Les voyageries », *Sagamo Job J* prend place en tant que cantique, discours de célébration, chant à la gloire du grand « chef » Job J auquel on érige d'une certaine manière un monument. C'est en tous les cas ce qui se dessine derrière la complainte douloureuse proférée par l'héroïne-narratrice, ou plutôt par la « parleuse » qui écrit dans sa tête une lettre à son amant sous forme d'un interminable monologue, d'une longue plainte pathétique visant à combler une insupportable solitude éprouvée depuis le départ catastrophique de l'époux adoré.

En cela, ce monologue sans fin, procédant d'un souvenir à l'autre, d'une rêverie à l'autre, d'une élaboration phantasmatique à l'autre, sans ordre, sans logique autre que celle de l'inconscient d'un personnage profondément perturbé, rappelle les discours hallucinés, désorganisés, des premiers héros de Beaulieu. Ce n'est pas sans poser des problèmes et des défis pour la lecture et l'interprétation du roman : tout en effet est brouillé, le réel et l'imaginaire – sur le plan immanent de la fiction, s'entend – sont inextricablement liés, confondus, si bien qu'il est extrêmement difficile, voire impossible, de trouver une cohérence sous le discours échevelé qui nous est proposé. France, par exemple, évoque des personnages « réels », déjà familiers, aussi bien qu'elle crée, pour sa propre fiction, des personnages tout à fait « imaginaires » comme celui de Flo, la barmaid, parmi quelques autres. De plus, elle prête aux figures de son théâtre intérieur[7], de son imaginaire divaguant, des pensées et des paroles qui sont d'abord, sinon exclusivement, ses propres ruminations, les produits de sa pauvre cervelle fêlée, abîmée par la surconsommation de vodka et les tranquillisants qu'elle avale en quantité industrielle.

À l'origine de cette parole proliférante, torrentielle, diluvienne, il y a un manque radical. France est seule avec Una, sans homme depuis le départ de Job J., sans personne avec qui échanger, partager des émotions, connaître le grand vertige sexuel. Elle s'ennuie de l'amant disparu, de ses mains sur elle, de son corps brûlant et elle aspire à être « plantée comme il faut[8] » par lui et le plus tôt possible. Son réquisitoire, son acte d'accusation contre l'amant défaillant, le père irresponsable, est aussi, de plus d'une manière, une imploration ; révoltée, France s'avère ainsi, encore et toujours, « en demande » dans son rapport à Job J qui finira par céder, par lui revenir après le suicide de Blanche, après la relation avec Ruth, pour Una qui les réunit en dépit de tout.

Bien involontairement sans doute, son cri de désespoir s'offre comme un discours d'hommage au disparu qui n'est pourtant pas une figure glorieuse. Les notes consignées dans le calepin qu'il tient à l'occasion de son grand reportage sur l'univers des baleiniers font état, selon France, d'une « extrême indigence », d'un « extrême désespoir », d'une « extrême dissolution », d'une « fuite » (p. 86) perpétuelle d'autrui – il ne se livre jamais vraiment – et de lui-même : au fond de son âme il ne rencontre rien d'autre que du

---

7. Cette conception de l'individu comme acteur se produisant sur son propre théâtre imaginaire, jouant des rôles pour autrui et parfois pour lui-même, de manière plus ou moins consciente et délibérée, vient peut-être de la lecture de *Théâtre/Roman* d'Aragon, évoqué furtivement dans le cycle à propos du personnage de Blanche qui le tient en grande estime. Aragon y met en scène un comédien, sur le plan professionnel aussi bien que dans la vie, qu'il fait dialoguer avec un personnage d'écrivain qui semble une doublure de lui-même. Cette lecture a vraisemblablement influencé Beaulieu dans l'élaboration prismatique de certains personnages décrits comme des doubles, des miroirs, se reflétant à l'infini. Voir Louis ARAGON, *Théâtre/Roman*, Paris, Gallimard, 1974.

8. *Sagamo Job J, Cantique*, Montréal, VLB éditeur, 1977, p. 20. Les références des citations de ce roman seront dorénavant placées entre parenthèses dans le texte.

vide, que du néant par quoi il est fasciné et aspiré dans une chute sans fin. Mauvais père, irresponsable à l'endroit d'Una, mauvais amant pour France, pour Blanche, refusant leur amour, s'y montrant « indifférent » (p. 125), il se sent « sectionné », précisant qu'à l'intérieur de lui « ça se décompose, ça se dissout sans aucun point fixe, sans attache nulle part, pareil à de l'eau », si bien qu'il se retrouve « ouvert à tout et par cela même fermé à tout » (p. 151). Tout ce qui lui reste, et c'est ce qui d'une certaine manière le sauve, c'est sa passion pour la mer, elle-même venue du grand-père héroïque qui lui « a parlé des chasses fabuleuses du golfe » (p. 67), qui l'a initié à ce « monde de couleurs et d'odeurs » en lui donnant, lorsqu'il était enfant, une « baleine sculptée par lui dans du bois de grève » (p. 68).

En écrivant son reportage, Job J s'inscrit fortement dans une filiation, il reprend un héritage, il dresse un monument aux ancêtres dont le grand-père aventurier représente la dernière figure grandiose. Il raconte d'ailleurs avec émotion la légende de cette héroïque lignée de pêcheurs et d'explorateurs qui, du pays basque, vinrent reconnaître les rives du Saint-Laurent dans l'espoir d'y trouver de fabuleuses baleines qu'ils ramenaient ensuite dans le vieux pays. C'est cette race de marins courageux qui se serait établie sur la côte, à Trois-Pistoles notamment, rayonnant à partir de là sur la mer environnante, y inscrivant ses exploits. C'est de cette lignée que descend le grand-père Job J réduit, pour sa part, à chasser des chevaux de mer, les cachalots et les baleines ayant disparu du golfe. Avec lui, c'est donc un monde de liberté, d'ouverture, qui bascule, entraînant un « rétrécissement » (p. 154) du pays qui se replie frileusement sur lui-même, à l'abri des grands vents du large, s'enracinant dans le sol des arrière-pays sans avenir.

C'est le processus que semble avoir connu la région de la Mattavinie qui, après avoir été colonisée bravement par des familles nombreuses et vaillantes, a subi un inéluctable déclin, devenant, comme la région du Bas-du-Fleuve, un lieu mort, déserté, une réserve pour « touristes ventripotents » (p. 53), l'envers de l'image merveilleuse et trompeuse suggérée par le « gros arbre sacré » à l'ombre duquel Abel Beauchemin écrit son hommage à Melville. C'est pour récupérer, faire revivre ce paradis perdu – le monde de la mer couvert d'aventures, la mise en chantier héroïque du pays – que

Job J construit son reportage, qu'Abel, son créateur, écrit « Les voyageries », se métamorphosant en « baleine blanche creusant le lit du golfe, peut-être seulement pour renouveler le lit d'eau du fleuve ; la recréer », en rendre la « prodigieuse vitalité » (p. 79)[9].

Véritable proclamation d'amour, chant de la passion éperdue, le monologue de France va cependant se transformer, à la fin de la nuit, en cri de haine et en déclaration de guerre. Dans une ultime rêverie délirante, elle imagine Job J perdu dans la forêt, par une froide nuit d'hiver, mourant gelé, entouré de loups affamés aboyant à la lune et se préparant voracement pour la curée. Cette dernière fantasmagorie sera interrompue par le réveil d'Una et par l'irruption de Jos Beauchemin, nouvelle connaissance de France, qui l'agresse sauvagement et la blesse, reprenant ainsi le geste de violence porté naguère contre sa première maîtresse, Marie, autre femme tristement battue.

L'intervention intempestive de Jos place le roman sur de nouveaux rails, relançant la problématique nationaliste, centrale dans les œuvres antérieures, mais discrète jusque-là dans « Les voyageries ». Dans l'étrange « intermède » où il est représenté, dans un curieux récit narré à la deuxième personne où il est interpellé par un « vous » plutôt compassé, Jos est évoqué comme un illuminé et qualifié de « Père du désert » (p. 177), de nouveau Christ aspirant à « l'ultime initiation » (p. 180) qui ferait de lui le premier et authentique « Père » de la grande tribu. Avec Géronimo, son vieux compagnon, ce « terroriste rouge », il rêve de transformer le pays, de le rendre enfin à sa pleine grosseur, puis d'en faire un lieu pacifique, un espace de réconciliation.

La question nationale est ainsi posée, d'une part, à travers les discours apocalyptiques de Géronimo et d'Abraham Sturgeon, qui a remplacé Job J dans le cœur de France, et, d'autre part, dans le

---

9. On trouvera le passage consacré à la figure du grand-père Job J, héros de la mer, longuement modulé au cours des pages 152-159 du roman ; la saga de la colonisation de la Mattavinie, moins développée, fait aussi l'objet d'une narration en style épique (p. 52-54). Dans les deux cas, ces récits en forme de légendes apparaissent comme des figures réduites de la grande recréation mythologique des pays québécois fantasmée depuis l'origine de l'œuvre. Quant à l'écrivain, c'est à la fois celui qui pourchasse la baleine blanche, cette incarnation de l'absolu, tout en étant lui-même cette baleine, c'est-à-dire cet être de fuite insaisissable, en perpétuel mouvement, que l'écriture tente de figer, d'immobiliser au centre du livre.

propos empreint de religiosité de Jos. Elle est mise en scène par le truchement de personnages excentriques qui illustrent, par leur démesure et leur délire, le caractère hystérique, bloqué, cadavérique, de la situation du pays équivoque telle que saisie par le regard désillusionné de Beaulieu, qui la donne de la sorte à voir et à lire sur un mode ironique, distancié, comme une catastrophe en forme de comédie tout à fait absurde, dérisoire et grotesque.

Cet aspect du roman nous renvoie au cœur de l'univers de l'écrivain, dans le prolongement direct de *Don Quichotte de la démanche* et témoigne éloquemment du caractère essentiellement circulaire de cette œuvre qui n'avance jamais qu'en faisant retour de quelque manière sur elle-même. Cela ne signifie pas qu'il n'y a pas d'avancées, de percées inédites dans le développement de cette entreprise : il y en a, mais sur fond de reprise et de continuité. Ainsi le personnage de Job J, comme on l'a vu, est pourvu de traits nouveaux – c'est un homme du présent et de l'avenir, non un nostalgique du passé – tout en étant doté de qualités et de défauts qui l'apparentent aux héros masculins antérieurs. Quant à la femme, elle prend directement la parole dans le récit, pour la première fois, mais elle véhicule un point de vue qui demeure intrinsèquement celui des hommes, et exprime de la sorte, bien involontairement, une perspective foncièrement phallocentrique. Ce qui s'affirme franchement nouveau, ici, se situe donc ailleurs, sur la scène même de l'écriture.

Stylistiquement, en effet, *Sagamo Job J* s'avère particulièrement intéressant. Beaulieu reprend et réactive une vieille forme, très codée, celle du cantique, qu'il retire de la sphère religieuse et déporte, en la transformant, du côté de l'expression des désirs les plus personnels, les plus obscurs, les moins ritualisés. France chante, mais ce qu'on entend n'est pas un hymne, c'est une plainte, un cri de détresse montant des profondeurs abyssales de l'être. Le « cantique » prend ainsi un caractère obsessionnel, relançant sans cesse un certain nombre de motifs et de fantasmes, notamment à travers la mise au point de « récitatifs », de litanies – sur la main-araignée de Ruth fermée sur le sexe de Job J (p. 42-45), sur les « têtes », les fesses et la « fente » mortes de France (p. 136-141) – qui ponctuent le texte, créant un rythme lancinant telle une mélopée longuement filée.

Ce roman en forme de célébration innove vraiment, en expérimentant de nouvelles ressources sur le plan du langage, en n'hésitant pas à explorer ses possibilités du côté du fantastique, par exemple. Ici, il y a des « arbres sacrés » qui inspirent la création, qui se déplacent la nuit et qui « parlent », de petits moutons qui se métamorphosent en petites filles à la tête frisée, des baleines fabuleuses qui donnent à rêver. Le récit, en cela, tout en ne quittant pas le terrain du « réel », donne tout de même accès au monde du merveilleux, de l'illusion et de la magie et s'inscrit dans un registre très largement mythique.

C'est dans l'univers de la fable que va nous entraîner *Una* qui, après la parole inaugurale et autoritaire du père et la réplique en forme de complainte de la mère, va nous faire entendre le cri effarouché et frondeur, révolté et douloureux, de l'enfant, introduisant ainsi un nouveau point de vue, rarement pris en compte dans ce genre de roman familial habituellement monopolisé par les seules figures parentales.

LE CRI DE L'ENFANT

Una devait être, à l'origine, la « conclusion » des « Voyageries ». Le récit réunit, en effet, les deux versants principaux du cycle : le roman familial des Jobin auquel il met fin définitivement, congédiant pour toujours, semble-t-il, ses protagonistes ; le roman de l'écriture centré sur Abel, représenté ici après la rédaction du *Melville*, sur le point d'entreprendre la grande « romancerie » des Beauchemin et tenu pour l'ultime inventeur, en dernière instance, de la série, son seul et authentique père et, à toutes fins utiles, son seul et véritable acteur, tout le reste, aussi bien les personnages que les situations auxquelles ils sont confrontés relevant de l'imaginaire, appartenant au registre de la pure fiction. Cela dit, il reste que ce curieux « romaman », cet étrange et déroutant roman de la mère, en prenant son titre littéralement, doit d'abord être lu ainsi qu'il est offert : comme le cri de l'enfant, douloureux et dérangeant, dans le bizarre concert familial traversé et animé jusqu'ici par les partitions exclusives du père et de la mère.

C'est donc un enfant de sept ans qui prend la parole, une petite fille perturbée, victime principale du conflit familial qui dresse les parents l'un contre l'autre comme des coqs enragés. En donnant ainsi la parole à une narratrice si jeune, un romancier prend de grands risques, s'expose au danger de rater son coup ; il n'est pas facile, en effet, de faire parler les enfants en littérature, d'exprimer avec justesse la vérité de leurs discours, d'en restituer la fraîcheur sans tomber dans la mièvrerie, d'organiser en somme un récit cohérent sans sacrifier du coup une certaine vraisemblance psychologique. L'on verra que Beaulieu a réussi, avec un bonheur inégal, à relever ce défi de rendre crédible le personnage de la petite fille fantasque et futée à qui il a confié le soin de « parler » le récit.

Una est représentée (se représente) comme une créature de rêve, comme un être merveilleux, apparaissant de plus d'une manière comme un personnage de conte de fées. À la naissance, elle surgit du ventre de France en tenant un « vieux harpon tout rouillé » dans la main gauche et une « petite baleine en caoutchouc dans la main droite[10] ». Elle est aussi décrite dans une période antérieure à la naissance comme une « exquimaude » habitant un « corps-iglou tout givré par dedans et par dehors » (p. 28). Au moment de la narration, elle vit par ailleurs dans le ventre d'une baleine naviguant sur la rivière Mattawin à défaut de circuler sur les autoroutes du Québec dans une citrouille « à laquelle Job J aurait mis de belles roues toutes chromées » (p. 34). Le personnage appartient donc incontestablement au registre du merveilleux, et le récit aurait pu être lu comme un conte de fées si le romancier s'était borné à la face lumineuse, transparente, de l'univers d'Una.

La petite fille à l'imagination fertile ne vit toutefois pas uniquement dans un monde de lumière, dans un espace apaisant et rassurant qui est ici associé au père. Job J, en effet, est à nouveau évoqué comme un personnage d'aventurier, comme un être libre, indépendant, mais aussi comme un artiste, un sculpteur recréant dans le « haut côté » de l'Habitanaserie une véritable « arche de Noé », le « plus beau musée sur l'art de la baleinerie » (p. 117) dont on puisse rêver. Cette dimension créatrice du père séduit Una qui se range à ses côtés dans le combat douteux qui l'oppose à une France

---

10. *Una. Romaman*, Montréal, VLB éditeur, 1980, p. 14. Les références des citations tirées de ce roman seront dorénavant placées entre parenthèses dans le texte.

couplée, péjorativement, au personnage monstrueux de la « Mère très cochonne du Royaume des morts » qui hante la cave de la grande maison de la Mattavinie. Una se trouve ainsi partagée entre la lumière irradiante du père et l'ombre obscure de la mère ; son récit va progressivement se transformer, quittant l'orbite du conte merveilleux et s'échouant, au terme d'une longue dérive, sur les berges du romanesque le plus noir.

Una, dans le drame familial opposant France et Job J, n'est d'une certaine manière qu'un pion secondaire, qu'un objet concret de litige, qu'une « triste erreur, comme elle le note elle-même, sur le parcours de leurs mésententes » (p. 107). Après la rupture, elle a été prise en charge par France et s'est retrouvée séparée, éloignée du père avec qui elle renoue dans l'Habitanaserie après la relance du couple parental. Relance houleuse, conflictuelle, Job J se repliant sur lui-même, se réfugiant dans un travail de création solitaire, France sombrant dans un alcoolisme de plus en plus prononcé et entretenant une liaison ouverte avec Abraham Sturgeon, prétendu journaliste international, soi-disant correspondant du *Monde*, et en réalité pauvre fou venant tout juste d'être libéré d'un long internement à Saint-Jean-de-Dieu. Dans ce curieux ménage à trois, Una prend parti pour le père, devient complice de Job J dont elle partage la passion pour l'univers de la mer et de la baleinerie et avec qui elle se met à « voyager à travers les mots » (p. 69), les fabuleuses rêveries et l'univers magique des légendes qui le captive aussi, qu'il transmet à sa fille qui le reprend à sa façon.

Una éprouve donc un amour éperdu, absolu pour une figure paternelle idéalisée, conçue comme une sorte de divinité. Job J, on l'a déjà signalé, est cependant un personnage trouble et ses rapports avec Una ne sont pas sans connotation incestueuse. Quand elle était plus jeune, il la laissait toucher à son « guili-guili » lorsqu'ils prenaient un bain ensemble, et avait des érections non équivoques. Et si cette activité n'est plus possible désormais, Una ayant « grandi trop vite » (p. 101), il continue de promener ses mains sur elle, la traitant d'une certaine manière comme une vraie femme. Le récit prend ainsi une très nette coloration incestueuse, ce qui n'est pas nouveau dans l'univers de Beaulieu, coloration qui sera cependant accentuée, aggravée par l'ajout d'une très forte dose de violence frénétique, souvent répugnante, qui fait définitivement basculer le roman dans l'horreur, métamorphosant le conte merveilleux en récit scatologique.

Beaulieu emprunte la tradition du conte de fées en la bousculant ; il la renverse et la subvertit en faisant d'Una le double sombre, le négatif désenchanté d'une *Alice au pays des merveilles*, la destinant plutôt à parcourir un douloureux et infernal chemin de croix. Cette descente aux abîmes les plus profonds et les plus sordides est d'abord provoquée par l'intervention des grands-pères Beauchemin et Jobin évoqués ici comme des êtres cruels, sanguinaires, sadiques, et comme de véritables vipères lubriques obsédées par leurs désirs libidineux, totalement dévoyées. Devenu « fou », retombant en enfance, le grand-père Beauchemin, naguère un monsieur très digne, s'en prend avec une violence féroce aux animaux, les frappant avec frénésie jusqu'à ce qu'ils soient couverts de sang, opération forcenée au terme de laquelle il connaît des orgasmes démesurés, gigantesques. En outre, il s'arrange sournoisement pour se faire caresser par Una sous prétexte de la bercer, donnant ainsi libre cours à ses fantasmes séniles. Quant à l'autre grand-père, il se contente, si l'on ose dire, de la mettre dans une cage de fer qu'il accroche au plafond de la grande pièce de l'Habitanaserie. Ce ne sont là que les premières étapes, et pas les plus horribles, du terrifiant calvaire qu'aura à traverser Una dont l'épisode le plus sordide prendra la forme d'un viol crapuleux qu'on dirait directement inspiré d'un fait divers rapporté dans *Allo Police*.

L'agression ultime qui transforme Una en véritable martyre, auprès de laquelle la célèbre Aurore elle-même ferait pâle figure, viendra du propriétaire de la grande maison de la Mattavinie. Ce monsieur Duval, une incarnation du Bonhomme de Sept-Heures, tient prisonnière dans la cave de l'Habitanaserie son épouse qu'il a enchaînée pour l'avoir « trahi » en lui donnant une petite fille au lieu du garçon qu'il aurait plutôt souhaité avoir. Il s'est alors organisé pour se débarrasser de sa fille, l'a fait disparaître et depuis il tient sa femme enchaînée dans la prison qu'est devenue la cave de la grande maison, la reléguant aux enfers où elle survit péniblement en tant que « Mère très cochonne du Royaume des Morts ». Cet affreux monsieur Duval, ce sinistre épouvantail, entend faire d'Una son « esclave » (p. 189), vouée à l'entretien domestique et à son bon plaisir de grand seigneur crapuleux. Quand elle refuse d'être son esclave, il la bat sauvagement, la fouette au sang, l'empale et la viole avec une innommable cruauté, évoquée dans les moindres détails dans une scène répugnante qui ne peut que provoquer un effet d'écœurement chez les lecteurs le moindrement sensibles. Una, finalement, tuera et la Mère très cochonne du Royaume des Morts, qui se révèle être une symbolisation de France, et l'affreux monsieur Duval, cette réincarnation outrancière du Bonhomme de Sept-Heures, cette figure exacerbée du père dénaturé, parvenant à la fin du récit à vaincre ultimement les monstres (parentaux) qui lui font violence, détruisant les forces vives de son âme et de son imaginaire.

On voit pourquoi la lecture d'*Una,* sur ce plan, peut poser problème. Ce n'est pas tellement parce que le traitement de la violence et de la sexualité est poussé plus loin que d'habitude. On retrouve de tels excès, de tels délires véhiculant les fantasmes les plus sordides, les plus orduriers, dans certains récits antérieurs, et en particulier dans *La nuitte de Malcomm Hudd* et dans *Un rêve québécois.* Ce qui présente un caractère exaspérant ici tient au fait que cet univers morbide et monstrueux est attribué à l'imaginaire d'une petite fille de sept ans qu'on a peine à se représenter comme un être pouvant faire preuve d'une perversité aussi polymorphe mêlée à une aussi grande candeur. Bref, on a le sentiment que cette fois l'auteur a peut-être exagéré, reportant trop loin les limites de l'admissible, franchissant la dernière frontière des interdits, ceux liés au caractère sacré, intouchable et inviolable de l'enfance qui apparaît ici sauvagement saccagée.

Il est vrai qu'Una est aussi qualifiée de créature imaginaire, incarnant « tous les désirs et toutes les folies » (p. 26) d'Abel Beauchemin, ce « mécréant » occupé, dans la chambre mauve de l'Habitanaserie, à « barbouiller du bien méchant papier » (p. 167) et que son univers halluciné et cauchemardesque appartient d'abord à son géniteur enfiévré tenu pour dernier narrateur, responsable ultime, en somme, de ce qu'on trouve dans ce « romaman » comme dans l'ensemble des « Voyageries ». Celui-ci apparaît épuisé, au bout de son rouleau, après l'écriture du *Melville,* ce livre sublime dont *Una* constitue d'une certaine manière une contrepartie grotesque, un envers grinçant, qui témoigne de la propension de l'auteur à passer sans cesse du registre littéraire le plus élevé au registre le plus bas sans s'attarder longtemps aux niveaux intermédiaires de ces formes extrêmes[11].

Le roman familial est ainsi annexé, *in fine,* au roman de l'écriture qui demeure la principale préoccupation d'Abel et sans doute de Beaulieu lui-même. Abel est d'ailleurs explicitement reconnu par Job J comme le véritable créateur des personnages du cycle, comme celui qui « nous a mis au monde », confie-t-il à Una, nous donnant « la seule vie qu'on a » (p. 101-102). C'est, par conséquent, le romancier mégalomane qui parle à travers la bouche de Job J lorsque celui-ci explique à Una sa théorie sur l'écriture en tant que pratique spontanée, créatrice qui, à partir d'un mot sur la page, se développe par expansions successives, les mots s'engendrant les uns les autres, dans une incessante circulation, comme les requins, dans la mer, « flairent le sang d'une baleine qu'on vient de tuer. Alors ils foncent tout droit devant eux et ça fait bientôt comme une grande étoile filante tout autour de la baleine. Au fond, la baleine est le premier mot et les requins sont ceux qu'elle a forcés à apparaître » (p. 150). On retrouve, formulé ici, un propos qui est repris très explicitement par Beaulieu lui-même dans *N'évoque plus...* et qui constitue un leitmotiv de l'œuvre lorsqu'il est question du processus de la création artistique et littéraire. Un peu plus loin, précisant sa méthode de travail, Job J dira encore à Una : « Je vais aussi t'acheter des ciseaux. On a pas besoin de tout le temps recommencer : on coupe ce qui est bon dans la page et on colle ça sur une autre feuille. Quand c'est trop court, on fait un dessin, n'importe quoi. Dans un livre, les dessins, c'est ce qu'il y a de plus important[12] » (p. 156).

C'est ainsi que ce « romaman », mine de rien, contient un certain nombre de réflexions qui, prises globalement, constituent

---

11. Dans cet univers, on est au ciel ou en enfer, en quête de sainteté ou en processus d'avilissement, jamais dans les lieux mitoyens, jamais au purgatoire, jamais non plus dans la vie quotidienne et banale, toujours partagé entre le tout ou le rien, comme le premier roman le posait dès les débuts de l'œuvre.

12. Les dessins, produits par les filles de l'auteur, jouent effectivement un rôle important dans *Una,* bien que leur rôle ne soit pas très clair. On ne sait trop s'ils ont une fonction d'illustration ou de générateurs. Le texte s'écrit-il à partir d'eux, s'offrant ainsi comme un commentaire de ce qui est donné à voir ? Ou, au contraire, les prend-il à son service, les mettant à contribution à titre d'illustration justement ? Il est bien difficile de trancher. Quoi qu'il en soit, il reste que l'expérience, si elle n'est pas concluante, s'avère intéressante. Les dessins donnent incontestablement du mouvement à l'écriture en lui permettant de respirer, incitent à voir ce que le texte du roman donne à lire sans interdire la rêverie.

l'amorce d'un traité d'écriture qui sera développé plus longuement, et dans des termes différents, ailleurs et au cœur même des « Voyageries ». Cette dimension auto- réflexive, métadiscursive, place au centre du cycle le personnage d'Abel Beauchemin qui, discret – pour une fois ! – dans le roman familial, passe au premier rang, s'impose massivement dans le roman de l'écriture. Ce dernier est d'abord et avant tout un autoportrait, ou plus justement la dramatisation du personnage de l'écrivain à travers la figure du romancierfétiche qu'est devenu l'auteur – à venir – de *La grande tribu* et des « Voyageries », archétype mythique du créateur s'immolant, s'abolissant si nécessaire au profit de l'Œuvre conçue comme un absolu.

LE ROMAN DE L'ÉCRITURE OU LA CONSÉCRATION DE LA LITTÉRATURE

ÉCRIRE DANS L'URGENCE ET LA FUREUR

Présenté comme une « lamentation », c'est-à-dire comme une complainte, sinon comme une jérémiade, comme la chanson triste, heurtée, cassée, d'un troubadour désenchanté, *N'évoque plus que le désenchantement de ta ténèbre, mon si pauvre Abel* occupe une position bien particulière dans « Les voyageries » et, de manière plus générale, dans l'ensemble de l'œuvre. Si le titre renvoie ostensiblement au personnage privilégié d'Abel, il reste que c'est l'auteur lui-même, Victor-Lévy Beaulieu, explicitement désigné dans le récit, qui prend la parole directement ici, du moins pour tout ce qui concerne la réflexion sur l'écriture qui connaît là un développement capital.

La « lamentation » reprend en effet, en termes plus conceptuels et programmatiques, la problématique de l'écriture ébauchée dans *Don Quichotte...* à travers des personnages inventés, et l'assume en tant qu'interrogation propre du romancier lui-même qui ne se cache plus derrière le masque de la fiction. Il s'agit pour une part d'un texte d'accompagnement, né dans le mouvement de l'écriture des « Voyageries », lui servant donc de commentaire critique, et, pour une autre part, d'une vaste mise en abyme, d'une figure condensée, réduite à l'essentiel, du cycle lui-même dont elle propose en quelque sorte la théorie.

La grande question, qui lui sert de vecteur, qui est incessamment reprise sous plusieurs angles, à partir d'objets spécifiques, concerne les rapports, toujours problématiques, de l'écriture et de la vie : est-il possible de concilier ces deux plans de l'existence, sinon de les fusionner ? Comment, à quel prix, et pour en arriver à quoi ? C'est cette interrogation majeure qui traverse le livre d'une couverture à l'autre, et cette fois à partir de l'expérience même de Beaulieu qui se met pour ainsi dire à nu, se livrant sous la forme d'un témoignage de vérité.

Cette dimension auto-représentative est particulièrement évidente dans le rappel de l'élément déclencheur de sa vocation d'écrivain, de la circonstance biographique qui, changeant sa vie, a bien involontairement créé les conditions de sa naissance en tant que romancier. La fameuse poliomyélite[13] qui le frappe à dix-huit ans et le cloue sur un lit d'hôpital durant des mois décide de tout, le détournant du métier d'éleveur de poules pour lequel il se sentait préparé et le déportant irrémédiablement vers cette activité passive qu'est la création littéraire adoptée comme solution de rechange – bien aléatoire – à une véritable praxis dans le monde. À l'origine, il y a donc cet événement décisif qui transforme Beaulieu totalement, un traumatisme irrémédiable au cours duquel meurt le jeune homme qu'il était jusque-là, faisant place à la venue d'un autre, d'un étranger dans lequel il ne se reconnaît plus. Après le séjour à l'hôpital, note-t-il, il y a désormais au fond de lui « quelqu'un qui n'attend plus rien du monde, quelqu'un qui n'attend plus rien de soi […] quelqu'un qui ne peut plus avoir peur pour sa vie parce que, curieusement, elle se trouve à être toute derrière lui, vécue déjà et lettre morte[14] ».

C'est une sorte de vieillard qui retourne dans le monde, qui pose dorénavant sur les choses un regard d'outre-tombe et qui cherchera par la littérature à assurer sa survie, le temps qui reste étant en effet éprouvé comme du temps « en trop », comme un luxe obtenu un peu

---

13. Cet événement pénible mais fondateur est évoqué à plusieurs reprises dans l'œuvre, généralement de manière allusive. Il est en outre au centre d'une dramatique, *Hamlet en Québec*, présentée à la télévision, mais non encore publiée.

14. Victor-Lévy BEAULIEU, *N'évoque plus que le désenchantement de ta ténèbre, mon si pauvre Abel, lamentation*, Montréal, VLB éditeur, 1976, p. 113. Les références des citations de ce livre seront dorénavant placées entre parenthèses dans le texte.

par hasard[15]. Le futur écrivain sort donc de l'épreuve avec une conscience aiguë du temps qui passe, habité par un sentiment d'urgence qui le porte à s'engager à corps perdu, sans réserves, dans une écriture perçue comme le lieu d'une possible, bien qu'improbable, résurrection qui le réconcilierait avec lui-même et avec le monde disparus, engloutis par la maladie. Au point de départ, c'est un manque absolu que l'écriture devra combler ; d'où, à son endroit des attentes sans doute excessives, déraisonnables, une attitude romantique dont il ne sera pas aisé de se départir et qui persiste toujours après vingt-cinq ans d'exercice, quoique atténuée par les conditions concrètes d'exercice du métier.

Impliqué activement dans l'édition depuis une dizaine d'années au moment où il écrit *N'évoque plus...*, Beaulieu connaît très bien, de l'intérieur, la dimension professionnelle de ce métier, ses contraintes et ses difficultés. Être éditeur, ce n'est pas seulement se livrer à un travail de lecture, opérer des choix, suggérer des modifications aux auteurs, produire un livre à partir de la matière première qu'est un manuscrit. Cela, c'est la dimension noble, intellectuellement stimulante, créatrice, de cette activité. Mais le livre est aussi un produit manufacturé, destiné à un marché et qu'il faut vendre, rentabiliser pour que la maison d'édition puisse faire ses frais, poursuivre son travail, proposer aux lecteurs de nouveaux textes. L'éditeur, par la force des choses, qu'il aime cela ou non, doit donc devenir un publiciste et un commerçant, se livrer à des démarches toujours pénibles, sinon déshonorantes, auprès des organismes subventionnaires pour obtenir une aide financière qui lui permettra de poursuivre son action et de durer.

C'est dans le cadre de ces négociations obligées que Beaulieu rencontrera Robert Bourassa dont il propose un extraordinaire, un fascinant portrait, le décrivant comme un « grand oiseau sans plume d'ailes et de poitrine », n'étant toujours, adulte, rien d'autre qu'un « petit garçon dans ses culottes à carreaux, quelque part dans une ruelle de l'Est, déjà inquiet parce qu'il y aura l'acné bientôt » (p. 61).

---

15. Cette vieillesse prématurée, il la reconnaîtra également chez Melville ; ce sera l'une des causes majeures de sa fascination pour cet écrivain qui connaît la gloire et l'échec définitif très jeune et qui paraît revenu de tout dès le début de la trentaine, regardant désormais le monde d'un œil éteint, sans étonnement, comme si rien ne pouvait plus le surprendre et lui redonner espérance et confiance dans la vie.

Totalement avalé par sa fonction de premier ministre, réduit à être un « curieux magnétophone » (p. 62), parlant, sur un ton monocorde sans foi et sans inspiration, d'« assiette fiscale » et de « souveraineté culturelle », il incarne, aux yeux du romancier qui espérait sans doute naïvement l'entretenir de littérature, ce que cela représentait, pour lui et pour la culture du Québec, la « malformation du pays, cette carte floue, cette méconnaissance et cette illusion du bien faire » (p. 62). Entre Robert Bourassa et l'écrivain-éditeur, le malentendu s'avère donc total et la rencontre se termine sur un constat d'échec : les écrivains ne peuvent rien attendre du pouvoir, aucune écoute véritable de ce qu'ils essaient de faire saisir d'essentiel à travers leurs mots et leurs œuvres et qui constitue le sens de leur vie et de leur travail.

Le premier ministre exprime donc, au plus haut niveau, ce que Beaulieu appelle les « contradictions du pays » (p. 50), son état de flottement perpétuel, ses sempiternelles hésitations, en faisant non plus un « pays incertain », comme le décrivait un Jacques Ferron, mais un « pays équivoque » s'enfonçant dans une « *schizophrénie spiraloïde* et dans une méconnaissance affligeante de ses forces vives, brûlant aujourd'hui ce qu'on adulait hier, ou pis encore : ne brûlant pas aujourd'hui ce qu'on adulait hier tout simplement par ignorance de ce qu'était cet hier et peu désireux de le savoir[16] » (p. 111). C'est pour s'opposer à cette ignorance, à cette résignation, à cet abandon à une mollesse et à une indifférence débilitantes que l'écrivain s'est engagé, avec fureur, dans l'édition comme il l'avait fait auparavant dans l'écriture, poussé par un sentiment d'urgence, désirant « canaliser le devenir et le forcer à être » (p. 58). Or ce projet paraît fragile, menacé, comme l'est son ambition d'écrivain au moment où il rédige cette « lamentation » qui traduit elle-même les hésitations d'un sujet qui, par là, n'échappe pas à sa condition d'habitant du « pays équivoque ».

---

16. Je souligne. On rencontre plusieurs variations sur ce thème tout au long de *N'évoque plus...*, et notamment celle-ci, particulièrement significative à mon avis, qui évoque « ce pays qui avait été longtemps le pays des mimes. De la reproduction. Dont le champ culturel était de partout mais fort rarement de lui. Ce pays sans prêtres et sans guerriers, flottant dans les mots des autres, ne trouvant les siens que par d'étranges recours. Ce pays trop longtemps perroquet. Ce pays qui se niait pour ne pas produire de héros » (p. 148), condition pourtant indispensable pour accéder à la représentation épique à laquelle n'a pas pu parvenir un Jacques Ferron, par exemple, faute justement de héros à mythifier, à célébrer et à proposer en modèle dans son œuvre.

L'écriture comme religion

En tant qu'individu créateur, Beaulieu est confronté à un défi encore plus difficile, quoique étroitement lié à sa mission d'éditeur, et qui est de réconcilier, d'intégrer dans un tout harmonieux les deux composantes majeures qui l'habitent : le désir d'écrire, d'exprimer sa vision du monde, de manifester l'exigence de beauté qu'il porte au plus profond de lui-même, et la volonté de réussir sa vie, de trouver son accomplissement dans le monde, avec et par les autres.

Or rien n'est moins évident car l'écriture, pratique solitaire et exigeante qui envahit tout, dévore tout, ne rapproche pas d'emblée d'autrui ; bien au contraire, elle crée de la distance, sépare, éloigne des êtres aimés : « D'un livre à l'autre, observe le romancier, je ne me sens que davantage seul. Ce que j'ajoute m'est enlevé, et je ne voudrais pas sécher et je ne voudrais pas que plus rien ne se passe et je ne voudrais pas mourir sans que rien ne se soit passé autrement que dans ces mots que je n'ai aucun mérite à faire venir » (p. 27). Aucun mérite vraiment ? Beaulieu exagère sans doute, car la grande littérature, il ne cesse de le signaler fortement ailleurs, n'est produite que par et dans l'effort, que par et dans la souffrance qui, seule, permet le dépassement de soi et donne accès à l'absolu. Quoi qu'il en soit, et à supposer que cette activité soit simple, coule de source dans la joie et la plénitude, il reste qu'elle ne résout en rien les contradictions soulevées par la vie, les difficultés que pose l'existence. De plus d'une manière elle constitue une voie d'évitement, une échappatoire qui s'avère fort problématique. Bref, le défi que doit relever l'écrivain est d'accorder, à l'intérieur d'une expérience unifiée, la pratique créatrice et ses dévorantes contraintes avec le vécu le plus quotidien, le plus empirique, et ses exigences tout aussi impératives.

Comment surmonter ce dilemme, résoudre cette contradiction indépassable, du moins de prime abord ? En faisant du vécu non pas l'objet inerte de la représentation, un matériau brut à travailler et à transposer, mais bien sa source et sa substance même, de sorte que la frontière entre ces deux réalités s'estompe puis disparaisse. En un long passage qui mériterait d'être cité au complet[17], Beaulieu

---

17. Ce passage, à vrai dire, comprend tout le chapitre huit, qui forme le cœur de l'ouvrage, en quelque sorte son « concentré » (p. 81-87).

associe inextricablement écriture et vécu, pratique littéraire et expérience quotidienne, le vécu désignant ici sa réalité d'amoureux (de la « femme rare ») et de géniteur (des deux « enfants sauvages »), d'éditeur entreprenant, de spectateur de la rumeur du monde faisant entendre son concert dans la jungle urbaine, de citoyen interpellé par la sphère publique et consterné par la petitesse des politiciens. Il y a, bien entendu, un volontarisme prononcé dans ces affirmations qui présentent un incontestable caractère utopiste[18]. Il ne suffit pas, en effet, de tracer une équivalence abstraite, théorique, entre ces pratiques pour que la distance effective qui les sépare soit abolie ; elle demeure donc, tout en étant réduite au minimum, l'écriture étant conçue et pratiquée comme un lieu privilégié favorisant le surgissement et le déploiement des Signes et du Sens qui traversent et surplombent l'existence en l'illuminant.

Le romancier s'engouffre dans cette activité comme on s'enfonce avec délectation dans les « eaux maternelles », s'engageant dans un processus de régression au terme duquel il se retrouve lui-même, non sans paradoxe, avec un « ventre proéminent », fils de ses œuvres antérieures, déjà là, et enceint, en quelque sorte, de ce qui lui « reste à accomplir » (p. 72). Il se retrouve ainsi poussé et porté par la « démangeaison de l'œuvre », courant « à fond de train dans les sentiers de la création […] à la fois spectateur et spectacle dans la grande question inachevée : comment sortir de tout ça pour produire l'or d'alchimie ? » (p. 75-76) et posséder enfin le Saint-Graal, objectif ultime de sa passion insatiable ?

Cette quête forcenée rend l'écrivain prisonnier de lui-même, « crucifié » à la « croix » de sa « création » (p. 84), victime consentante de sa « folie », du projet excessif et démentiel qui l'inspire et l'anime, le laissant en état de « fraction avancée », objet d'une « énorme dislocation », elle-même l'antichambre cruelle d'une mort inéluctable. Entreprise de vie, l'écriture se métamorphose insidieusement en pratique mortifère : « tout ce qui s'écrit, note Beaulieu, se fige, prend le masque de la mort, justement ce contre quoi ça s'écrivait » (p. 122-123).

---

18. Beaulieu y affirme, non sans une bonne dose de naïveté, ne plus savoir distinguer « qui de moi est le Livre et qui du livre se retrouve en moi, tout élément de n'importe quelle vie s'y greffant pour y perdre son autonomie et se fondre dans le jouir de l'œuvre » (p. 84-85). On voit que s'il y a fusion, elle s'opère au profit de la littérature, qui absorbe tout, annexe tout pour ses propos fins.

Dans cette perspective, la théorie de Ferron concernant l'écriture comme « désert » et « manuscrit » prend toute sa signification. Écrire, c'est s'isoler, s'enfoncer dans le désert, dans un décor lunaire, dans un lieu inhabité et inhabitable où l'on ne rencontre que des fantômes, que des projections hallucinées de soi et d'où l'on revient, au mieux, avec un manuscrit qui témoigne de ce passage, de cette traversée solitaire, sans guide ni boussole, et dont rien ne garantit qu'il se révélera un pont permettant de rejoindre l'autre.

Complètement absorbé par sa tâche, l'écrivain est défini par Beaulieu comme un « moine penché sur ses grimoires, enluminant le manuscrit » (p. 45), comme un cloîtré ne vivant que pour son Dieu, qu'il place au-dessus de tout. Cela en fait incontestablement un être d'exception, quelqu'un de marginal, un individu isolé qui, cependant, travaille à partir d'un bien collectif, la langue, et l'imaginaire, qui se nourrit des représentations, des espoirs et des fantasmes de la collectivité.

Aussi retiré et séparé qu'il soit d'autrui, l'écrivain est tout de même en lien avec la communauté qui l'environne et qu'il exprime de quelque manière car, observe avec justesse le romancier : « Il y a la collectivité dans l'individu, et parfois plus que la collectivité quand l'exceptionnel arrive. C'est-à-dire l'exception qu'est toute œuvre, c'est-à-dire le gonflement du collectif, ce jaillissement de soi mais de beaucoup plus loin que de soi » (p. 112). L'écrivain, dans cette optique, porte un monde, propose un univers d'images, de représentations, de mythes dans lequel une collectivité se reconnaît, qu'elle reprend et prolonge pour son compte, tenant alors son créateur pour un véritable héros et une référence : c'est cette reconnaissance qui « fait » le grand écrivain, celui qui, à partir de la réalité vécue et imaginée d'une communauté, se livre à un travail de symbolisation dans lequel on se retrouve et auquel on s'identifie.

On ne se surprendra pas, par conséquent, que les écrivains marquants pour Beaulieu soient ceux qui correspondent à cette conception : Hugo et Zola en France, Melville aux États-Unis, Ferron au Québec. Le romancier s'inscrit ainsi dans une filiation explicitement assumée dans *N'évoque plus...*, en dessinant son autoportrait comme écrivain à partir de plusieurs figures d'auteurs célèbres.

Certains sont évoqués sur un mode mineur, étant associés ponctuellement à des personnages du cycle. Aragon, par exemple, est l'objet d'un culte dévot de la part de Blanche, bien que tenu en suspicion par Job J Jobin. Cortázar est l'écrivain préféré de la « grande actrice rousse », vedette d'une dramatique d'Abel/ (Beaulieu), créature de rêve sur laquelle il projette ses fantasmes libidineux. Carroll est évoqué comme autre auteur chéri par Blanche, auquel le romancier songe à consacrer un livre en hommage à la femme aimée. Lowry est représenté comme la figure de l'écrivain désespéré et suicidaire, double sombre et tourmenté d'Abel, image déjà longuement développée dans *Don Quichotte de la démanche*, évoquée ici allusivement.

D'autres écrivains sont mis à contribution et cités pour leur conception de l'écriture que Beaulieu fait sienne en tout ou en partie. Il se réclame notamment de Faulkner sur la question de l'importance stratégique du « projet » global qui doit guider l'écrivain désireux d'édifier une œuvre totalisante et qui, pour réaliser ce projet, peut et doit tout se permettre, « pillant partout, dans les livres comme dans la vie » (p. 142), se nourrissant de tout, en charognard sans scrupules, pour féconder sa création et la rendre à ses grosseurs. Il recourt également à Borges pour signaler la nécessité de tout savoir, de la société, de la culture et de la littérature, si on entend construire une œuvre qui fasse autorité, les textes naissant aussi bien de la lecture d'autrui que de la connaissance approfondie du monde dans lequel ils sont produits.

Les grandes figures référentielles, celles dont on se réclame le plus fortement, qu'on désirerait égaler, ou parfois, dans un vertige mégalomane, dépasser, demeurent celles de Flaubert, Melville et Ferron. Flaubert, qui sera conscrit dans *Monsieur Melville* et présenté comme une sorte de « compagnon » de l'auteur de *Moby Dick* avec lequel il sera impliqué dans un curieux dialogue constitué d'un ingénieux montage de citations, est évoqué à titre d'auteur d'un commentaire à Louise Colet sur *Madame Bovary*, dans lequel il formule son intention d'échapper au « double abîme du lyrisme et du vulgaire » (p. 97), de l'idéalisation romantique donc et de sa contrepartie réaliste sous une forme dégradée. La citation est révélatrice, éclairant le double piège dans lequel Beaulieu risque incessamment de tomber, soit la complaisance dans la description de la « quochonnerie » du monde et, à l'inverse, la fuite dans une pureté mythique, tentation qui paraît bien être celle d'un Steven par exemple. C'est entre ces deux extrêmes, le lyrisme et la vulgarité, la lumière et l'ombre, la sainteté et le terrorisme, que l'écrivain doit tracer son chemin, « marcher droit sur un cheveu », ainsi que le dit aussi Flaubert. Melville, pour sa part, est alors le romancier préféré parmi les préférés, celui qui est placé au-dessus de tout, l'objet de tous les enthousiasmes, de toutes les vénérations, qu'on imite sans distanciation, par un pur effet d'entraînement, mouvement lui-même conçu comme une « première étape sur le chemin initiatique » (p. 87) qui conduira à la rédaction de *La grande tribu*. Quant à Ferron, c'est un équivalent québécois des grandes figures d'écrivains que sont Hugo ou Melville, le seul auteur d'ici à avoir atteint le seuil de l'épique, qu'il n'a pu franchir faute d'un héros légendaire qu'aurait dû lui proposer sa collectivité et qu'il aurait pu placer au cœur de son œuvre. En l'absence d'un tel héros, Ferron a fait ce qu'il a pu, produisant dans *Le ciel de Québec* un « gigantesque prologue préparant à l'histoire et au mythe » (p. 151), la suite de l'œuvre exigeant, pour être réalisée, que l'Histoire advienne enfin, accouchant de tous les possibles[19].

On comprend sans doute mieux pourquoi *N'évoque plus...* est un livre tout à fait capital. Il contient de nombreuses clefs donnant accès aux œuvres de l'écrivain, les illuminant de l'intérieur, sans interférences, et notamment sans qu'Abel Beauchemin, ce faire-valoir habituel de Beaulieu, ne fasse écran. Il éclaire de manière particulièrement révélatrice les rapports de la création et de la collectivité, les raisons qui expliquent le cramponnement de l'auteur à une pratique circulaire et auto-centrée de l'écriture, sans véritable avancée, sans percée nette vers l'avenir. C'est que l'écriture, comme pratique circulaire et spiraloïde – piétinement, course sur place, danse dans un cercle prédit, mouvement incessant de reprise et de relance à travers les mêmes anneaux, les mêmes boucles –, est la contrepartie, le miroir, l'équivalent littéraire d'une pratique sociale fonctionnant à la réitération, au ressassement, à la dérive, caractéristique d'une collectivité qui n'ose pas assumer jusqu'au bout son destin.

---

19. Je me limite à ce bref rappel et renvoie le lecteur, pour une analyse plus complète, au chapitre où je traite de « l'intertextualité généralisée » à l'œuvre partout chez Beaulieu.

L'épique, dans cette perspective, n'apparaît pas possible en pays québécois, son histoire ne l'autorise pas, l'infra-histoire ne pouvant engendrer qu'une littérature sur un mode mineur. D'où la tentation, pour se sauver en tant qu'écrivain, de se retirer de la communauté, de s'en abstraire totalement pour créer en solitaire, en faisant de la littérature une valeur en soi, un veau d'or devant lequel on se prosterne, une divinité farouche devant laquelle on baisse les yeux et on se signe en tremblant, saisi de dévotion enfiévrée.

Cette tentation mystique parcourt *N'évoque plus...* de part en part, correspondant à l'une des représentations majeures de la figure de l'écrivain qu'entretient Beaulieu, celle du prêtre s'immolant pour sa foi, lui sacrifiant tout, l'autre en faisant, à l'inverse, une caisse de résonance de la société, un témoin et un acteur dont la mission est de faire en sorte que l'Histoire (et la littérature qui en découle) puisse survenir enfin : « Sans ce projet, écrit Beaulieu, que serait, que pourrait être l'écriture ? Sans cette volonté, que pourrait-il bien y avoir dans nos mots ? » (p. 151).

Monsieur Melville : *le livre total ou l'épiphanie lumineuse*

Cette réflexion se trouve au point de départ du livre sur Melville, ce livre immense, cet ouvrage magistral qui contient en soi tout un univers, somme et sommet de l'œuvre de Beaulieu, indépassé jusqu'à maintenant. Livre *total* qui convoque et intègre plusieurs registres d'écriture couvrant autant de réalités, comprenant notamment des fragments autobiographiques (sur l'enfance, l'adolescence, l'entrée dans le monde), une réflexion sur l'écriture et sur la nature et les conditions du discours critique, une description et une interprétation de l'œuvre de Melville (prétendant elle-même à la totalisation), un roman (et ce sur un triple plan, comme fiction sur Melville et les siens, comme moment clef du développement de *La grande tribu* et comme élément central des « Voyageries », véritable cœur du cycle), un récit historique sur la société américaine du XIXe siècle, un documentaire sur la chasse à la baleine et plus largement sur le monde de la mer, un récit de voyage dans les îles du Pacifique. Considéré dans sa globalité, *Monsieur Melville* apparaît comme un *work in progress* dans lequel le caractère auto-réflexif de l'écriture est encore plus accentué que dans les œuvres antérieures. L'évocation de l'univers de Melville est constamment redoublée par un discours d'accompagnement, par un commentaire personnel du critique/romancier qui s'investit complètement – à travers la figure d'Abel, son alter ego de moins en moins masqué – dans son livre. Celui-ci est en effet porté le plus souvent par une structure binaire, une composition dialogique renvoyant tantôt à l'auteur de *Moby Dick*, tantôt à celui de *La grande tribu* sans qu'on sache toujours très bien de quoi il en retourne tellement, ici, écrire sur l'autre est aussi, et dans le même mouvement, écrire sur soi à travers ce qui semble bien être un détour.

Cela apparaît à l'évidence dès l'incipit de l'ouvrage dans lequel Beaulieu prend d'abord la parole en son nom propre, se livrant à une autocritique sévère de l'œuvre, produite jusque-là, qu'il estime n'être « rien de plus qu'une suite sans logique de fragments, pour ainsi dire la moins bonne part de moi, quelque chose comme du résidu[20] ». Ses écrits antérieurs lui semblent en effet des restes, des débris, des sous-produits qui, en dépit de la maîtrise certaine d'une écriture devenue « facile », n'expriment pas l'essentiel, la vérité ultime recherchée sur soi et sur le monde par cette activité. Ils ne traduisent pas la beauté et la pureté qu'on porte au plus profond de son âme, dans la « meilleure part de soi-même » et qui constituent la seule justification légitime de sa vie, du moins en tant que ce grand écrivain qu'on voudrait être.

Cette ambition sans doute démesurée, déjà formulée à de nombreuses reprises aussi bien dans les essais critiques sur Hugo et Kerouac que dans *N'évoque plus...*, est réaffirmée très fortement dès le début de ce livre conçu en forme d'hommage à Melville, lui-même replacé dans la série des grands écrivains dont on se réclame : Homère, Virgile, Dante, Cervantès, Joyce, Broch, Gaddis. Conscient qu'il s'agit là d'auteurs de très « grandes œuvres », de « ce qu'il y a de plus achevé dans la littérature », Beaulieu n'en situe pas moins à ce niveau ses « exigences en tant qu'écrivain ». Il attend de la littérature qu'elle ne soit rien de moins « qu'une expérience – limite de l'homme, une assomption de liberté » (p. 20),

---

20. *Monsieur Melville*, t. I, *Dans les aveilles de Moby Dick*, Montréal, VLB éditeur, 1978, p. 12. Les références des citations de cet ouvrage seront dorénavant placées entre parenthèses dans le texte.

qu'elle produise et propose une connaissance nouvelle du monde, qu'elle exprime les aspirations les plus élevées de l'humanité, invitant ainsi au dépassement de soi et au « grand partage » avec tous.

Melville le fascine dans la mesure où il paraît avoir été habité par cette exigence, espérant que la littérature se révèle le truchement par excellence de la grande illumination qui éclairerait tout, qui rendrait compte des mystères insondables de l'univers, conduisant par là à la réconciliation tant souhaitée avec autrui et avec un monde enfin unifié – quête dans laquelle sont engagés, chacun à sa manière, tous les personnages de l'univers romanesque de Beaulieu. Melville, confie-t-il, « c'est ce que je voudrais être » (p. 23) ; il s'offre comme modèle, source d'inspiration, provoquant un désir d'identification qui, dans le déploiement de la « lecture-fiction », se rendra jusqu'au dédoublement pur et simple. Beaulieu fait non seulement « parler » Melville, lui prêtant des paroles dans des dialogues imaginaires, mais va jusqu'à se glisser littéralement dans sa peau, devenant lui- même l'auteur de *Moby Dick* dans certains moments de vertige hallucinatoire.

Il n'était pas allé jusque-là dans les essais antérieurs sur Hugo ou Kerouac qui l'avaient pourtant aussi fasciné. Hugo l'avait conquis par sa démesure, par les dimensions colossales de son œuvre, par sa figure d'écrivain national, de héros dans lequel une collectivité s'était reconnue. Kerouac l'avait attiré par son destin pitoyable, par le « rapetissement où ses origines l'avaient mis » (p. 120), le vouant à devenir un pauvre clochard, n'ayant rien de « céleste » dans les dernières années de sa vie, mourant enfin désespéré d'une manière grotesque et dérisoire. Mais dans les deux cas il avait gardé une distance qui s'est dissipée dans le livre sur Melville.

Compte tenu de ce puissant désir d'identification, son essai ne pourra donc que basculer du côté de la fiction, ce qui est revendiqué très nettement dès le début de l'ouvrage. Beaulieu n'entend pas rendre compte objectivement, avec une neutralité toute scientifique, de l'œuvre et de l'homme. Il estime que la « biographie ne peut pas dire ce que Melville a été » (p. 23), n'en retenant que certaines données externes, superficielles, ne donnant pas accès au cœur du drame existentiel de l'écrivain. Ce drame, il faudra par conséquent l'imaginer, le reconstituer à partir d'éléments fragmentaires et extérieurs fournis par l'enquête biographique, travailler sur la base d'hypothèses relevant en partie de sa propre expérience en tant qu'individu et écrivain. On procédera donc à la fois par identification, en se retrouvant dans certaines préoccupations de Melville, et par projection, lui prêtant, en s'appuyant sur cette identification préalable, ses propres interrogations. Ainsi conçu, l'essai se présentera sous la forme d'un « roman vrai », c'est-à-dire d'une fiction qui, passant par l'imaginaire, entend faire œuvre de vérité, mettant en lumière l'essentiel, le sens d'une démarche, d'une quête, aussi bien celle de Beaulieu lui-même que celle de Melville. Là-dessus, l'écrivain est clair ; il explique d'emblée que sa visée profonde est de « comprendre ce qui fait que je suis tenu au monde circulaire alors que tout devrait me forcer à la verticalité et à d'autres définitions de moi-même », espérant ultimement trouver à la fin de son ouvrage un « moi-même différent de ce que je suis, enfin transformé et armé comme il convient de l'être lorsqu'on veut écrire *La grande tribu* et tout ce qui pourrait encore survenir d'elle » (p. 24).

Ainsi pratiquée, la littérature n'est plus une activité passive, « femelle » comme dit parfois Beaulieu, axée sur la représentation d'un monde existant hors de soi, mais, au contraire, une praxis, une action transformatrice qui vous change, vous faisant découvrir votre profonde vérité d'être au-delà des images convenues qu'entretiennent les autres et que vous avez, inconsciemment, faites vôtres. Le portrait de Melville, dans le mouvement de la rédaction, va ainsi s'avérer de plus en plus un portrait de soi, une autobiographie se construisant à même les éléments de la vie de celui dont on entend restituer la figure.

La dimension biographique ne disparaît pas pour autant de l'ouvrage. Beaulieu évoque les principaux moments de cette existence plutôt banale, si l'on excepte le grand voyage sur la mer des années 1841-1844 qui fournira à Melville l'inspiration de la plus grande partie de son œuvre. Il rappelle l'enfance bourgeoise de l'auteur, fils d'une famille de commerçants très typique des classes montantes d'une Amérique en pleine expansion. Il ne s'attarde guère sur l'adolescence et le début de la vie adulte, se contentant de signaler que le mariage avec Élisabeth Shaw, une petite-bourgeoise, qui suit de peu le retour du grand voyage en mer, scelle le destin de l'homme, le repliant sur une vie de famille ennuyeuse dont il se libérera en partie par l'écriture, cette fuite dans l'imaginaire. Après l'échec critique et commercial de *Moby Dick,* très cruellement ressenti, Melville, qui paraît vieilli tout d'un coup, se résigne, accepte passivement son sort de contrôleur des douanes au port de New York et se livre, en solitaire, à la poésie, son ultime consolation.

On le voit : cette vie ne présente rien d'extraordinaire, rien de spectaculaire ; c'est largement celle d'un obscur et d'un sans grade. Elle ne semble avoir eu quelque épaisseur que dans ce qui, selon Beaulieu, a été l'objet d'un refoulement : la passion incestueuse pour Augusta, la sœur préférée, la confidente, qui a accompagné de sa présence discrète, feutrée, l'accomplissement de l'œuvre, et l'homosexualité latente qui aurait été ressentie notamment dans l'amitié pour Hawthorne. De ces deux grands désirs refoulés, le critique ne possède pas de preuve concrète, se contentant d'en formuler l'hypothèse dans la « fiction » qu'il imagine, justement, pour rendre compte de certains aspects de la vie de Melville ou de traits spécifiques de son œuvre. C'est ainsi qu'il interprétera *Mardi*, par exemple, à la lumière du curieux « ménage à trois » que formeraient l'auteur, l'épouse légitime et la sœur secrètement désirée, l'écriture étant toujours, selon lui, un « acte profondément autobiographique [qui] part de soi pour revenir finalement à soi[21] », une mise en forme des fantasmes les plus puissants, bien qu'obscurs, qui habitent le créateur. De même, il expliquera que *Pierre*, roman du grand âge, est une transposition camouflée du désir incestueux, non réalisé, éprouvé pour Augusta et de pulsions homosexuelles non avouées, demeurées en latence[22]. Ces interprétations, peut-être justes, sont en tout cas suggestives, mais elle n'ont d'autre appui que l'imagination surchauffée de l'écrivain fonctionnant en régime de pure fiction.

---

21. *Monsieur Melville*, t. II, *Lorsque souffle Moby Dick*, Montréal, VLB éditeur, 1978, p. 131.

22. Dans un passage tout à fait extraordinaire, Abel, qui s'est rendu à New York pour rencontrer l'écrivain, fait effectivement sa connaissance, devient son ami, se rend à New Bedford et partage son lit, en compagnie de Quequeq, tout nu, s'interposant entre eux et devenant l'objet de son désir propre qui paraît de la sorte projeté sur Melville. L'imagination, on le voit, lorsqu'elle est portée par la « vieille cadillac couleur rouge sang, avec de grands ailerons lumineux » (I, p. 159), peut mener loin, en pleine fantasmagorie, à mille lieues d'une représentation objectivante de la réalité. On trouvera ce passage sidérant dans le premier tome de Melville, pages 180 à 184 plus précisément pour cet épisode pour le moins singulier. Ce passage troublant paraît confirmer l'hypothèse de Bessette sur l'homosexualité des personnages du romancier, sinon sur la sienne propre. Observation qui, on le voit, ne manque pas de pertinence, bien qu'on ne puisse s'empêcher de songer que Beaulieu se livre ici sans doute aussi à un jeu, gardant une distance ironique dans sa mise en scène – trop voyante pour être « vraie » – de ce type de fantasme.

Beaulieu paraît surtout intéressé par les événements de la vie de Melville dans lesquels il se reconnaît, auxquels il s'identifie et qui lui servent de prétexte pour dresser son propre autoportrait. Ainsi, constatant, à la suite de plusieurs biographes, que Melville a éprouvé, enfant, des problèmes de langage qui seraient la cause lointaine, mais la plus probable, de sa vocation d'écrivain, il confie avoir vécu une situation analogue dans sa propre enfance, qu'il dépassera également dans et par l'écriture. Cela en fait donc un frère jumeau de Melville et même de Flaubert qui, selon Sartre[23], aurait voulu compenser son inaptitude première au langage et son retard intellectuel par une pratique forcenée de l'écriture, par un engagement total dans la littérature conçue comme seul sacerdoce. Rappelant cela, Beaulieu se singularise cependant en ajoutant un élément qu'on ne rencontre pas chez les deux célèbres auteurs : le fait qu'il soit gaucher, réalité qui le distingue de ses compagnons de classe, le marginalise et le prédispose au choix qu'il fera plus tard sous l'impact direct de la poliomyélite. De même, il consacre un long développement à la faillite du père de Melville qui le renvoie à celle de son propre père, forçant celui-ci à s'exiler de Trois-Pistoles et à se réfugier à Montréal-Nord, et connaissant ainsi une déchéance qu'il tentera de cacher aux enfants pour conserver sa dignité de géniteur, de chef de famille. Évoquant ce naufrage, Beaulieu va jusqu'à écrire : « Si je m'écoutais, je laisserais là Melville et je ne ferais plus qu'écrire sur Père » (p. 95). On ne saurait signaler plus clairement que l'auteur de *Moby Dick* est à la fois l'objet de son travail et son prétexte, que le projet le plus vital demeure celui de la grande tribu, à mener à terme avec l'aide du Père et sous le regard bienveillant de Melville.

Cette démonstration pourrait être développée encore longuement, compte tenu que les fragments autobiographiques, dispersés

---

23. La référence sartrienne est très importante dans la mesure où Beaulieu est stimulé par la lecture de *L'idiot de la famille* qui lui paraît l'incarnation exemplaire de ce qu'il se propose de produire lui-même, ce « livre total, celui qui part de soi, celui qui fait de soi le centre du monde, le moteur premier activant tout le reste pour faire venir la globalité et l'inscrire dans des pages brûlantes, pleines de la vraie beauté de la réflexion » (I, p. 60-61). On notera : 1) la volonté de totalisation, de globalisation qui anime l'auteur dans son entreprise ; 2) sa conviction que l'écriture est d'abord une pratique de soi et pour soi. Le problème et le défi à relever, c'est d'harmoniser, de fondre ces deux aspects, de faire en sorte que ce qui est le plus singulier soit aussi ce qui est le plus collectif, si bien qu'une véritable rencontre soit possible entre ce « je » hypertrophié et ceux auxquels il s'adresse.

tout au long des trois tomes de l'ouvrage, sont nombreux et consistants, notamment à propos de l'adolescence et des débuts de la vie d'écrivain. Cela étant, il reste qu'il s'agit ici aussi d'un livre sur Melville, d'une lecture et d'une interprétation de l'œuvre. Sur le plan de la théorie littéraire, Beaulieu n'innove guère, pratiquant pour l'essentiel une critique d'identification[24], fondée sur une immense empathie pour l'auteur. Il se livre à une description des textes généralement très factuelle, sinon paraphrastique. Dans l'analyse de *Moby Dick* par exemple, il suit un protocole classique et traditionnel ; il rappelle à très larges traits l'intrigue du roman, il distingue des personnages principaux et secondaires, étudie rapidement ces derniers qu'il tient pour des archétypes et s'attarde plus longuement au personnage d'Achab et à la quête démentielle dans laquelle il est engagé, cette lutte à finir, ce combat mortel contre la bête mythique, fascinante et monstrueuse, qu'est la grosse baleine blanche, incarnation maléfique de l'absolu. Il procède en gros de cette manière dans l'analyse des autres romans et nouvelles de Melville et se contente de faire d'abondantes citations lorsqu'il s'agit de l'œuvre poétique.

Sur le plan de la « méthode », rien ici de bien nouveau, et si cette « lecture » entraîne tout de même l'adhésion, c'est largement par la ferveur contagieuse qui imprègne la narration, la faisant palpiter et donnant au texte l'allure et le caractère alertes d'un récit rondement mené, passionnant et captivant. Au-delà de l'apport éventuel que pourrait constituer l'ouvrage pour la connaissance de Melville, et que seuls des spécialistes seraient en mesure d'apprécier, ce qui demeure et s'impose, c'est un bonheur d'écriture (et, du coup, de lecture) qui atteste que Beaulieu semble avoir atteint, du moins dans cette lecture-création, la révélation, l'épiphanie qu'il espère si ardemment de la littérature et qu'elle livre si peu souvent.

Toutefois, cette réussite ne s'impose pas d'emblée à ses propres yeux. Au début du deuxième tome, il estime, par exemple, que ce

---

24. Cette critique d'identification, par ailleurs, n'a pas grand-chose à voir avec celle des Poulet, Richard, Starobinski généralement associés à ce courant. Chez ceux-ci, il s'agit d'être à l'écoute attentive de l'œuvre lue, de s'en imprégner, de la faire résonner en soi, puis de l'expliciter conceptuellement aux lecteurs. La création d'autrui, qui demeure au centre de l'analyse, garde en partie son caractère d'objet distinct, alors que chez Beaulieu elle est annexée et absorbée par le propos qui la prend en charge tout en l'assimilant et en la réduisant à ses propres préoccupations. Le critique, aussi, tout comme l'écrivain de fiction, s'avère un plagiaire, un pillard du bien d'autrui.

livre sur Melville est « comme tous les autres que j'ai écrits avant lui, c'est-à-dire lamentable parce que plein de fissures » (II, p. 17), et il songe à y renoncer et à renouer avec l'univers des Beauchemin et de Trois-Pistoles, « ce haut-lieu de ce qui n'a pu venir » (II, p. 16). Cette autocritique sera reformulée en termes encore plus amers et plus désespérés au milieu du troisième tome, alors que l'ouvrage tire à sa fin : « Melville, note Beaulieu sur le ton de la complainte et de la déploration, c'est trop grand pour moi qui ne suis rien, que cette maladresse cherchant à s'exprimer[25] ». Passant ainsi de la mégalomanie triomphante à la modestie la plus excessive dans un mouvement de balancier qui nous est maintenant familier, il tient son impuissance, et ce qu'il appelle sa « désastreuse schizophré-nie », pour une tare congénitale dont serait responsable le pays auquel il appartient. « Par ma race, précise-t-il avec dépit, je suis en retard. Par ma race, je suis cette course désespérée vers ce qui, partout ailleurs, a été aboli. *Je suis finitude*, avant même de commencer », quelque chose comme la « demi-mesure même de mon pays – un grand fleuve pollué marchant vers sa mort de fleuve[26] ». Il assume donc son appartenance et sa filiation sur le mode de la désespérance, essayant tant bien que mal de les dépasser à travers tous les excès, les passions les plus démesurées, le viol des derniers interdits (dont le tabou de l'inceste), croyant par moments que ce dépassement est possible, n'y croyant pas à d'autres et sombrant dans une neurasthénie sans fond qui peut compromettre le livre sur Melville aussi bien que sa propre œuvre de romancier.

Tout étant fragile et menacé, rien ne pouvant engendrer et entraîner une croyance aveugle, il reste que le *Melville*, et, de manière plus générale, « Les voyageries » se terminent sur un pari, sur un ultime acte de foi en la littérature et en son éventuel pouvoir de rédemption. Beaulieu espère avoir trouvé dans la rédaction de

---

25. *Monsieur Melville*, t. III, *L'après Moby Dick ou la souveraine poésie*, Montréal, VLB éditeur, 1978, p. 125.

26. *Ibid.*, p. 126. Je souligne. Beaulieu ajoute un peu plus loin : « Je sombre et ce ne sera toujours que cela, une chute sans fin dans les eaux du non-être : il n'y a ni temps ni espace québécois, que de la présence américaine, ce par quoi je suis annihilé, ce par quoi je suis bâillonné, et ligoté, et torturé. Américain mais sans l'Amérique, consommateur mais sans capital, esclave de l'Empire et sans d'autres armes que ce pitoyable livre pour me continuer dans ma pâle énergie » (III, p. 126).

son cycle cette « grande force calme pouvant enfin s'atteler à cette tâche énorme que sera l'écriture de *La grande tribu* – pays des sources, dans la reconstruction homérique, afin de déplacer la montagne qui m'empêche de *naître autrement* » (III, p. 129)[27]. À travers cette œuvre rêvée, dont le mythe inspirant ne cesse de le hanter depuis les tout débuts, il s'agit non seulement d'accomplir l'œuvre à laquelle on est voué de toute éternité par une sorte de décret divin, mais aussi d'accoucher de soi-même, de renaître dans la meilleure part de son être.

Habité par le sentiment d'être devenu désormais « l'aîné de monsieur Melville » (III, p. 215), c'est pour témoigner d'une reconnaissance, d'une dette contractée à l'endroit de ce « passeur » essentiel, qu'il entend s'engager à fond dans la grande saga des Beauchemin, « lieu de la poésie épique et lyrique, seule capable de faire apparaître l'histoire » (III, p. 214). Cette œuvre définitive sera pour ainsi dire une réalisation « familiale » écrite avec le Père, figure de la « plus haute autorité », avec Samm, la confidente discrète, et sous le très haut patronage de *Monsieur Melville*.

L'écriture infinie

Le « roman de l'écriture » trouvera sa conclusion provisoire dans le curieux « supplément » que constitue *Discours de Samm*, ajout né au cours du processus de création comme pour rappeler que l'écriture, par définition, est inachevable, s'engendrant sans cesse d'elle-même, renaissant constamment de ses cendres chaudes dans un mouvement de poussée sans fin et sans terme assignables. Ayant déjà analysé ce récit antérieurement, je ne m'y attarderai donc pas ; je me bornerai à rappeler qu'il s'agit d'un texte étonnant, porté en alternance par les voix d'Abel et de Samm, et qui nous renvoie à l'argument de *Blanche forcée*, la liaison d'Abel et de Samm semblant redoubler celle de Job J Jobin et de l'héroïne du premier volet des « Voyageries ».

Dans cet étrange « supplément », les deux versants principaux du cycle se recoupent et d'une certaine manière fusionnent.

---

27. C'est Beaulieu qui souligne.

Le « roman familial » et le « roman de l'écriture » se croisent et se nouent en effet au point de ne plus former qu'un seul récit au centre duquel on retrouve, bien sûr, l'omniprésent et l'omnipotent personnage d'Abel Beauchemin, lui-même faire-valoir autorisé de l'écrivain.

On se trouve ainsi en présence d'un phénomène de dédoublement généralisé qui est une caractéristique structurelle majeure du cycle. Dédoublement qu'on rencontre au niveau de la composition d'ensemble, de l'orchestration globale du récit et qui s'exprime notamment dans une double intrigue (comprenant drame familial et crise de l'écriture). Dédoublement qui se manifeste au niveau des personnages (Abel se projectant en Job J, en Hawthorne, sinon en Melville lui-même, Blanche étant métamorphosée en Ruth, Samm relayant la « femme rare » auprès d'Abel, France apparaissant comme une seconde « femme rare » pour Job J, etc.) et qui provoque des effets de miroir, une image chassant l'autre dans un jeu hallucinant, déconcertant, qui mine au fur et à mesure les références et les éléments de réalité péniblement construits par le lecteur. Heureusement, celui-ci finit par saisir que, derrière ces simulacres, ces leurres, ces parades incessantes, se dissimule la personne déchirée, écorchée, écartelée, d'un auteur partagé entre une incrédulité foncière face à la littérature en tant que pratique mortifère et une foi totale en elle comme voie royale vers l'absolu, vers l'assomption et le dépassement de soi.

La symbolique du voyage, dans cette perspective, est singulièrement éclairante : c'est elle qui assure l'unité et le caractère totalisant du cycle. La baleine blanche de Melville, cette créature mythique, cette bête fabuleuse, représente en effet l'Absolu convoité par Achab dans la quête démente au terme de laquelle il trouvera la mort. Cet Absolu qu'incarne sur le plan affectif l'amour-passion symbolisé par Blanche, après lequel Job J court dans le premier volet des « Voyageries » et qui se dérobe, l'héroïne s'ouvrant les veines à la fin du récit par peur panique de la vie. Cet Absolu qui apparaît comme l'objectif ultime poursuivi dans l'écriture dont la couleur, précise-t-on quelque part, est le blanc laiteux de la baleine, qui symbolise donc à sa manière l'absolu littéraire.

Cette association de la blancheur et de l'écriture, de la passion amoureuse et de la création, est opérée notamment dans un passage extrêmement révélateur du deuxième tome de *Monsieur Melville,* dans lequel Abel, en présence des membres médusés de la famille réunie dans la grande maison de la Mattavinie, s'identifie totalement à Blanche : « ils me voient tel que je suis : rien d'autre que Blanche, vêtue de sa longue robe fleurie, crucifiée devant eux, le sang pissant de mes poignets tranchés », et précise un peu plus loin que « Blanche et Monsieur Melville, il s'agit de la même chose » (II, p. 227). L'écrivain est ainsi représenté comme une sorte de victime, se suicidant, s'immolant s'il le faut pour que l'Œuvre, cet Absolu, puisse se réaliser, fût-ce au prix de son sang et de sa vie.

L'accession du pays à la souveraineté, cet idéal rêvé, ce mythe porteur autant d'illusions que d'espérances, représente une dernière forme d'Absolu, dont l'avènement apparaît toutefois fort improbable compte tenu des ambivalences et des hésitations des habitants du « pays équivoque » dans lesquelles l'écrivain, horrifié, se reconnaît parfois et avec lesquelles il est aux prises dans sa propre écriture.

On peut donc lire, dans la symbolique du voyage, de l'exploration (du monde et du langage), de la baleine blanche, l'expression et la convergence des principales cristallisations thématiques du cycle. Et si Job J n'a pas su garder Blanche, l'empêcher de sombrer dans le gouffre de la mort, si le pays demeure « équivoque », inachevé, inaccompli, Abel (et Beaulieu avec lui) a gagné son pari en produisant un récit qui, se constituant comme une totalité, se donne en exemple, en appelant à son dépassement dans le cadre de l'épopée des Beauchemin, toujours à écrire, et possible seulement par l'écriture grâce à laquelle la mémoire pourra enfin prendre corps.

C'est cette foi, ce pari quasi pascalien sur la littérature qui constitue la singularité de Beaulieu dans le champ littéraire québécois au milieu des années 1970. Au moment où la problématique de l'engagement est dominante, où l'on doit se définir et se situer par rapport à elle, Beaulieu apparaît comme absent dans un débat qui semble le laisser froid. À une période où un Jacques Godbout s'implique à sa manière dans les luttes sociales (se faisant défenseur de l'écologie dans *L'isle au dragon*), où un André Major reprend à son compte la théorie sartrienne du dévoilement comme fondement théorique de ses *Histoires de déserteurs*, où, en poésie, des écrivains comme François Charron et Philippe Haeck pratiquent une littérature de combat[28], Beaulieu est en net retrait, s'en tenant à une conception de l'écriture moins directement branchée sur la conjoncture politique et sociale du moment. Son attitude s'apparente même parfois à une sorte de croyance, à une foi en une religion exclusive dont l'écrivain est le célébrant farouche et exalté.

« Les voyageries » incarnent exemplairement cette « tentation » de concevoir l'écriture comme un geste sacré, comme une ascèse permettant de parvenir à la sainteté et exigeant un engagement total et définitif. En cela le cycle représente un moment important dans le développement de cette entreprise, comme lieu d'exercice et de réalisation de cette « tentation religieuse ». Celle-ci est par ailleurs elle-même la contrepartie d'une autre « tentation », d'une autre conception, tout aussi centrale, faisant de la littérature un instrument privilégié pour rendre compte d'un processus historique aussi bien que pour en dégager le sens – « tentation socio-historique » qui, on l'a vu, sous-tend le projet lyrico-épique de *La grande tribu*.

---

28. Sur le contexte social et culturel de cette période, on se reportera à mes ouvrages antérieurs, *Le roman national*, Montréal, VLB éditeur, 1991, et *Le poids de l'histoire*, Québec, Nuit blanche éditeur, 1995.

L'HÉRITAGE :
LES MÉTAMORPHOSES DE LA GRANDE TRIBU

DE LA POÉSIE ÉPIQUE AU FEUILLETON ROMANESQUE

Connu avant tout comme téléroman, comme feuilleton célèbre et réussi, faisant les délices des téléspectateurs de Radio-Canada durant trois longues années, de l'automne 1987 au printemps 1990, *L'héritage,* selon les dires mêmes de Beaulieu, aurait été d'abord conçu comme un « univers absolument romanesque[1] » et déporté un peu par hasard au petit écran.

La publication du premier volet de ce nouveau cycle, qui devait en comprendre quatre (un pour chaque « saison » d'une année symbolisant elle-même la durée d'une vie et d'une génération), intervint effectivement à l'automne 1987, au moment du début de la série télévisée. Il semble bien que le roman proprement dit ait été alors mis en veilleuse, compte tenu des contraintes exigeantes de la production du scénario du téléroman. Celui-ci comprendrait environ 7 000 pages de dialogues et d'indications scéniques, de quoi bouffer toute l'énergie créatrice de l'écrivain qui reprendra son projet après la fin de cette éprouvante expérience, produisant le deuxième volet du cycle à l'automne 1991 avant de l'abandonner sans doute définitivement.

Si ce nouveau cycle, inaccompli, inachevé comme la véritable saga des Beauchemin, et sans doute pour les mêmes raisons, a d'abord été conçu comme un univers pleinement romanesque, il porte incontestablement l'empreinte du genre feuilleton dont il respecte, au niveau de sa composition d'ensemble, les règles et les recettes. Il comporte en effet un découpage aussi contraignant que méticuleux, chaque chapitre comprenant un épisode centré de préférence sur un lieu, une action, un personnage dominants. Cela

---

1. *L'héritage,* t. II, *L'hiver,* Montréal, Stanké, 1991, p. 9. Les références des citations du roman seront dorénavant placées entre parenthèses dans le texte.

donne une construction extrêmement rigoureuse, sinon rigide, portée, dans le cas du roman de Beaulieu, par une écriture précise, transparente, efficace, dégageant très nettement le propos de l'œuvre centrée sur le thème principal de la transmission, de l'héritage, d'un bien, d'une propriété et, au-delà, d'une tradition, d'une filiation, d'une lignée.

Dans sa structure, ce cycle se distingue fortement des productions antérieures de l'auteur qui se présentent le plus souvent sous forme de longs monologues incohérents véhiculant une représentation trouble, disloquée, parcellaire, du réel et de l'expérience et déployant avec un bonheur inégal une écriture conçue et pratiquée d'abord comme un travail de recherche, d'exploration du langage avant d'être expression fidèle du monde dans sa vérité. Ici, et c'est nouveau, on rencontre une sorte de correspondance étroite entre le réel et l'écriture qui la porte, sacrifiant peut-être en originalité et en créativité ce qu'elle gagne en efficacité

Dans *L'héritage*, sur le plan de l'architecture d'ensemble, tout est simple en effet : l'univers évoqué comprend deux pôles principaux, Trois-Pistoles et Montréal, qui s'opposent comme deux mondes antithétiques, deux possibilités d'existence, un nombre restreint de personnages avec deux figures dominantes, Xavier et Miriam, une intrigue centrale construite autour des querelles liées à l'héritage de Xavier, et des intrigues secondaires : le mystère (et le drame) de l'inceste rattaché à Miriam, la quête du salut par l'écriture illustrée par la recherche de Philippe Couture, homme d'affaires et poète, dimension par laquelle le récit échappe, au moins en partie, à la formule hyper-codée du feuilleton. Les personnages, enfin, sont élaborés selon les impératifs du genre, étant le plus souvent réduits à une seule dimension sur le plan psychologique et présentés comme des êtres carrés, tout d'une pièce, sans ambivalences ni états d'âme. Ils sont en outre caractérisés dans leur conduite quotidienne et dans leur langage par des tics et des mots de passe, dont les célèbres « ben sûr » de Xavier, « gonnebitch » de Miville et « esti toasté des deux bords » de Junior, sans compter la manière de parler artificielle, ampoulée et quelque peu ridicule du « poète » Philippe Couture, en cela figure archétypale de la littérature du sublime telle qu'on l'imagine généralement dans la société québécoise.

À travers cette représentation « populaire », relevant d'une esthétique réaliste simplifiée, sinon dégradée, Beaulieu semble bien poursuivre, avec d'autres moyens, le projet fondamental qui l'anime depuis les tout débuts. Les Galarneau relaient ici les Beauchemin comme figures synthétiques de la « grande tribu » dont l'écrivain se propose de raconter la légende, le destin exemplaire. Cette épopée n'emprunte plus toutefois la grande forme de la poésie lyrique et héroïque naguère tenue comme instrument privilégié pour rendre compte du mythe, mais s'exprime désormais à travers une sorte de dramatisation, d'exacerbation de la vie quotidienne d'une famille contemporaine de l'arrière-pays québécois partagée entre l'ancien et le moderne, la tradition et la nouveauté et ayant à gérer la transition qui conduit du vieux monde homogène régi par la foi au jeune monde éclaté, hétérogène, qui se construit sur ses ruines et son absence.

L'HÉRITAGE : QUEL HÉRITAGE ?

Écrit au cours des années 1980 et traitant d'une réalité bien contemporaine, l'action du récit étant située après le référendum de mai 1980, *L'héritage* se présente, en première approximation, comme un roman familial ayant pour principal enjeu un héritage précisément, aussi bien spirituel (une histoire, une tradition, une filiation) que matériel (une terre, une propriété foncière). À travers l'évocation des querelles qui déchirent la famille Galarneau pour la possession de l'héritage, Beaulieu dresse une monographie de l'arrière-pays de Trois-Pistoles, région qui connaît un inéluctable déclin, se vidant progressivement de ses forces vives au profit des grandes villes et en particulier de Montréal qui exerce un irrésistible attrait sur sa jeunesse[2]. Il dévoile ainsi une réalité profondément occultée par les discours politiques dominants produits au centre et faisant peu de place aux préoccupations de la périphérie.

La famille Galarneau, au premier abord, paraît échapper au naufrage qui emporte la région. Xavier, le père, possède du bien,

---

2. Cette préoccupation est également au centre de la pièce *La maison cassée,* publiée en 1991, et au cœur de ses interventions aussi bien comme citoyen engagé que comme « entrepreneur » régional (éditeur et propriétaire de musée) depuis le début des années 1990. Le réel, en l'occurrence, inspire la fiction tout autant que celle-ci, en retour, l'entretient et le transforme, constituant un apport concret à la lutte et à la résistance régionales.

une richesse que lui seul connaît et qui, pour être mystérieuse, paraît d'autant plus colossale, suscitant beaucoup de jalousie et de convoitise. Il pratique une agriculture traditionnelle fondée sur la culture des patates et la production d'avoine, en quoi il paraît se situer en marge du progrès, arriéré de quelque manière. Mais c'est aussi un commerçant, quelqu'un qui a fait fortune en élevant des chevaux, en les dressant pour la course et en les engageant dans des compétitions sur tous les grands circuits équestres de l'Amérique de l'après-guerre où il est devenu célèbre. En cela son profil ne correspond pas au prototype du cultivateur québécois standard pratiquant une culture agricole traditionnelle et routinière, hostile à la mécanisation et au progrès. Il n'est cependant pas un homme moderne dans la mesure où il s'agrippe farouchement à une certaine tradition familiale et où il entend ne jamais déroger à l'appel et aux ordres de la Loi féroce codifiée dans la grande *Bible* qui lui sert d'inspiration quotidienne dans tous ses gestes, seul livre de son univers avec le « livre des comptes » de la propriété familiale qui en est comme la contrepartie laïque.

Xavier, et cela le singularise dans la société « tricotée serrée » de Trois-Pistoles, est un protestant, descendant d'une famille venue s'établir dans le Bas-du-Fleuve au début du siècle. Il entretient, de ce fait, des relations à la fois « normales », correctes, avec les habitants de la région dont il partage la condition sociale et économique, et conflictuelles dans la mesure où il s'en distingue par une affiliation religieuse différente de celle de la majorité. Fidèle et farouche dépositaire de la Loi, il est représenté comme un homme d'ordre, « fermé, solitaire et sans apitoiement[3] », dur avec lui-même comme avec les autres, zélateur obséquieux d'une religion rigide, peu ouverte aux compromis avec le monde environnant. Propriétaire terrien et patriarche, il règne sur ses sujets à la manière du « grand Roi-Soleil lui-même » (II, p. 238), disposant sur eux d'un pouvoir absolu. Successeur de Maxime, il conduit ses affaires de façon directe, brutale, sans ménager personne, pas même ses proches, dont Gabriel, son frère l'homme-cheval infantilisé et dépossédé, qui n'est pour lui qu'un employé, qu'un « homme à gages », comme le

---

3. *L'héritage*, t. I, *L'automne*, Montréal, Stanké, 1987, p. 85. Les références des citations du roman seront dorénavant placées entre parenthèses dans le texte.

sont aussi ses propres fils qu'il tient dans une dépendance étroite et humiliante.

Dépositaire d'une mémoire familiale particulière, d'une histoire dans laquelle *La bible* jouait un rôle central, Xavier règle à son tour son existence sur le livre sacré qu'il lit quotidiennement et qui lui sert d'inspiration dans les décisions importantes à prendre. C'est essentiellement à ce livre sacré, qu'il interprète d'une manière rigoriste, s'en tenant souvent à la lettre plutôt qu'à l'esprit, qu'il se reporte lorsqu'il doit agir ; il se comporte alors en soldat orgueilleux, en croisé engagé dans de véritables guerres de religion, suivant notamment l'exemple du roi David, et de sa sainte fureur, dans le combat qui l'oppose à Miville qui, de son point de vue, n'est qu'un fils indigne[4] à l'endroit duquel il est justifié d'être intolérant. En cela il ne fait que se conformer à l'enseignement biblique qui légitime la primauté absolue de la Loi, et donc de qui s'en fait l'interprète autorisé et l'exécutant dévoué.

Les querelles d'héritage, dans cette perspective, prennent donc une dimension supranaturelle, religieuse. Il s'agit, pour Xavier, de sauver et de maintenir non seulement une propriété, mais une tradition, une mémoire et une foi, qui est celle des ancêtres, nés de la grosse Morue-Mère légendaire qui, avalant le premier Galarneau sur les côtes bretonnes, était venue le « recracher sur les bancs de Terre-Neuve pour qu'il devienne pêcheur » (I, p. 162). C'est cet héritage qu'il importe d'abord de conserver : une tradition d'indépendance, de liberté, associée au travail de la pêche, à l'aventure en mer, à une existence exposée aux grands vents du large. Sur ce plan, le grand-père Maxime apparaît comme un frère jumeau du grand-père Job J Jobin des « Voyageries », également homme d'eau, capitaine de vaisseau et aventurier[5]. C'est cela, la mémoire et le

---

4. Cet épisode est développé dans *L'héritage,* t. I, p. 181-185, mais la référence plus générale à la figure de David est inscrite en filigrane dans l'ensemble du roman : Xavier est tout à la fois le Roi-Soleil et le roi David, le souverain incontesté des deux royaumes, du ciel et de la terre, d'où sa toute-puissance. Le roman, dans cette optique, peut d'ailleurs être lu, à juste titre, comme un grand récit religieux, ainsi que l'a fait Manon Lewis dans sa thèse de doctorat sur le scénario de *L'héritage.* Celle-ci montre très bien comment une certaine tradition catholique est reprise dans l'œuvre de Beaulieu aussi bien sur le plan des croyances fondamentales que sur celui des rites et des coutumes qui caractérisent un rapport au sacré constitué d'obligations strictes et d'interdits inviolables. Voir son article, « L'héritage œcuménique. Lecture d'une mosaïque religieuse », *Tangence,* n° 41, automne 1993, p. 95-111.

5. Il s'agit là d'une constante dans l'œuvre du romancier qui traduit sa préoccupation de toujours pour les débuts, les origines, généralement évoqués comme un âge d'or, une période glorieuse dont

culte de cette grandeur, qu'il faut non seulement entretenir pieusement, mais raviver et prolonger dans des conditions nouvelles, à l'époque où est située l'action du roman, soit les années 1980, alors que cet univers est en voie de dissolution et de disparition.

C'est donc pour préserver cet héritage que Xavier s'oppose si violemment à Miville, le fils aîné, normalement destiné à lui succéder comme lui-même a repris le flambeau des mains de Maxime-Père. Son hostilité, inexplicable au premier abord, s'explique lorsqu'on sait que le fils aîné relève génétiquement, si l'on ose dire, de la lignée maternelle, de la « tribu » des Gagnon, une « famille de visages à deux faces » de « renards : peureux, menteurs et hypocrites » (I, p. 206) qui refusent le modèle familial, social et religieux qu'incarnent les Galarneau. Miville désire pratiquer une nouvelle forme d'agriculture, posséder un troupeau, élever des bœufs destinés à la boucherie comme on le faisait dans le *Far-West* américain du temps magique des cow-boys si magistralement reconstitué dans les films mettant en vedette un John Wayne fanfaronnant, pétaradant, qu'il se propose d'imiter, y compris sur le plan vestimentaire, allant jusqu'à se déguiser en gentleman-farmer, en cow-boy endimanché le jour de ses noces ! Miville, en outre, est épris d'une fille d'un clan rival, les Bérubé, qui jalouse depuis toujours Xavier et qui aimerait bien accaparer sa fortune. Nathalie Bérubé est effectivement décrite comme une ambitieuse, n'aspirant, à travers son union avec Miville, qu'à s'emparer du fameux héritage, largement mythique, généreusement prêté à Xavier.

En somme, Miville s'avère de plus d'une manière un « traître » aux yeux du père, et ce, dès l'origine, dès la naissance ; Xavier regrette même parfois le simple fait qu'il soit là, qu'il doive le prendre à charge et l'entretenir. À la limite, s'il le pouvait, il le renierait et le chasserait pour toujours de son royaume, ce qu'il fera d'ailleurs durant un certain temps. Il s'oppose donc vivement au projet du fils qui entend faire l'acquisition de la terre d'un voisin et vieil ami, Delphis Cayouette. Il refuse d'être témoin au mariage de Miville et de Nathalie ; c'est Gabriel, l'homme-cheval, le frère mal

---

on conserve par la suite la nostalgie et qu'on tente de faire revivre par la mémoire. Les grands-pères aventuriers sont ainsi la contrepartie positive, fortement valorisée, des grands-pères actuels, victimes exemplaires d'un inexorable déclin qui commence, sur le plan historique, au milieu du xixe siècle, après l'écrasement des Patriotes en 1837-1838.

aimé, qui devra s'en charger. Et s'il paraît, dans un curieux retournement, se « donner » à Miville après la noce, se réconcilier avec le fils aîné, respectant ainsi une longue tradition familiale, ce n'est que pour remettre à plus tard le règlement de comptes final au terme duquel l'héritage reviendra ultimement à un « vrai » Galarneau, à Junior, ou au fils adultérin qu'il a eu de Miriam et qui porte le nom de son père, Maxime, l'aïeul vénéré.

À défaut de pouvoir transmettre le témoin au fils déchu, Xavier pourrait toujours se reporter sur Junior, qui est un « vrai » Galarneau, qui relève de la lignée paternelle, en possédant les principales caractéristiques psychologiques, l'entêtement, la dureté, sinon la brutalité. Ressemblant en cela au père, Junior s'en distingue toutefois sur le plan des valeurs : la religion féroce et exclusive, l'austérité, le refus du monde de Xavier lui répugnent, de même que la vie à la campagne. Il n'a que faire des enseignements de *La bible,* qu'il refuse de lire, et de la tradition familiale, qu'il rejette avec véhémence. Il vit dans et pour l'instant présent, rêvant de quitter Trois-Pistoles pour Montréal et le « monde tonitruant des Foufounes électriques » (I, p. 138) et de la rue Saint-Denis où il compte se faire reconnaître en tant que réincarnation de James Dean, vivre de l'air du temps et de l'amour des filles. Aimé par le père qui reconnaît en lui quelqu'un de sa « race », qui en possède la fierté et l'orgueil, Junior s'avère cependant un « dissident » qui ne peut accepter un héritage qui lui paraît anachronique, incompatible avec sa vision du monde et ses valeurs. Xavier ne peut donc pas se reposer tranquillement sur lui pour assumer un héritage que seule Miriam, la fille préférée, pourrait sans doute reprendre et faire fructifier selon l'esprit de la famille.

Le problème, et il est de taille, c'est que Miriam n'est pas qualifiée pour relever un tel défi. D'abord, parce qu'elle est une femme et qu'en régime patriarcal la succession procède du père aux fils à l'exclusion des filles, y compris chez les Galarneau. Ensuite, parce que Xavier a commis avec elle le crime suprême, qui ne se pardonne pas, celui de violer le tabou de l'inceste au cours d'une folle nuit au Château Frontenac qui a scellé leur destin. Ils sont depuis lors habités par le souvenir obsédant de ce « crime » monstrueux, coupés l'un de l'autre, et plus radicalement encore coupés des autres et du monde, enfoncés dans une solitude farouche, dans un éternel face-à-face tragique avec le Dieu qu'ils ont offensé et sous le regard cruel duquel ils sont condamnés à vivre désormais.

Miriam ressemble étrangement à Xavier dont elle est une sorte de double en jupon : elle en possède la force de caractère, la détermination, la fermeté ; elle a été élevée dans l'esprit de la famille par le père lui-même, au cours de ses pérégrinations sur tous les circuits équestres de l'Amérique. Elle en est l'enfant chéri, promise à assurer la relève, à reprendre la succession jusqu'à la nuit fatale où l'univers a basculé, ce qui compromet du coup les projets de Xavier sur les suites à donner à son monde. Il s'est ensuite refermé sur lui-même, s'enfonçant dans une sorte de pétrification dont il n'arrive plus à sortir, sinon sur le mode dérisoire de la bouderie et des sautes d'humeur à l'endroit des enfants qui restent et des voisins. La vie devient donc pour lui insupportable en raison du « crime » d'abord – cause aussi de sa rupture totale avec Virginie qui se cloître définitivement dans une chambre qu'elle ne quittera plus jusqu'à sa mort –, de son incapacité à gérer l'héritage ensuite. On sait comment finalement il s'en sortira, se suicidant d'un coup de fusil en apprenant que Miriam a eu de lui un fils, qui porte le nom de son père, Maxime, ce qui témoigne de l'intérêt de la mère, malgré les apparences contraires, pour la famille et les valeurs qu'elle incarne.

L'héritage se termine sur ce suicide, sur la disparition de Xavier qui est, jusque-là, la figure centrale de cet univers. Le feuilleton, lui, développe encore longuement cette intrigue, mettant notamment en violente opposition Miville et Miriam, laquelle, d'une certaine manière, reprend le flambeau du père. Je ne m'attarde pas ici sur ces péripéties, m'en tenant au roman qui, dans sa conclusion, nous rend témoins de la fin d'un monde et d'une époque. Xavier sombre, et avec lui son royaume, conséquence logique d'une dégénérescence, sanction prévisible d'une « faute[6] » qui appelle un châtiment exemplaire. Ayant enfreint la loi, et sa prescription la plus lourde, l'interdit de l'inceste, Xavier ne pouvait que mourir d'une manière tragique, s'étant rendu irrémédiablement indigne ; il ne mérite donc plus de vivre, ayant trahi sa lignée, se disqualifiant comme seul maître d'un héritage qu'il a dégradé, perverti, en profanant la Loi,

---

6. Cette « faute » redouble d'ailleurs celle commise naguère par le grand-père Maxime à l'endroit d'une idiote du village qu'il a rendue enceinte, faute qu'il a également expiée en se suicidant, ce qui indique du coup à Xavier la voie à suivre.

en se rebellant contre Celui qui l'a promulguée devant qui il n'a désormais d'autre choix que de s'effacer, que de retourner à la poussière d'où il provient.

Avec le suicide de Xavier, c'est un certain univers religieux qui sombre, une conception tragique du sacré et plus largement du monde associée à un courant de pensée longtemps important, sinon dominant, dans la société québécoise[7]. Ce discours, ici, est tenu par un protestant, mais il n'est pas pour autant très différent de sa variante catholique, le jansénisme. Il comporte comme celui-ci un refus de principe du monde qui ne peut qu'être dégradé, rabaissé lorsqu'on le compare à l'univers hyper-valorisé d'une foi ayant la forme d'une loi aussi impérative qu'inexorable. Cette conception tragique de l'existence est toutefois combattue par les personnages qui incarnent le « nouveau » dans le roman, par Miville au nom du progrès, par Junior au nom de la liberté, par Nathalie Bérubé au nom de l'amour et du droit de chaque individu à être heureux et à pouvoir se réaliser pleinement. Beaulieu fait dialoguer et s'opposer les deux discours dans le texte, semblant donner raison tantôt à Xavier, tantôt à ses enfants dissidents qui n'ont que faire du passé, de la tradition et de la Loi qui lui sert de légitimation.

Refusant d'assumer tel quel l'héritage, les descendants de Xavier refusent-ils pour autant la totalité de leur histoire, de leur passé ? Se comportent-ils en cela comme la majorité des Québécois se dérobant, en mai 1980, devant leur vocation historique, n'acceptant pas que le pays atteigne son plein accomplissement ? Faut-il voir, en somme, dans ce drame d'héritage familial le symbole d'un drame plus vaste, celui de la société québécoise qui, confrontée à son destin, choisit l'esquive, la feinte, sinon la fuite ?

Plusieurs passages du roman suggèrent cette association. Philippe Couture, par exemple, voit dans le défaitisme de sa génération une conséquence du refus du pays non « advenu » et qui « ne nous adviendra sans doute plus jamais » (I, p. 344). Xavier, se rendant à

---

7. Voir Jean LE MOYNE, *Convergences*, Montréal, Éditions HMH, 1961. Réédité dans la collection du Nénuphar, Montréal, Fides, 1992. Se reporter plus particulièrement aux chapitres sur « L'atmosphère religieuse au Canada français » et « Saint-Denys Garneau, témoin de son temps ». J'ai, pour ma part, critiqué ces analyses dans *Le poids de l'histoire*, en soutenant qu'elles relèvent elles-mêmes d'une conception idéaliste du réel. Voir *Le poids de l'histoire. Littérature, idéologies, société du Québec moderne*, Québec, Nuit blanche éditeur, 1995, et plus particulièrement les chapitres VII et VIII consacrés à *La Relève* et aux *Convergences* de Le Moyne.

Montréal après plusieurs années de réclusion à Trois-Pistoles, est consterné devant un paysage qui lui apparaît comme un « désert inhabité », jalonné de « noms sans avenir » sur les panonceaux qui longent l'interminable autoroute Jean-Lesage, n'en revenant pas de « toute cette désolation qui a déconstruit le pays » (I, p. 349-350). Et le narrateur lui-même, exprimant visiblement le point de vue de Beaulieu, voit dans l'Océan limité, « ce train jadis si célèbre », l'image d'un « pays inachevé parce qu'étouffé par sa médiocrité » (II, p. 137) et trahi de plus par ses politiciens véreux incarnés dans le roman par le garagiste alcoolique, député et ministre du Parti québécois, Edgar Rousseau, symbolisant la grande défection des élites. Sur les plans social et politique, qui doublent le drame familial, il y a donc aussi refus de reprendre l'héritage, de renouer avec une histoire en l'accomplissant, en agissant aujourd'hui dans le sens et le prolongement d'un passé, d'une tradition à faire revivre et à léguer aux générations à venir.

Le roman dit cela aussi sans doute, mais de manière indirecte, oblique, à travers certaines remarques des personnages, à travers également une certaine nostalgie de figures héroïques de la Nouvelle-France qui pourraient servir de fondations pour écrire une « épopée nationale créatrice de mythes » (II, p. 202). C'est à cela que songe Philippe Couture en lisant les biographies d'Anne Émond et de Mademoiselle Gitany dans l'ouvrage de Damase Potvin, *Le Saint-Laurent et ses îles*. Dans cette optique, le passé québécois, surtout avant la moitié du XIXe siècle, contient un héritage, les germes prometteurs d'une histoire en marche vers un avenir radieux, que la réaction cléricale et conservatrice viendra freiner durant cent ans, de 1850 à 1950 environ, et avec laquelle il s'impose de renouer et qu'il s'agit de mener à terme.

Cette variable nationaliste est incontestablement présente dans le roman, mais ne figure pas au premier rang ; il serait sans doute hasardeux de réduire à ce message la signification d'ensemble de *L'héritage*. Le roman est sans doute d'abord une célébration, sous une nouvelle forme, de la souveraineté de l'écriture, dimension par laquelle il échappe à la formule du feuilleton après en avoir scrupuleusement respecté les règles au niveau du découpage de l'action qui sert d'ossature à la mise en forme et au déploiement de la thématique centrale du récit.

SUBVERSION ET DÉPASSEMENT DU FEUILLETON : LE SACRE DE L'ÉCRITURE

Si *L'héritage* se termine sur le suicide de Xavier, on se rappellera qu'il s'ouvre sur le personnage de Philippe Couture, homme d'affaires et poète, qui prendra de plus en plus de place dans le texte, devenant un personnage central du roman, tant comme homme privé dans la relation amoureuse qui le lie à Albertine que comme figure emblématique de l'Écrivain.

Philippe Couture est représenté comme un curieux homme, propriétaire d'une petite entreprise d'informatique et écrivain amateur, auteur de poésie marginal, inconnu dans le milieu littéraire montréalais. Le jour, Philippe Couture vaque à ses affaires, gérant au mieux Médiatexte qui constitue son seul univers, en quelque sorte sa petite famille, un milieu sympathique mais qui n'arrive pas à combler totalement son existence. Assoiffé d'absolu, il recherche dans la lecture et la pratique de la poésie un sens qui puisse auréoler sa vie, lui permettre de transcender un quotidien somme toute limité.

Auteur de deux plaquettes publiées sous le pseudonyme d'Émile Millaire, un recueil de poésie et une étude de l'œuvre de Gaston Miron, il prépare une *Anthologie* des écrits québécois sur le Saint-Laurent. Tentant, en parallèle, d'écrire des poèmes, il connaît un succès et un bonheur très inégaux, l'écriture se dérobant le plus souvent alors même qu'il la poursuit avec acharnement, espérant obtenir d'elle une forme de salut. L'absolu, il le rencontrera finalement dans le « vécu », incarné par une femme admirable, Albertine, grande lectrice devant l'Éternel qui, comme lui, ne vit que pour la littérature.

Albertine a, en effet, trouvé un refuge dans la lecture qui lui tient lieu de compensation des échecs subis dans la vie. D'origine amérindienne, la « princesse malécite » a d'abord été victime de la violence d'un père, le bonhomme Fish, ivrogne invétéré, qui s'est suicidé avant de commettre sur sa fille l'outrage irréparable qu'un Xavier a effectué sur Miriam. Élevée dans la famille du forgeron du village, aimée correctement, mais sans plus, elle s'est ensuite éprise de Xavier durant la période où il parcourait l'Amérique en « grand dieu des routes » installé au volant de sa *Roadmaster* rutilante ; avec lui, elle a connu une liaison aussi passionnée que fulgurante avant de se rabattre sur Gabriel, l'homme-cheval, pour qui elle éprouve une tendresse distante.

Si elle a accepté d'être la compagne de Gabriel, c'est que celui-ci, à l'instar d'elle-même, appartient à un « monde intermédiaire », à mi-chemin entre l'homme qu'il incarne sous une forme dégradée, aliénée, et le cheval qu'il rêve parfois de devenir, brûlant d'ailleurs de désir pour la jument tavelée de Xavier qu'il « monte » dans ses rêveries lubriques[8]. Albertine, pour sa part, marquée de façon indélébile par son ascendance malécite, oscille sans cesse entre « la réalité imagée mais morte du monde rouge » et le « quotidien pragmatique du monde blanc » (I, p. 239). Elle se trouve de la sorte dans une situation inconfortable qui la prédispose aux songeries et à la lecture dans laquelle elle cherche à renouer avec les fameux « paradis perdus » (I, p. 133) dont parle Proust, et notamment avec le passé magique de la première enfance, avant que le père ne devienne violent, et par-delà avec la longue et riche tradition amérindienne.

La rencontre d'Albertine et de Philippe, c'est d'abord celle de deux êtres en état de disponibilité affective. Lui est célibataire, vieux garçon timide entretenant pieusement le culte d'une mère adorée établie, de son vivant, à Cacouna, dans la région du Bas-du-Fleuve, à la jonction du territoire des Magouas dont provient Albertine. Celle-ci, installée dans une relation sage et monotone avec Gabriel, vit dans les livres en Madame Bovary contemporaine. La liaison avec Philippe lui fournit l'occasion de passer des livres à la vraie vie, de l'amour idéalisé à son incarnation concrète. Mais leurs épousailles sont aussi celles de l'Écrivain et de la Lectrice modèles, célébrants de la sainte messe qu'est l'écriture dans et par laquelle ils entrent en communion, y trouvant le dépassement qu'ils recherchent depuis toujours[9].

Albertine lit Proust, étoile la plus haute et la plus brillante de son ciel littéraire, mais aussi les auteures féministes contemporaines,

---

8. On rencontre encore ici des manifestations de la bestialité, très primitive, qui caractérise plusieurs personnages romanesques de Beaulieu. Gabriel connaît de grands frémissements en voyant la vulve rose de la jument tavelée de Xavier tandis que Miville, enfant, est attiré par le sexe des petits veaux qu'il « grimpe » à l'occasion lorsqu'il s'affaire à l'écurie familiale. De là date sans doute sa fascination pour les grands veaux qu'il rêve d'élever sur la terre paternelle, ce qui lui permettrait de réaliser ses fantasmes – sinon ses gestes – de jeunesse.

9. Leur union est représentée comme une réédition locale du célèbre couple de Beauvoir-Sartre évoqué à quelques reprises, dans le roman, comme un « couple admirable » dont ils comptent s'inspirer, espérant de la sorte atteindre la « même qualité » (II, p. 284), comme le formule assez naïvement Philippe Couture.

Simone de Beauvoir, Anaïs Nin, Doris Lessing et, au Québec, Nicole Brossard, Louky Bersanik. Par ces lectures, elle fait l'apprentissage de la réalité des femmes, devient indépendante, décide de gagner sa vie en travaillant, comme simple serveuse de restaurant si nécessaire, d'assumer concrètement sa liberté nouvelle. En Philippe, elle rencontre un compagnon sensible, ouvert, comprenant ses aspirations les plus profondes, et notamment son désir de se réconcilier avec son enfance et son passé par l'écriture, moyen privilégié pour retrouver ses racines amérindiennes et les assumer pleinement. Philippe est également un grand lecteur, aussi bien de la littérature internationale que de celle du Québec qu'il met sur le même pied, se révélant en cela un doublet de l'auteur lui-même.

À travers ces deux personnages, *L'héritage* se présente comme un roman de célébration de la littérature et de quelques-uns de ses meilleurs artisans. Il contient, en effet, d'admirables portraits d'écrivains : celui de Paul-Marie Lapointe, poète discret et rare que Philippe « a toujours mis au-dessus de tout » (I, p. 95), fasciné par la « grande tribu » de ses mots (I, p. 97) ; celui de Michel Beaulieu, éditeur et poète disparu trop tôt à qui il a soumis naguère sa propre poésie aux éditions de l'Estérel et qui a chanté si magnifiquement la grande ville mythique de Montréal ; celui d'Yves Thériault, romancier immense, auteur d'une œuvre colossale, prodigieuse, abandonné par le milieu littéraire, n'arrivant plus à faire publier ses livres et sombrant dans un désespoir sans fond.

À travers le regard de Philippe Couture, il est évident que c'est l'auteur lui-même qui s'exprime de manière à peine voilée, donnant à son roman une tournure réflexive, métadiscursive, qui n'est guère fréquente dans le feuilleton. En y recourant, et en respectant ses principales règles, Beaulieu assure à *L'héritage* une transparence lui permettant de rejoindre des lecteurs que ses œuvres antérieures étaient de nature à rebuter ; il élargit son auditoire en maintenant dans une large mesure ses exigences et en ne perdant pas de vue le propos fondamental qui l'anime depuis les tout débuts de son entreprise d'écriture.

Son « feuilleton » est un être hybride, composite, le produit d'un compromis entre deux impératifs, deux volontés, l'une visant à produire la poésie la plus haute, la plus épurée, dans des textes brefs et lumineux, préoccupation qui traverse comme une hantise toute son œuvre, l'autre désirant rendre compte du réel dans toute sa « quochonnerie », dans son quotidien le plus ordinaire, ce que permet admirablement le roman de série. *L'héritage* est le fruit de ce compromis, le résultat assez bâtard de cette tentative consistant à emprunter le modèle du feuilleton, à le respecter tout en le subvertissant et en le dépassant. En ne le terminant pas, Beaulieu semble implicitement tirer la conclusion que ce mariage est problématique, sinon impossible, du moins dans le cadre de son esthétique, que la grande littérature ne peut pas être exprimée par la voie du feuilleton qui peut, tout au plus, la célébrer, laisser pressentir sa souveraineté à défaut d'en être lui-même le lieu d'exercice.

LE ROMAN CIRCULAIRE

L'héritage, saisi globalement, se présente comme une construction complexe, ramifiée, profondément polyphonique, mettant à contribution divers registres d'écriture et comprenant plusieurs dimensions sur le plan thématique.

À un premier niveau, il s'agit d'un roman familial centré sur des querelles d'héritage, elles-mêmes surdéterminées par un interdit suprême, celui de l'inceste, tabou sur lequel le récit se construit tout en le levant, le révélant progressivement au fil de la narration.

À un deuxième niveau, il s'agit d'un roman religieux mettant en scène, au premier plan, un personnage excessif, totalement déterminé par une conception rigide de la Foi et de la Loi qui s'imposent à lui sous la forme d'une inexorable contrainte. À travers les comportements de Xavier, eux-mêmes réglés par une vision tragique et pessimiste du monde, le romancier dramatise, pousse à ses limites extrêmes la tradition judéo-chrétienne telle qu'elle s'est incarnée en milieu québécois, en mettant en lumière aussi bien sa farouche grandeur que ses limites, que son foncier anachronisme à l'époque contemporaine.

À un troisième niveau, il s'agit d'un roman qui relance et problématise d'une manière nouvelle la question nationale, préoccupation centrale de l'œuvre de Beaulieu depuis les origines. Ici il semble bien que le pays incertain, puis équivoque après le référendum de mai 1980, n'ait guère d'avenir, paraissant condamné à un inéluctable déclin, à une dégénérescence progressive mais certaine sous le poids d'une médiocrité généralisée. Dans cette optique, le réveil amorcé au moment de la Révolution tranquille n'aura été qu'un dernier geste de résistance, qu'un ultime sursaut, précédant l'agonie finale, l'anéantissement inévitable du « rêve québécois ».

À un quatrième et dernier niveau significatif[10], il s'agit enfin d'une méditation sur l'écriture qui n'est toutefois pas formulée en termes problématiques comme c'était le cas dans les premiers romans ou dans « Les voyageries ». Les fins de l'écriture ne sont pas questionnées ; on ne se demande plus pourquoi écrire ni ce que cela signifie dans le contexte québécois. L'écriture paraît posséder une légitimité en elle-même. Elle fascine, par exemple, un Philippe Couture qui ne se sent pas toujours à la hauteur, notamment parce qu'il la place au-dessus de tout, et qui s'interroge essentiellement sur le geste même, le processus, qui la produit et non sur son sens, donné d'emblée. Dans le monde déstructuré, fragmenté, évoqué par le roman, on peut avancer qu'il s'agit, en définitive, de la dernière valeur suprême, la seule qui reste lorsque toutes les autres certitudes et croyances sont irrémédiablement ébranlées et inopérantes.

En somme *L'héritage* s'inscrit de plus d'une manière comme le prolongement « naturel » de l'œuvre de Beaulieu. Sur le plan anecdotique, par exemple, on y trouve des renvois aux cycles antérieurs, à « La vraie saga des Beauchemin », et notamment au personnage de Berthold Mâchefer, « le grand magnat de toute la presse jaune du Québec » (II, p. 68), source d'inspiration pour la construction de l'anti-héros du roman floridien renaissant en guerrier à la fin de *Oh Miami, Miami, Miami* et devenant « terroriste » dans *Don Quichotte de la démanche* ; on y rencontre de même des allusions à Achab, le

---

10. Significatif, car il y en a d'autres, moins importants à mon avis. Le roman comporte, par exemple, une dimension fantastique construite autour du personnage de Gabriel, l'homme-cheval et grand chasseur parcourant, en compagnie du petit Jean-Marie Soucy, son disciple, le « pays des centaures, contrée mystérieuse située aux confins de Trois-Pistoles, entre la république brayonne de Madawaska et le territoire giboyeux des Magouas » (I, p. 56), ou la seigneurie des Tobi, vaste forêt peuplée de « jumeaux Marsipiau », unijambistes condamnés à l'accouplement pour survivre, de « crocodiles septentrionaux à bosses », de « lézards dorés », de « serpents à poil », de « caribous à deux têtes » et de Magouas, « pareils aux serpents dont ils ont les écailles » (I, p. 189-191). C'est Gabriel, en outre, qui se fait le conteur de la légende du « cheval du diable » grâce auquel l'église de Trois-Pistoles a pu être construite (I, p. 461-463) ; il est, enfin, lui-même une créature bizarre, un être curieux, déroutant en tant qu'homme-cheval, incarnation dérisoire et pathétique de l'idiot du village.

célèbre capitaine du *Pequod* devenant « l'oncle » de Philippe Couture, et à Moby Dick elle-même dont la jument tavelée apparaît comme un nouvel avatar, symbolisant l'absolu qui régit les vies de Xavier Galarneau et de Philippe Couture sous la forme d'une loi implacable et d'une écriture divinisée.

L'essentielle circularité de cette production qui, saisie globalement, semble constituée d'un seul long roman repris sans cesse, sous diverses formes, à travers de multiples personnages et de nombreuses mises en situation, s'inscrit encore plus profondément au niveau du projet d'ensemble qui la sous-tend de bout en bout, des origines jusqu'à *L'héritage*. Ce nouveau cycle, inachevé, reprend, en effet, en les reformulant autrement, les principales données de l'œuvre, s'offre comme la dernière expression du projet de la « grande tribu » qui prend ici la forme du roman feuilleton. Cependant, compte tenu des possibilités et des limites objectives du genre, cette volonté ne suffit pas à faire advenir l'épique, à produire la fameuse représentation totalisante, sur le monde lyrique et héroïque, de la société québécoise rêvée depuis les tout débuts de l'entreprise. Ce projet grandiose, ce mythe fondateur, moteur principal de l'écriture chez Beaulieu, paraît reporté à un avenir indéterminé, sinon abandonné à tout jamais, entreprise peut-être trop vaste pour pouvoir être réalisée.

L'INTERTEXTUALITÉ GÉNÉRALISÉE[1]

> *« Parce qu'au-delà de toutes les réserves, on connaît l'enjeu de notre littérature : le monde à inventer. C'est-à-dire le nôtre[2] ».*

Tenue à distance, sinon boudée par la critique universitaire qui a tendance à considérer ses œuvres comme l'expérience fruste, primaire et sauvage, d'un écrivain sans finesse et sans manières, la production romanesque de Victor-Lévy Beaulieu est pourtant l'une des plus concertées, des plus systématiques et des plus délibérément « littéraires » de tout le corpus québécois, comme en témoigne notamment une pratique intertextuelle intense, expansive, proliférante depuis les origines jusqu'aux textes les plus récents[3].

On peut même avancer qu'il s'agit là d'un axe central de cette œuvre, se manifestant explicitement dans les essais critiques sur les écrivains tenus pour essentiels, de Hugo à Voltaire, mais aussi dans les romans à travers tout un réseau d'allusions, de citations et d'emprunts tant sur des points secondaires, par exemple, pour caractériser des personnages, que sur des éléments essentiels liés à la problématique des récits. De ce rapport particulier aux textes d'autrui, Beaulieu n'a jamais fait mystère, faisant largement reposer ses stratégies et ses pratiques d'écriture sur cette base, n'hésitant même pas à revendiquer sa forme la plus extrême, le plagiat, et à l'illustrer, entre autres, dans *Moi, Pierre Leroy, prophète, martyr et un peu fêlé du chaudron*[4].

---

1. Je présente ici, sous une nouvelle forme, l'étude « Victor-Lévy Beaulieu : l'intertextualité généralisée », parue dans *Tangence,* n° 41, octobre 1993, p. 7-31.

2. Victor-Lévy BEAULIEU : « Grandeur et misères du jeune roman québécois », *Le Devoir,* 14 novembre 1970 ; repris dans *Entre la sainteté et le terrorisme,* Montréal, VLB éditeur, 1984, p. 172.

3. Cette méfiance – l'écrivain, en retour, déteste les universitaires, à quelques exceptions près – tient surtout à des malentendus liés à la personnalité même de Beaulieu. Les universitaires, irrités par le personnage et ce qu'ils estiment être son caractère, par ses sautes d'humeurs aussi, ignorent le plus souvent une œuvre dans laquelle ils trouveraient pourtant largement leur compte, surtout dans une période où l'intertextualité est devenue un champ d'étude très pratiqué.

4. *Moi, Pierre Leroy, prophète, martyr et un peu fêlé du chaudron. Plagiaire,* Montréal, VLB éditeur, 1982.

Mon propos, ici, est d'examiner dans cette perspective ce que contient cette « Bibliothèque totale » de Bibi qu'évoque de manière énigmatique l'auteur de *Don Quichotte de la démanche*[5] et l'usage bien particulier qu'il en fait à travers Abel Beauchemin, son double et son alter ego. Il s'agira donc de mettre en lumière les formes qu'empruntent ces recours à autrui, et surtout les fonctions qu'ils remplissent dans le projet et l'économie d'ensemble de l'œuvre de Beaulieu.

DE LA LECTURE À L'ÉCRITURE :
LA GENÈSE D'UN MONDE

Chez Beaulieu, comme on le sait, tout remonte à l'origine, à l'enfance et à l'univers familial sur le plan biographique, à l'adolescence pour ce qui concerne la lecture et l'écriture, la première activité engendrant et nourrissant en quelque sorte la seconde dans un incessant mouvement d'aller-retour, de va-et-vient dans lequel surgit et s'épanouit l'œuvre. De cette expérience capitale, décisive, un journal[6] rédigé par Beaulieu en 1964-1965 – le seul qu'il ait tenu, semble-t-il, – nous offre un témoignage extrêmement révélateur non seulement sur ses préoccupations de jeune homme faisant l'apprentissage du monde, mais sur son rapport à ce qui allait devenir sa raison d'être ultime, l'écriture. On retrouve là, dans leur formulation initiale, à l'état naissant pour ainsi dire, les questions qui vont traverser son œuvre par la suite et alimenter son imaginaire.

Beaulieu, qui a tout juste vingt ans, fait bien sûr état de ses préoccupations de jeune adulte confronté au monde du travail, ayant dû quitter le collège et les études très tôt faute d'argent. Il évoque également, mais de manière furtive, sans trop s'y attarder, ses émois amoureux et ses attentes somme toute assez modestes à l'endroit de l'existence : une femme, un endroit retiré, face à la mer, pour vivre avec (et dans) les livres.

Ce qui attire l'attention dans cet étrange journal, ce n'est pas tant cela que la boulimie de lecture dont son rédacteur semble

---

5. *Don Quichotte de la démanche*, *op. cit.*, p. 231.
6. « Ce journal, douleur lancinante d'écriture », dans *Entre la sainteté et le terrorisme*, *op. cit.*, p. 23-68.

littéralement possédé. Beaulieu lit, en effet, sans plan, dans le désordre, en véritable autodidacte saisi par sa passion, plusieurs grands auteurs de la littérature contemporaine, tant dans le champ de la poésie (Baudelaire, Mallarmé, Rimbaud notamment) que dans celui du roman (Dostoïevski, Hugo, Kafka, Camus, Robbe-Grillet, etc.) ou de l'essai (Bataille et Blanchot). À travers ses commentaires, généralement brefs, on pressent son intérêt, sinon sa fascination, pour la conception « métaphysique » de la littérature formulée par Bataille et Blanchot qui la tiennent pour un Absolu reliant le néant de l'origine d'où elle sourd au néant de la mort où elle disparaît. Cette conception tragique de l'écriture sous-tendra par la suite sa survalorisation de l'écrivain, sa représentation comme prêtre voué à la célébration du corps mystique du texte.

Parallèlement à cette activité soutenue de lecture, qui ne fait curieusement pas de place aux œuvres littéraires du Québec[7] – à l'exception de celle de Jean-Paul Pinsonneault, une connaissance, directeur littéraire chez Fides –, Beaulieu fait ses premières tentatives d'écriture : il rédige un « roman pornographique », *À l'aube du premier jour,* un autre qu'il intitule *La route* (en hommage à Kerouac ?) et il rêve d'écrire « de longs livres absurdes. Des livres, précise-t-il, dans lesquels il n'y aurait rien. Ils ne diraient que ce que je suis[8] ».

On ne sait pas ce qui est advenu de ces textes mais tout indique que, comme les œuvres à venir, ils sont nés tout à la fois des lectures effectuées au moment de leur rédaction et des souvenirs d'enfance dont ce journal présente une première formulation. Rappel des événements heureux et traumatisants des premières années, évocation des figures parentales et des ancêtres de la grande tribu, allusions aux membres du clan Beauchemin, autant d'éléments qui seront repris et développés dans la saga, l'épopée à écrire du peuple québécois symbolisé par la célèbre et mythique famille.

Ce qui me paraît significatif et important à signaler dans les réflexions de cette période déterminante où une vocation se dessine,

---

7. Que Beaulieu estime médiocres : « Nous n'avons qu'une littérature d'enfance, écrit-il. Nos livres ne parlent jamais que de ce que nous ne sommes pas. J'ai honte d'autant de petitesse, d'autant d'inutilité, d'autant de verbiage inutile. J'ai honte de nous, j'ai honte de moi. Sommes-nous si ridicules ? » (*ibid.,* p. 25).

8. *Ibid.,* p. 63.

c'est la complémentarité, l'étroite imbrication d'une perspective internationaliste, ouverte et accueillante aux grandes productions littéraires contemporaines, et déjà le souci des appartenances locales, des enracinements familiaux et régionaux. Une volonté en somme de créer du nouveau sur le plan esthétique à même un matériel lié à sa propre histoire s'affirme clairement, même si le passé, à ce stade du moins, ne va pas de soi, demeure problématique.

Séjournant à Trois-Pistoles à l'été 1964, Beaulieu écrit en effet que « l'enfance n'est qu'un songe dont il ne faudrait jamais vérifier la réalité » et il ajoute qu'« on ne devrait jamais revenir sur les lieux de son commencement[9] ». Cela ne l'empêchera pas, par la suite, comme Proust avec Combray, d'en faire le centre, le foyer de convergence de son œuvre, le lieu privilégié, ultime et absolu d'où l'on part et où l'on revient sans cesse.

C'est cette orientation générale, cet enracinement profond doublé d'une réelle ouverture à l'Autre, qui sert de fondement à ses premiers essais et textes de fiction, aussi bien aux ouvrages critiques sur Hugo et Kerouac[10] qu'aux romans *Mémoires d'outre tonneau* et *Race de monde !*.

On retrouvera notamment la trace de Kerouac, sa marque, transposée, métamorphosée dans le destin tragique des personnages paumés de Beaulieu – Malcomm Hudd, Barthélémy Dupuis notamment –, figures pitoyables exprimant et symbolisant la condition d'aliénation, de dépossession, de déculturation sociale et historique du Canada français et l'abandon, la mollesse, la passivité avec lesquelles on peut la subir et s'y résigner. À travers eux, c'est l'envers du « rêve américain », sa face sombre, qui s'inscrit dans les larmes et le sang dans la production romanesque, informée en cela par le regard désespéré de Jack sur le monde.

Satan Belhumeur, héros du premier roman publié de Beaulieu appartient à cette « race de monde ». Échappé de Saint-Jean-de-Dieu-l'asile, il se réfugie comme Diogène dans un tonneau d'où il hurle dans un long soliloque fort troublant son mal de vivre et son désir d'être sauvé éventuellement par l'écriture.

---

9. *Ibid.*, p. 59.

10 Sur le travail critique de Beaulieu, se reporter au chapitre : « De l'autre à soi : hagiographie et autoportrait ».

Premier roman sous forme de cri, que l'auteur estimera raté dans la préface de la nouvelle version de 1981, il se présente sous un titre curieux, énigmatique, *Mémoires d'outre-tonneau,* qui semble en effet reprendre, de manière parodique, le célèbre *Mémoires d'outre-tombe* de Chateaubriand. Beaulieu inscrit ici ostensiblement une distance critique à l'égard du champ littéraire français et de l'un de ses courants dominants : le romantisme. De même, il paraît s'inscrire en faux contre la forme même des *Mémoires,* contre leur prétention au sérieux et à la vérité. Le mode qu'il leur oppose est celui du soliloque, du discours obsessionnel d'un personnage délirant et marginal sur le monde, d'un héros en quête d'une voix et d'une écriture. En cela son récit, s'il n'emprunte pas la forme canonique du monologue joycien, en est toutefois un très proche parent.

Le roman nous donne donc à entendre et à lire la parole inquiétante d'un personnage en quête de valeurs, d'un sens à donner à son existence dans un monde dégradé. Ce personnage, Satan, est conscient de son étrangeté, de sa singularité, de sa solitude et de l'état d'abandon, de déréliction dans lequel il vit. Ainsi qu'il le répète à plusieurs reprises dans un refrain délirant servant de leitmotiv au texte, il porte en lui un « monde étrange, silencieux et impersonnel[11] » qui s'oppose au conformisme du monde normal et normé. D'où sa révolte, son refus global, sans nuances ni distinctions, de l'univers et son besoin éperdu d'une « illumination complète[12] » : « Dernier des Chevaliers de la Table Ronde, écrit-il, je recherche sans espoir la parole perdue[13] » par et dans l'écriture, ajouterais-je, ce substitut douteux, inefficace d'un Verbe mort, silencieux et impuissant dans le monde moderne. On voit que la quête du Sacré ne commence pas avec *L'héritage* chez Beaulieu, que comme tout le reste elle apparaît dès les origines. Si bien que toute l'œuvre pourrait être lue comme la poursuite effrénée de cette Parole qui ne cesse de se dérober, malgré les tentatives acharnées de l'écrivain pour la circonvenir et pouvoir s'y réfugier enfin.

Dès ce premier roman donc, Beaulieu inscrit la préoccupation de l'écriture et la figure de l'écrivain dans son œuvre, sous la forme

---

11. *Mémoires d'outre-tonneau, op. cit.,* p. 9.
12. *Ibid.,* p. 149.
13. *Ibid.,* p. 166.

d'une sorte de poète maudit à la recherche d'un langage radicalement nouveau, en rupture avec les formes institutionnalisées de la littérature : « Je refuse la description, écrit Satan. Je ne parlerai jamais des paysages. Je tairai la vie physique. L'important ne se tapit pas là-dedans[14] ». L'important ? C'est ce que les livres et le langage expriment au-delà d'eux-mêmes, dans ce qu'ils laissent pressentir plutôt que dans ce qu'ils disent et montrent, l'essentiel résidant en-deçà des lignes et des mots, sous eux, ainsi que Beaulieu le formulera très explicitement dans certains passages des « Voyageries ».

C'est dans *Race de monde !* cependant que les coordonnées essentielles de l'univers imaginaire de Beaulieu seront établies d'une manière, pour ainsi dire, définitive. À ce titre, il s'agit véritablement du *roman des origines* comme *La fortune des Rougon,* par exemple, l'était pour *Les Rougon-Macquart* de Zola. S'ouvrant significativement sur une épigraphe de Melville, il fixe les paramètres de l'œuvre à venir qui croîtra et fleurira à partir de ce tronc originaire.

La question de l'écriture y est posée à travers deux figures d'écrivains fictifs qui sont eux-mêmes des incarnations, des symbolisations de courants littéraires divergents, en concurrence, dans le champ littéraire québécois de la période.

Steven incarne le mythe romanesque du poète voué à la pratique du sublime : « Il bretonne. Il éluarde. Il rousselle. Il hugonise. Il baudelairise[15] », comme l'écrit Abel d'une manière lourdement ironique au début du roman, ajoutant que, « certains jours, il ressemble à Cocteau[16] ». Plus loin dans le texte il sera comparé par Cardinal à Rimbaud, Verlaine, Nelligan et qualifié de « malade[17] ». Pour Abel, au-delà des persiflages et des sarcasmes, il représente un modèle de pureté et d'exigence, étant le seul membre de la famille

---

14. *Ibid.,* p. 145.

15. *Race de monde !, op. cit.,* p 11. Une seconde version, revue et corrigée, a été publiée par VLB éditeur, en 1979. Il pourrait être instructif de comparer les deux versions du roman et d'examiner ce qui est transformé, et pourquoi. Il semble que les changements soient surtout liés, d'une part, au développement même du projet romanesque de l'auteur, d'autre part, à l'évolution de la conjoncture culturelle et sociale entre les deux temps d'écriture, comme en témoigne l'exemple de la figure de Miron qui prend plus d'importance dans la seconde version, comme c'était le cas dans le « réel ».

16. *Ibid.,* p. 12.

17. *Ibid.,* p. 47.

à posséder le « talent de transfigurer les charognes en divinités[18] », en quoi il s'apparente d'une certaine manière à Hugo.

Abel, lui, serait plutôt du côté de Kerouac, s'imaginant comme le « romancier du siècle » dont la mission est d'éclairer « les abîmes du monde moderne[19] » ; un monde toutefois dont il se tient à distance, qu'il voit comme un spectacle auquel il ne participe pas vraiment. En cela son attitude fait parfois penser à celle d'un Flaubert pour qui l'univers et les hommes n'existent que comme matériaux possibles d'un Livre sans substance, ne tenant que par la force interne du style. À d'autres moments, cependant, il se réclame plutôt d'un réalisme de la quotidienneté, cru, brutal et visant à exprimer la vérité obscène du monde.

À travers ces figures d'écrivains et les discours qu'il leur fait tenir, Beaulieu se situe dans le champ littéraire mondial, se reconnaissant positivement dans la poésie de la génération de Rimbaud et de Baudelaire, dans les œuvres romanesques de Cendrars, Miller, Melville, et se démarquant violemment de la poésie religieuse d'un Claudel, du roman psychologique d'un Mauriac et de la littérature jugée décadente d'un Gide, déjà condamnée dans le journal de 1964-1965. Dans le champ québécois, il paraît davantage partisan de l'écriture populaire, voire vulgaire, d'un Godin et d'un Renaud que de celle plus épurée, sinon évanescente, d'une Lasnier ou d'un Pinsonneault[20], ce qui le situe donc dans la veine réaliste, ou plus précisément néo-réaliste.

C'est sur cette base que Beaulieu construira son œuvre jusqu'au tournant marqué par la publication de *Don Quichotte de la démanche* en 1974. Il se produit alors une crise dont ce roman témoigne, mettant en évidence un déplacement, une reformulation de la question de l'écriture, à la lumière notamment de nouvelles lectures qui viendront s'ajouter aux anciennes références, provoquant du coup un choc en retour sur les enjeux thématiques et formels des œuvres en cours.

---

18. *Ibid.*, p. 62.
19. *Ibid.*, p. 11.
20. On trouve, de même, dans le roman la mise en scène et la critique des diverses formes de la culture québécoise, procès conduisant à un refus de la culture lettrée parce qu'élitiste et de la culture des mass média parce que dégradée. Seule une certaine culture populaire échappe à ce jugement dans la mesure où elle incite à la lecture libératrice.

LA REPRÉSENTATION DE L'ÉCRIVAIN EN
DON QUICHOTTE : DE CERVANTÈS À BROCH

D'entrée de jeu, le paratexte de ce roman nous renvoie à trois textes majeurs de la littérature mondiale. Le titre évoque le célèbre *Don Quichotte* de Cervantès qu'il reprend en le déformant. L'épigraphe renvoie au roman fétiche de Malcomm Lowry, *Au-dessous du volcan,* et la quatrième de couverture à *Alice aux pays des merveilles* de Lewis Carroll. On admettra que ce n'est pas rien et que sont ainsi suggérées d'intéressantes pistes de lecture. Par ailleurs, la lecture du roman en suggère encore une autre, que je tiens pour capitale, même si elle n'est pas aussi ostensiblement affichée que les premières ; il s'agit de *La mort de Virgile* d'Hermann Broch qui me paraît la référence centrale de ce roman de crise.

L'action autour de laquelle s'organise le récit est fort simple ; je la rappelle très rapidement pour indiquer dans quel cadre – spatial, temporel et actantiel – s'inscrit la réflexion sur l'écriture. Le roman s'ouvre par l'évocation d'une crise nerveuse du personnage principal, Abel Beauchemin, en proie à un délire éthylique qui exige son hospitalisation. Il décrit ensuite sa vie quotidienne durant la journée du lendemain : sa visite à la maison paternelle, ses rencontres avec quelques personnages secondaires, dont Jim, un beau-frère intéressé par l'achat d'un bungalow, et Sturgeon, un mystérieux écrivain (raté) doublé d'un détective douteux, la mort de sa chatte, la mère Castor (qui assure la dimension fantastique du récit), divers épisodes scandés par une consommation excessive, infernale de gros gin, un verre chassant l'autre, et qui n'a d'égale que celle du Consul d'*Au-dessous du volcan.*

Sur cette structure élémentaire viennent se greffer les souvenirs et les hallucinations de l'écrivain, flottant comme une épave entre deux delirium tremens ; le roman se termine en effet la nuit suivante par une nouvelle hospitalisation en tous points motivée comme la première[21].

Beaulieu reprend donc à sa manière la structure porteuse d'œuvres célèbres : l'*Ulysse* de Joyce racontant les pérégrinations de

---

21. En cela, ces scènes reprennent un scénario déjà ébauché à la fin de l'ouvrage sur Jack Kerouac dans lequel Abel, stressé par l'écriture de son essai, devait être conduit à l'hôpital pour cause de surexcitation. Comme quoi tout se tient et se répète dans l'œuvre en forme de spirale de Beaulieu.

Léopold Bloom depuis son départ de la maison tôt le matin jusqu'à son retour la nuit suivante où il est attendu par Molly, son épouse, sorte de Pénélope des temps modernes ; *Au-dessous du volcan* de Lowry, centré sur la dérive, durant une journée, de Geoffrey Firmin, dit le Consul, dans les rues d'une petite ville mexicaine, à la recherche du prochain mescal ; *La mort de Virgile* de Broch, axé sur l'agonie du poète à Brindisi qui, en une nuit et un jour, revoit et revit entièrement sa vie.

C'est à l'intérieur de ce cadre simple que surgissent les souvenirs décisifs de l'enfance qui pour un Beaulieu, sans doute plus freudien qu'il ne le croit et ne le veut, sont déterminants. Comme le sont aussi, d'une manière plus médiatisée, ceux qui concernent les ancêtres, évoqués à nouveau ici à travers le projet d'épopée entretenu par Abel à leur endroit. C'est dans ce contexte aussi que les hallucinations naissent, colorées par le délire éthylique, Abel ayant notamment l'impression d'être envahi, pénétré de l'intérieur, comme le Gulliver de Swift, par les membres de la tribu cherchant à faire en lui leur nid ou rêvant d'être visité par la réincarnation québécoise de Don Quichotte.

C'est au sein de ce délire, au cœur de cette perturbation d'allure schizoïde que la problématique de l'écriture est soulevée. Quel est le sens de cette entreprise ? Que signifie-t-elle vraiment ? Pourquoi s'y livre-t-on corps et âme ? Qu'en attend-on au juste ? Qu'elle délivre de l'angoisse, du mal de vivre ? Qu'elle simplifie les rapports à autrui ? Qu'elle serve à lire et à dire la vérité du monde ? Ce sont là autant de questions qu'aborde le roman sur fond de crise : crise personnelle de l'écrivain Abel Beauchemin, aggravée et compliquée par la panne de son imaginaire.

Sur tous les plans, l'écriture apparaît comme un échec. Elle ne libère pas de l'angoisse radicale liée au fait de vivre, ne faisant au contraire que l'exacerber. Elle ne rapproche pas d'autrui et est incapable de rendre compte du malheur du monde. Elle est donc porteuse d'une indigence « totale » et « absolue[22] » : « Tout ne tenait qu'à un fil, qui lui-même ne tenait à rien[23] », ne peut que constater un Abel profondément désespéré. Reste cependant, et en cela le

---

22. *Don Quichotte de la démanche, op. cit.,* p. 202.
23. *Ibid.,* p. 72.

roman se termine malgré tout sur une note optimiste, qu'elle permet à l'écrivain de demeurer avec les siens, fût-ce dans le cadre restreint de l'imaginaire :« Si tout est perdu, s'écrie Abel à la dernière page du récit, il reste au moins ça[24] ».

Ce rappel effectué, qu'en est-il de la référence aux œuvres majeures évoquées dans le paratexte et dans le tissu même du texte à travers le réseau d'allusions et de citations qui ponctuent le récit ? Quel est le statut des intertextes et la fonction exacte qu'ils occupent dans le roman ? En quoi leur repérage et leur prise en compte éclairent-ils la lecture de l'œuvre ?

Le *Don Quichotte* de Cervantès est, sans contredit, la référence la plus explicite : elle figure dans le titre même du roman et à quelques reprises, par des allusions et des citations, dans le corps même du texte[25].

Beaulieu retient essentiellement la dimension mythique rattachée au héros de Cervantès. Celui-ci, on s'en souviendra est un gentilhomme déclassé qui, troublé par la lecture des romans de chevalerie, se métamorphose en chevalier errant à la défense de la veuve et de l'orphelin dans l'Espagne de la Renaissance. Animé des idéaux de la féodalité à une époque où ceux-ci n'ont plus cours, il part à l'aventure, cherchant des ennemis à occire qu'il ne rencontre plus que sous la forme de moulins à vent. Il fait donc l'objet d'un traitement parodique mettant en lumière son profond anachronisme – que Lukács qualifie d'« idéalisme abstrait[26] » –, dans le contexte social où le fait évoluer Cervantès.

L'écrivain qu'incarne Abel, à l'instar de Don Quichotte, apparaît comme un être anachronique, poursuivant en vain des chimères qui ne peuvent que le détruire. En cela, dans le contexte culturel évoqué par Beaulieu, il ne peut jouer au mieux qu'un rôle de trouble-fête, de perturbateur public dont l'action est sans conséquence réelle sur un monde lui-même en démanche. C'est là, à mon sens, l'usage essentiel qui est fait du livre de Cervantès dont l'apport, indépendamment de l'affiche flamboyante que contient le titre du roman de Beaulieu, est assez nettement et étroitement circonscrit.

---

24. *Ibid.*, p. 278.
25. Comme l'illustre, par exemple, un passage repris littéralement du roman de Cervantès , à la page 55.
26. Georg LUKÁCS, *La théorie du roman*, Paris, Denoël/Gonthier, 1963, p. 91-108.

Peut-on en dire autant d'*Au-dessous du volcan* de Lowry ? En entrevue, Beaulieu a eu tendance à en minimiser l'importance au profit de *L'Énéide* de Virgile, considérée comme la grande inspiration du roman[27]. Ce qui, on le verra, n'est pas complètement faux, encore que ce soit à travers Broch que l'influence de Virgile semble s'être exercée et que la présence de Lowry ne se borne pas à la citation donnée en épigraphe. Beaulieu, en effet, a lu, et avec ferveur, *Au-dessous du volcan,* qu'il qualifie, dans une chronique publiée en 1974 dans *Le Devoir,* de « grand roman/lamentation, en vérité l'une des œuvres romanesques du vingtième siècle, rares, dont on ne finit jamais la lecture[28] », opérant en outre un rapprochement intéressant avec le grand poème de Broch et l'*Ulysse* de Joyce ; il s'agit, écrit-il, de « l'existence à l'état pur/écorchement, mots ensanglantés, livre/chair du cauchemar ramassé en une seule journée, piégé – unique, aussi innomable que *La mort de Virgile* du grand Hermann Broch et *Ulysse* et[29.]– ». C'est la structure spatio-temporelle de ces grands textes – l'espace-temps d'une journée dilatée à l'infini – qu'il fait sienne dans son propre roman.

Mais la parenté va beaucoup plus loin, Beaulieu reprenant également deux autres éléments essentiels du roman de Lowry : l'intrigue amoureuse et la figure de l'écrivain alcoolique.

Le drame de Geoffrey Firmin, dit le Consul, à l'époque où se situe l'action du récit, est en effet lié à son rapport de plus en plus problématique à Yvonne, la femme aimée, avec qui il a rompu un an plus tôt au terme d'une liaison orageuse et avec qui il n'arrive plus à reprendre vraiment contact pendant la dernière et fameuse journée qui marque le retour de celle-ci et l'échec définitif de leur passion. Échec d'autant plus radical que cet amour est le seul que le Consul ait jamais éprouvé sur le mode de l'absolu, le seul qui pourrait encore le faire vivre et surmonter le désespoir qui le tue. Mais il n'y arrivera pas, incapable de vaincre la méfiance, la jalousie morbide qui l'anime à l'endroit d'Yvonne, soupçonnée d'infidélité, de trahison avec Jacques Laruelle, un ami, et peut-être même – comment savoir ? – avec Hugh, son propre frère.

---

27. « Victor-Lévy Beaulieu, écrivain professionnel », entrevue avec Jacques Pelletier, *Voix et Images*, vol. 3, n° 2, printemps 1977, p. 183.

28. *Entre la sainteté et le terrorisme, op cit.*, p. 329.

29. *Ibid.*, p 333.

Ce type de rapport empoisonné évoque irrésistiblement la relation de Judith et d'Abel qui s'imagine trompé par celle-ci avec le pharmacien Julien Kaufmann, relayant en quelque sorte le frère Steven, son rival de naguère. Ici aussi l'amour est d'autant plus difficile, fragile et menacé qu'il est absolu et rattaché à la pureté des origines, qu'il a fait l'objet d'un investissement total fondé sur l'idéalisation de la personne aimée, associée à la figure maternelle – la mère qui est, on le sait, le personnage central et dominant dans l'imaginaire d'Abel Beauchemin.

Cette tragédie contemporaine, ce désespoir insurmontable qui afflige Geoffrey Firmin, trouve par ailleurs ses racines dans une enfance malheureuse et trouble qui pousse le Consul à boire d'une manière inconsidérée dès l'adolescence. Elle s'approfondit au cours de la Première Guerre mondiale lorsque, devenu officier de marine, il s'associe à un massacre d'officiers allemands brûlés vifs dans les chaudières de son bateau. Cette tragédie imprime en lui, pour toujours, un vif sentiment de culpabilité, de honte qui le poursuit depuis lors et qu'il fuit à travers une consommation effrénée d'alcool. Il est donc d'abord, comme le décrit le Dr Vigil, un ami, un « malade de l'âme[30] » qui soigne son mal à larges rasades de mescal dans les cantinas mexicaines, ces antres où il vit un véritable enfer. À sa manière, il est également, ainsi qu'il le dit lui-même dans un éclair de lucidité, un Chevalier à la triste figure, un pantin désarticulé livré à une solitude sans appel.

Beaulieu reprend donc à sa façon, et dans le cadre de son propre projet d'écriture, ce personnage d'alcoolique fini et le rapport chaotique qu'il entretient à l'endroit de l'amour et de l'existence en général. Il reprend de même ce qu'on pourrait appeler la structure éthylique du récit – véritable épopée du mescal devenant, dans *Don Quichotte...*, celle du gros gin ! –, avec les avantages que la formule permet : confusion entre le réel et la fiction, intrication des souvenirs et des rêveries, des hallucinations et des observations factuelles dans un mélange hautement explosif.

Les croisements entre le roman de Lowry et le sien sont donc flagrants, ce qui ne veut pas dire qu'ils soient les plus importants et

---

30. Malcom LOWRY, *Au-dessous du volcan*, Paris, Gallimard, coll. « Folio », 1959, p. 258.

les plus significatifs du *Don Quichotte*. Ce qui me paraît être le cas de *La mort de Virgile* d'Hermann Broch.

Ébauchée sous forme de nouvelle en 1937, reprise puis terminée à la fin de la guerre, cette œuvre se présente essentiellement comme une réflexion, une large et profonde méditation sur le sens de la mort et sur les rapports de l'art et de la littérature avec la vie. À travers la figure de Virgile, auteur de *L'Énéide* et écrivain national de la Rome impériale qui s'interroge sur la signification de ses œuvres et de sa vie au moment où, à l'agonie, il est sur le point de la quitter, Broch pose, avec toute son extension et toutes ses consé-quences, la question du statut et de la fonction de la littérature, non seulement dans le contexte romain mais dans celui de l'époque immédiatement contemporaine au sortir de la tragédie nazie et de la Deuxième Guerre mondiale.

Dans ce texte majeur, cet immense poème qui constitue un phénomène nouveau et unique dans la littérature mondiale, l'auteur présente ce qu'il appelle le « monologue intérieur » sous forme « d'auto-commentaire lyrique »[31] du poète au moment où, sur le point de passer à trépas, il est en mesure de porter un regard d'ensemble sur son existence sous l'éclairage cru d'une mort immi-nente.

Conçu sur un mode dramatique, comportant quatre parties, quatre actes si l'on veut, le récit rappelle, dans un premier temps, l'arrivée du poète malade à Brindisi et les réflexions que lui inspire la division en classes sociales étanches de la société romaine. Dans un deuxième temps, il décrit la descente, le retour opéré par Virgile sur sa vie, son enfance, ses amours, son art et le sombre bilan qu'il en dresse l'incitant à vouloir détruire, brûler *L'Énéide* en guise d'ex-piation pour une vie manquée, ratée sur toute la ligne. Dans un troisième temps sont évoquées les discussions qu'il a avec des amis et avec César-Auguste qui s'opposent à son projet, considérant son œuvre comme un bien public sur lequel il n'a désormais plus aucun droit. Enfin, dans la quatrième et dernière partie, le poète meurt,

---

31. Hermann BROCH, « Remarques à propos de *La mort de Virgile* », dans *Création littéraire et connaissance,* Paris, Gallimard, coll. « Tel », 1985, p. 277-278. Monologue qu'il oppose, de manière polémique, à ce qu'il appelle la « manière pointilliste » de Joyce et la « méthode mémorative » de Proust.

retournant ainsi à l'origine, au temps d'avant la naissance, au néant primordial qu'il rejoint dans une grande fusion mystique, dans une communion panthéiste avec l'univers après avoir obtenu le libéra-tion de ses esclaves contre le salut de *L'Énéide* qu'il renonce à brûler.

C'est sur ce schéma narratif, qui privilégie la vision et la parole intérieure de Virgile, que Broch met en place sa problématique de l'écriture. Il la formule d'abord sur le mode d'un refus radical d'une activité perçue comme fuite immobile, quête sur place, adieu sans départ, recherche vaine, sans objet, cantonnée dans l'imaginaire, séparée de la vie, coupée du monde réel et limitée à la poursuite de vérités partielles ne répondant pas vraiment à la question du Sens, des fondements mêmes de l'existence. « Essai désespéré de créer l'impérissable avec des choses périssables[32] », elle est un « jeu de beauté qui a pour règle la jouissance » et sa loi est « étrangère à la connaissance »[33]. En cela, elle fait œuvre de diversion, et le poète est lui-même un « porteur d'ivresse[34] », un amuseur public assimilé à un organisateur des jeux sanguinaires des arènes romaines : il est du côté du mensonge et de la mort.

Cette face sombre de l'écriture est toutefois doublée d'un ver-sant positif. Dans le meilleur des cas, elle est aussi, en effet, quête des raisons dernières, ultimes, de vivre et de mourir : « La plus étrange de toutes les activités humaines, affirme Broch, la seule qui soit consacrée à la connaissance de la mort[35] », et qui fait du poète une sorte de prêtre, un médiateur entre ce qu'il appelle le monde d'en bas et le monde d'en haut. Elle est donc un moyen privilégié d'atteindre l'essentiel : la connaissance de soi et du monde, le « rameau d'or[36] » de la vérité.

Par là, toute œuvre, ajoute-t-il, porte le « germe d'une transcen-dance qui l'élève bien au-delà d'elle-même et de celui qui la porte[37] ». La fonction de la littérature, dans cette optique, n'est donc pas tant de produire de la Beauté, cette vanité, que de susciter une

---

32. Hermann Broch, *La mort de Virgile*, Paris, Gallimard, coll. « L'imaginaire », 1990, p. 116.
33. *Ibid.*, p. 117.
34. *Ibid.*, p. 129.
35. *Ibid.*, p. 78.
36. *Ibid.*, p. 131.
37. *Ibid.*, p. 393.

prise de conscience quant à l'unité fondamentale du monde et à la place de l'homme dans la totalité de l'univers. Contribuer à créer un monde meilleur reposant sur la connaissance et la grande loi de l'amour, telle est la mission essentielle de l'art.

Sur cette base, Virgile se livre à une autocritique féroce de sa pratique littéraire. Ses œuvres lui apparaissent dérisoires : elles n'ont pas changé le monde et ne lui ont pas ouvert les portes de l'amour, seule cause justifiant l'existence, en dernière analyse. Et l'amour lui-même a été vécu comme une abstraction vide de sens, comme une entreprise formelle – comme amour de l'amour relevant donc d'une méprise, d'une illusion, d'une idéalisation et d'une mystification réfractaires à la véritable connaissance.

À cette dégradation des rapports amoureux et de la pratique artistique Broch oppose la vérité du monde de l'enfance, représenté comme figure d'unité, d'harmonie, de sécurité avant que ne se produise la fracture initiale, le départ de cet espace protégé que symbolise aussi l'image (et la nostalgie qu'elle appelle) du pays natal, autre lieu de la totalisation.

C'est cet univers unifié qui est le véritable lieu de l'homme, cet espace qu'il ne cherche au fond qu'à retrouver dans une quête incessante, sous des masques divers, durant toute son existence. Lorsque Virgile écrit son testament, à la fin du récit, lorsqu'il libère ses esclaves, c'est ce passé qui surgit dans sa mémoire, sanctionnant du coup son geste de libération et annonçant sa propre assomption en une mort qui le replonge au sein d'un espace réunifié dans lequel toutes les contradictions, toutes les oppositions sont enfin abolies.

C'est dans la mesure où la littérature peut provoquer une telle prise de conscience qu'elle est légitime, et sans doute nécessaire, aux yeux de Broch[38]. C'est lorsqu'elle fait primer les considérations éthiques et sociales sur les préoccupations esthétiques qu'elle remplit pleinement sa mission. La responsabilité de l'écrivain, par conséquent, est d'aider les hommes à se situer dans le monde en en donnant une représentation d'ensemble, une vision synthétique

---

38. Dans les dernières années de sa vie, Broch, ne croyant guère à ce pouvoir de la littérature, donnait la priorité à ses travaux philosophiques et politiques directement axés sur la transformation culturelle et sociale de l'humanité. Voir ses *Lettres*, éditées par Robert PICK, Paris, Gallimard, coll. « Du monde entier », 1961.

intégrant les visions partielles, ce que Broch appelle les « vocables de réalité » dans une perspective globale reflétant la « cosmogonie du monde ». Accomplissant cela, l'écrivain exerce un travail de connaissance et son œuvre remplit une fonction « gnoséologique » qui la rapproche de l'essai philosophique. C'est cette réflexion sur ce que l'on pourrait appeler les fins de la littérature qui sous-tend l'ensemble de la production romanesque de cet auteur, des *Somnambules* aux *Irresponsables,* et bien sûr, *La mort de Virgile*[39].

Que semble retenir Beaulieu de tout cela ? Et qu'en fait-il dans le *Don Quichotte* ?

Sur le plan formel, je l'ai signalé plus haut, il reprend la structure spatio-temporelle du récit de Broch, elle même inspirée par l'*Ulysse* de Joyce, axant son roman sur la narration détaillée d'une journée dans la vie tourmentée de l'écrivain Abel Beauchemin en proie à une crise existentielle. Sur le plan thématique, il associe, dès la première phrase de l'incipit – « Et puis il comprit qu'il allait mourir. Cette pensée lui vint au beau milieu d'une phrase » –, la question de l'écriture à celle du sens : de la vie, de la mort. C'est ce motif qu'il approfondit essentiellement par la suite, faisant de l'écriture une pratique mortifère qui accentue la séparation de l'écrivain avec le monde et autrui plutôt que d'en favoriser la réconciliation, l'unification. Et cette activité n'a de vérité, de vertu que lorsqu'elle révèle les aspirations de l'homme au dépassement, sa recherche d'un Sens qui puisse assurer un caractère unificateur et totalisant à son existence. C'est sur cette note, timidement esquissée, que se termine *Don Quichotte*... Beaulieu, dans les œuvres à venir, et dès « Les voyageries », en fera toutefois le fondement ultime, la seule raison d'être authentique de sa pratique d'écriture.

Ce rappel met bien en lumière l'importance centrale du récit de Broch dans la genèse et la production du roman. Son apport paraît décisif sur l'essentiel, soit la question de l'écriture et de son rapport à la vie. La référence à Cervantès et à Lowry, dans cette perspective, quoique très réelle et explicite, est sans doute de moindre importance, car circonscrite à la caractérisation de l'anti-héros de Beaulieu. En vérité, si l'on devait signaler une autre influence

---

39. Broch expose longuement ces vues dans les *Lettres,* dans *Création littéraire et connaissance* et dans l'essai sur la « dégradation des valeurs » incorporé dans la troisième partie des *Somnambules.*

majeure dans l'avant-texte, et ce que l'on pourrait appeler le sous-texte, de *Don Quichotte...*, c'est la figure de Joyce et sa théorie de l'épiphanie qu'il faudrait évoquer, Joyce qui est, depuis les débuts, l'écrivain qui, pour Beaulieu, incarne l'Absolu dans l'univers de la littérature.

SOUS LE SIGNE DE JOYCE : L'ÉCRIVAIN-HÉRAULT

L'ombre de Joyce se profile, en effet, depuis les origines dans l'œuvre de Beaulieu. Elle apparaît dès le premier roman à travers un jeu de mots d'un goût douteux sur le patronyme même de Joyce rebaptisé en Jacques Lajoie ! Elle fait l'objet d'un traitement plus approfondi dans *Race de monde !,* Steven étant représenté comme un grand lecteur et un admirateur d'*Ulysse* et comme figure de Poète absolu, ne vivant que pour et par l'art. Elle hante ensuite les pages de *Don Quichotte...*, Abel Beauchemin connaissant à travers la crise de son imaginaire une odyssée qui évoque irrésistiblement celle de Léopold Bloom. Elle figure en creux dans la grande saga des « Voyageries », fait l'objet d'un commentaire important quant à la signification du projet romanesque de Beaulieu dans *N'évoque plus que le désenchantement de ta ténèbre, mon si pauvre Abel* et apparaît sous forme de projets spécifiques de romans au début des années 1980 (*Le livre de Joyce* prévu dans « La vraie saga des Beauchemin », *L'Irlande trop tôt,* conçu comme récit indépendant). Enfin, récemment, Beaulieu affirmait dans une entrevue reconnaître en Joyce le « plus grand auteur occidental du XXe siècle[40] » et confiait qu'il travaille depuis au moins quinze ans à un ouvrage d'ensemble sur son œuvre. On ne saurait mieux signaler l'importance stratégique de cet écrivain comme référence fondamentale, figure d'autorité, source d'inspiration privilégiée de l'auteur de *Steven le hérault.*

Joyce, on le sait, fait subir une transformation révolutionnaire au roman. Avec lui, cette forme d'écriture devient une enquête, une exploration systématique de la conscience, de la psyché de l'homme contemporain, une tentative d'en exprimer la réalité la

---

40. Catherine LAMY et Jean MORENCY, « Entretien avec Victor-Lévy Beaulieu », *Nuit blanche*, printemps 1993, p. 50.

plus profonde à travers, notamment, une méthode qui sera très pratiquée par la suite : le monologue intérieur. Dans *Ulysse,* le monde est perçu et décrit à partir de la vision de Léopold Bloom, à travers sa voix intérieure, le récit semblant se développer d'une manière décousue, procédant d'un mot à l'autre, d'une image à l'autre, dans un incessant mouvement d'aller-retour apparemment sans direction, comme il en va dans le discours du rêve, avec toute la confusion qui caractérise l'étrange logique de l'inconscient. On rencontre donc dans ce prodigieux roman ce que Michel Zéraffa appelle une « coexistence du récit événementiel et du romanesque subjectif[41] ».

Le roman apparaît ainsi comme une manifestation particulièrement révélatrice de la condition et de la conscience de l'homme atomisé de la société moderne, ce solitaire perdu dans la foule, dépossédé d'identité, réduit à un numéro matricule. En cela, il s'offre comme la représentation du désordre, du désarroi contemporain par suite de l'écroulement des valeurs communes qui soutenaient naguère la culture occidentale. Cette évocation est produite par une nouvelle méthode de composition visant à créer ce que Broch appelle un effet de « simultanéité » grâce à des procédés « ésotérico-allégoriques[42] », Joyce recourant à toutes les possibilités sur le plan linguistique, intégrant l'ensemble des discours, de la politique à la publicité, en passant par les références mythologiques et les lieux communs, exprimant tout aussi bien les discours les plus singuliers que la vaste rumeur du monde. Son œuvre se présente de la sorte comme un lieu de rencontre des langages, un carrefour polyphonique, comme un laboratoire et un révélateur des contradictions de l'époque moderne dont *Ulysse* est une puissante allégorie, une métaphore vive, une épiphanie pour reprendre les termes mêmes de Joyce.

Fasciné par le caractère radicalement innovateur, inventif, de l'entreprise joycienne, Beaulieu sera également frappé par le fait que cette expérience trouve ses racines dans le contexte bien spécifique de la société irlandaise du début du siècle. Contexte qui présente des parentés évidentes avec celui du Québec d'avant la Révolution tranquille et que Joyce évoque largement dans les récits

---

41. Michel ZÉRAFFA, *La révolution romanesque,* Paris, Klincksieck, 1969, p. 225.
42. Hermann BROCH, *Création littéraire et connaissance, op. cit.,* p. 196-197.

autobiographiques de sa jeunesse : *Dedalus, Stephen le héros* et *Gens de Dublin.*

Dans ces œuvres centrées sur le personnage de Stephen Dedalus, il décrit dans le détail les cadres familiaux et sociaux d'une Irlande conservatrice, patriarcale, dominée par l'Église romaine et l'Empire britannique. Enfant, puis jeune adolescent, Stephen Dedalus est élevé dans un univers régi par l'idée de péché et contrôlé par un clergé politiquement réactionnaire et moralement puritain, qui fait régner un ordre rigide sur une société dépossédée économiquement et culturellement. Évoluant dans un contexte social aliénant, ployant sous la charge d'une culpabilité aussi lourde qu'imprécise, soigneusement entretenue dans le cadre des fameuses retraites fermées qui ponctuent de manière frénétique, délirante, la vie quotidienne de l'époque, Stephen Dedalus en viendra progressivement à se révolter contre l'Irlande, cette « vieille truie qui dévore sa portée[43] ».

C'est cette rébellion qui constitue le cœur de *Stephen le héros.* Joyce décrit le jeune homme comme un adolescent rêveur, de tempérament artiste, comme un grand lecteur et admirateur de Byron, Hugo, Ibsen, Dante, qui se sent isolé au milieu d'une famille pauvre, dévorée par le quotidien, incapable d'accorder une place significative à la culture. Celui-ci opérera peu à peu une rupture définitive d'abord avec l'univers familial dont il rejette les valeurs, ensuite avec l'univers religieux, critiquant l'hypocrisie des curés puis les fondements mêmes de la croyance, enfin avec l'univers social irlandais et l'idéologie clérico-nationaliste qui le domine de part en part.

C'est donc le portrait d'un artiste et de la naissance d'une nation que Joyce dresse dans ce roman fondateur. À travers la réflexion esthétique de son héros, il formule en outre une théorie de la création qui servira de fondement à ses propres productions, de ces récits initiaux jusqu'à, et y compris, *Ulysse.* Au cœur de cette théorie, il place le poète en tant que « centre essentiel de la vie de son époque, avec laquelle nul autre n'a de rapports plus essentiels que les siens ». Lui seul, ajoute-t-il, est capable d'absorber la vie

---

43. James JOYCE, *Dedalus. Portrait de l'artiste jeune par lui-même,* Paris, Gallimard, coll. « Folio », 1943, p. 297.

quotidienne et de la projeter à nouveau dans l'espace parmi les musiques planétaires »[44]. En cela, précise-t-il encore ailleurs, « l'art n'est pas une expression hors de la vie. Il est exactement le contraire de cela. L'art c'est l'expression même, l'expression centrale de la vie[45] ».

Cette « expression centrale de la vie », l'écrivain la rendra par ce que Joyce appelle des épiphanies, notion capitale de sa conception de l'écriture. Par épiphanies, écrit-il, parlant de Stephen, « il entendait une soudaine manifestation spirituelle, se traduisant par la vulgarité de la parole ou du geste ou bien par quelque phrase mémorable de la mentalité même. Il pensait qu'il incombe à l'homme de lettres de noter ces épiphanies avec un soin extrême car elles représentent les instants les plus délicats et les plus fugitifs[46] ». Cette notion est mise en forme dans les récits « autobiographiques » et dans les nouvelles réunies dans *Gens de Dublin,* axées sur un épisode apparemment insignifiant de la vie quotidienne d'un personnage qui prend soudain, par la prise de conscience qu'il déclenche, par l'illumination qu'il provoque, une signification plus large, exprimant d'une manière synthétique le caractère inéluctable, figé pour l'éternité, d'un destin. D'une certaine manière, *Ulysse* constitue une illustration de ce principe, appliqué à l'échelle d'un roman conçu comme une métaphore de la condition humaine dans le monde moderne.

Dans *N'évoque plus que le désenchantement…,* publié en 1976, Beaulieu, tout en étant conscient du caractère transhistorique du roman, de sa dimension en quelque sorte métaphysique, se montre particulièrement sensible à son appartenance nationale, à la tentative désespérée à laquelle se livre Joyce pour tout à la fois exprimer l'Irlande et s'en détacher définitivement, en prenant ses distances à l'endroit d'un univers étouffant qui a cependant connu la grandeur dans le monde celtique d'avant l'occupation anglaise et qui pourrait éventuellement la retrouver en se délivrant de la double tutelle de l'Église et de l'Empire britannique. C'est dans la mesure où l'œuvre de Joyce témoigne de cette aliénation et de cette grandeur qu'elle lui est si précieuse.

---

44. James Joyce, *Stephen le héros,* Paris, Gallimard, 1948, p. 79.
45. *Ibid.,* p. 85.
46. *Ibid.,* p. 216.

C'est dans cette perspective qu'il la rapproche de celle de Jacques Ferron, équivalent québécois de Joyce, figure locale de la plus haute autorité à qui il a manqué, pour créer un chef-d'œuvre comme *Ulysse,* un élément essentiel : un héros porté par un mythe fondateur. Or, observe Beaulieu, contrairement à ce qui se passe dans *Don Quichotte* ou dans *Ulysse,* la mythologie se trouve en avant du héros dans *Le ciel de Québec,* « dans ce qui doit devenir et n'est pas encore devenu [47] ». D'où les limites objectives, infranchissables, qui s'opposeraient au projet épique de Ferron ; d'où aussi les limites qui conditionnent sa propre entreprise et l'impossibilité de « faire venir l'œuvre [48] » dans un contexte de flottement, de perpétuelle hésitation, de non-avènement historique.

Cette problématique, développée dans *Don Quichotte de la démanche,* réactivée ensuite dans *N'évoque plus que le désenchantement...* et dans *Discours de Samm,* roman qui clôt « Les voyageries » et assure la transition entre ce cycle et « La vraie saga des Beauchemin », sert de fil conducteur, de principe de structuration à *Steven le hérault,* roman publié en 1985 qui marque la relance du projet originaire de Beaulieu après une mise entre parenthèses de dix ans.

Le titre du roman renvoie ostensiblement à Joyce, sauf que le héros du titre joycien est ici métamorphosé en hérault, c'est-à-dire en personnage qui appelle et commente l'action plus qu'il ne la fait. Steven, personnage central du roman, incarne depuis *Race de monde !,* on s'en souviendra, la figure du poète sublime dans l'œuvre de Beaulieu. Quittant le Québec au milieu des années 1960, il vit depuis lors à Paris, gagnant sa croûte comme correcteur d'épreuves, lisant et traduisant Joyce, écrivant des lettres quotidiennes à son frère Abel et d'énormes manuscrits en vers sous l'aile protectrice de sa sœur Gabriella, sa muse et compagne de vie.

Le récit s'ouvre sur son retour à Montréal après quinze ans d'absence, sur un appel de la famille qui se désagrège, se défait à l'image d'un pays lui-même en décomposition, devenu une société de fauteuils roulants [...] une réunion de moignons dérisoires [49] »,

---

47. *N'évoque plus que le désenchantement de ta ténèbre, mon si pauvre Abel, op. cit.,* p. 151.
48. *Ibid.,* p. 150.
49. *Steven le hérault, op. cit.,* p. 117.

un monde « déclassé par une pauvreté sans retour[50] » après l'échec référendaire de mai 1980.

Dans ce drame familial et sociétal se terminant en tragédie, quel rôle Beaulieu confie-t-il à l'auteur d'*Ulysse* ?

Pour Steven, je l'ai déjà signalé, Joyce fait figure de grand écrivain totalement voué à son art, de prêtre de la littérature célébrant le culte de la beauté absolue. Pour Abel, il incarne une sorte de frère jumeau, de double antérieur ayant déjà vécu une expérience analogue à celle qu'il éprouve lui-même actuellement. Il se reconnaît donc dans le sombre destin de l'auteur de *Dedalus*, dans ce qui lui apparaît sa vérité profonde : « que James Joyce était malheureux comme un chien parce que sa femme ne comprenait rien à ce qu'il écrivait, que sa fille était fêlée du chaudron et que lui-même, privé de l'historicité irlandaise, ne pouvait plus que devenir un alcoolique rabâcheur, presque aveugle comme le sont tous les rabâcheurs, et obligé malgré tout de s'appuyer sur la langue anglaise pour ne pas sombrer, corps et âme, dans les eaux purulentes de l'écriture fantasmatique[51] ».

Sur un autre plan, reprenant en termes romanesques une analyse déjà formulée dans *N'évoque plus que le désenchantement...*, Beaulieu compare le projet d'Abel de créer un mythe québécois mobilisateur à celui réalisé par Joyce dans *Ulysse* pour rendre compte du drame irlandais. Et il conclut à son échec inéluctable en raison de l'impossibilité de l'édifier à partir d'un véritable héros québécois, « cette bizarre créature qui, pour avoir toujours eu un pied dans le Vieux Monde et l'autre dans la nouvelle Amérique, mais sans rien choisir vraiment, ne s'était toujours que retrouvé le cul dans l'eau, déliquescent et plaignard[52] ». Sans héros digne de ce nom, sans mythologie, sans histoire, le Québec, comme l'œuvre qui lui est liée, semble voué à demeurer dans les limbes aussi bien de la société que de la culture et de la littérature mondiales.

En somme, ce que Joyce fournit à Beaulieu c'est d'abord un exemple. Celui d'un écrivain appartenant à un petit pays, s'y

---

50. *Ibid.*, p. 157.
51. *Ibid.*, p. 178.
52. *Ibid.*, p. 179.

sentant à l'étroit, s'y opposant férocement dans un curieux rapport d'amour-haine, en nourrissant son imaginaire pour produire une œuvre qui en est à la fois la dénégation violente et l'expression la plus haute.

C'est ensuite une théorie et une pratique de l'écriture qui trouve ses fondements dans la célèbre notion des épiphanies. Celle-ci favorise un type de récit à ligne simple, dépouillée, sans véritable action, sans péripéties majeures, permettant cependant le surgissement d'illuminations, de révélations fulgurantes sur le destin des personnages qui y sont évoqués. C'est cette conception de l'écriture qu'on rencontre dans les romans de Beaulieu, reposant sur une action réduite à l'essentiel, favorisant de nombreuses plongées dans le passé et l'imaginaire des personnages et exprimant ainsi leur réalité et leur vérité profondes. En cela, ils se présentent comme autant d'épiphanies d'un monde québécois encore et toujours à inventer.

QUELQUES OBSERVATIONS EN FORME DE CONCLUSION (TRÈS PROVISOIRE)

Au terme de ce rappel opéré à partir de prélèvements significatifs, on peut, en guise de conclusion, formuler quelques observations d'ordre général sur l'œuvre de Beaulieu.

Première observation : cette production fait l'objet d'une intense, d'une débordante activité intertextuelle, si bien qu'on peut justement parler, pour la décrire, d'une intertextualité généralisée qui prend la forme explicite d'essais critiques sur un certain nombre d'écrivains considérés comme particulièrement intéressants et qui inscrit ces auteurs, et d'autres, dans la texture même des récits de fiction.

J'en ai donné ici quelques exemples particulièrement riches. Mais il ne s'agit, je le signale, que d'un échantillon : de nombreux autres cas auraient pu être longuement évoqués : le travail à partir de Beckett dans *En attendant Trudot*, celui sur Ferron dans *Les chians*, celui sur le mythe de Prométhée dans *Cérémonial pour l'assassinat d'un ministre*, celui sur Shakespeare dans *Hamlet en Québec*, sans compter la référence capitale à Proust dans

L'héritage, cette singulière recherche du temps perdu, et à Tolstoï dans la pièce de théâtre et l'essai inspirés tout récemment par le grand auteur russe[53].

D'un bout de l'œuvre à l'autre, des *Mémoires d'outre-tonneau* à *Monsieur de Voltaire,* les livres naissent ainsi des livres, générés par la lecture et l'appropriation des discours d'autrui réinterprétés et réinscrits dans le corps même de l'entreprise en cours, sur le mode d'une expansion envahissante, recouvrant et submergeant tout ce qu'elle rencontre sur son chemin.

Deuxième observation : le rapport à l'Autre, dans les fictions comme dans les ouvrages critiques, s'établit à travers deux modalités, à la fois opposées et complémentaires.

L'attitude de Beaulieu repose, pour une part, sur la vénération, la célébration de la figure et de l'œuvre des auteurs dont il parle dans ses essais ou qu'il recrée dans ses textes de fiction. Elle prend parfois la forme d'un véritable culte voué aux écrivains fétiches devant lesquels il se prosterne en humble fidèle. Il s'agit là d'une posture qui vaut pour Hugo comme pour Ferron, pour Melville comme pour Tolstoï, pour tous en somme à l'exception peut-être d'un Kerouac tenu pour victime exemplaire, symbole dérisoire d'un Canada français fragile, miné de l'intérieur, promis à la désagrégation et à un déclin inévitable.

Cette attitude s'appuie, d'autre part, sur une appropriation, un accaparement, voire un détournement pour son propre compte de l'œuvre d'autrui. Melville, à titre d'exemple, fait l'objet d'une profonde admiration : c'est, avec Joyce et Ferron, le troisième membre de la trinité divine incarnant la figure de la plus haute autorité, mais c'est aussi, avec le Père, un adjuvant, un soutien d'Abel soumis au désir mégalomaniaque de celui-ci, à son ambition démesurée, excessive de parvenir à produire l'ouvrage décisif qui pourrait rendre compte de tout, du monde aussi bien que de soi.

Beaulieu en somme, se nourrit d'autrui et, en véritable Moloch, le digère, le transforme à son image non sans parfois une certaine

---

53. Je mets en relief ce phénomène dans les analyses de ces œuvres, mais je ne m'y attarde pas de manière détaillée et exhaustive vu que mon propos central n'est pas de produire ce type d'étude très spécialisée.

tendance à l'usurpation, ce qu'il a d'ailleurs reconnu lui-même dans le cas de Ferron, l'hommage aux disparus pouvant s'apparenter à l'occasion à une captation d'héritage. En quoi l'écrivain est une sorte de pillard, un prédateur fondant avec voracité sur ses proies, se livrant à une véritable curée, dévorant l'autre et l'annexant à sa propre entreprise placée au-dessus de tout.

Troisième observation : si l'intertextualité constitue une dimension importante de l'œuvre de Beaulieu, on ne saurait toutefois la réduire à cela. Les livres, on l'a vu, naissent des livres mais aussi des rapports concrets à autrui et au monde, de l'expérience et de ce que certains appellent dédaigneusement le vécu.

Le témoignage de l'écrivain est formel là-dessus dans *N'évoque plus que le désenchantement...* : il n'existe pas pour lui, affirme-t-il, « d'espace littéraire », de champ clos de l'écriture. L'œuvre se nourrit, s'enrichit de tout ce qui est vécu dans l'expérience quotidienne : les tâches domestiques, le travail aussi bien que l'amour, l'amitié, les rencontres : « Ça aussi s'appelle l'écriture, car ça aussi c'est par quoi je suis vécu dans mon quotidien des mots, sans mythe, ni même que sans histoire[54] ». La création, en cela, exprime d'abord un rapport personnel au monde, une manière singulière de s'y situer et d'y inscrire, à travers l'œuvre, ses préoccupations propres.

Autrui n'est donc pas présent dans les textes uniquement à travers les livres de littérature. L'œuvre se construit dans un rapport plus large, plus englobant à un milieu culturel et social. Le dialogisme, pour reprendre l'expression bakhtinienne bien connue, ne saurait être ramené à une intertextualité étroite, l'écrivain puisant son inspiration et son élan aussi, et peut-être d'abord, dans sa propre histoire et dans la culture – la petite comme la grande – à laquelle il appartient.

Il n'y a pas chez Beaulieu, contrairement à ce qui a pu se développer progressivement chez Aquin par exemple, d'enfermement dans une perspective strictement littéraire : les articles et ouvrages qu'il a consacrés à la culture populaire, les entretiens qu'il a eus avec des animateurs culturels importants – Roger Lemelin, Gratien Gélinas –, sa production télévisuelle comme ses prises de position dans les

---

54. *N'évoque plus que le désenchantement de ta ténèbre, mon si pauvre Abel, op. cit.* p. 84.

débats publics en sont autant de témoignages éloquents. Écrivain totalement engagé dans son œuvre, paraissant tout lui sacrifier, il n'est pas pour autant prisonnier de « l'espace littéraire ».

Quatrième observation : la pratique intertextuelle fait vraiment sens lorsqu'elle est replacée dans le cadre du projet qui porte Beaulieu depuis les origines, qu'elle est envisagée à la lumière du mythe fondateur qui l'anime : celui d'exprimer la réalité, la vérité de la condition québécoise à travers une symbolisation, une figuration s'offrant comme un miroir dans lequel ce peuple pourrait se reconnaître et éventuellement se transformer et accéder à la pleine existence historique.

On remarquera – et ce n'est pas un hasard – que plusieurs figures d'écrivains vénérés possèdent un statut « d'écrivain national », de Hugo à Joyce, en passant par Ferron, Melville, Tolstoï et, dans une moindre mesure bien sûr, Kerouac. De par leurs expériences aussi bien que leurs œuvres Beaulieu pense et définit son propre rapport à l'Histoire et à l'écriture, concevant celle-ci comme métaphore, gonflement du collectif autant qu'expression de soi et de ses hantises.

Cinquième (et dernière) observation : si les études sur l'intertextualité présentent un intérêt évident, éclairant un niveau de signification important des textes littéraires, elles n'en représentent pas moins des limites. Efficaces pour éclairer et expliquer des phénomènes locaux, particuliers, elles ne sauraient prétendre rendre compte à elles seules du sens global des œuvres. Leur apport est donc nettement circonscrit et on aurait intérêt, dans une critique à portée plus générale, à les intégrer comme éléments d'une démarche plus large et plus synthétique.

Ces études sont également menacées par un autre danger que Péguy, dans une formule célèbre, décrivait comme la méthode de la « grande ceinture », consistant à faire longuement le tour des environs de l'œuvre plutôt que de l'aborder directement et résolument dans son cœur même. Ce genre d'excursion, de détour, peut prendre la forme de la biographie et de l'histoire littéraire, bien entendu, mais aussi celle d'études en principe plus immanentes au texte comme celle-ci.

Si Hugo, Joyce, Ferron éclairent incontestablement l'œuvre de Beaulieu, la connaissance de leurs productions ne saurait se substituer à celle de l'objet principal de la recherche. Ce qui importe donc, ce n'est pas tant de connaître quelles influences objectives s'exercent de l'extérieur sur un auteur, que de comprendre quel usage, quelle transformation celui-ci fait subir à ces influences dans le cadre de sa propre entreprise, comment en somme il inscrit les œuvres d'autrui et les « vocables de réalité » qui nourrissent son imaginaire dans une pratique singulière d'écriture.

De ce point de vue, l'œuvre de Beaulieu, on l'aura compris, est particulièrement intéressante et peut-être la plus riche de toute la littérature québécoise.

LE THÉÂTRE DE TOUS LES EXCÈS

LA VEINE DU FOLKLORE ET DE LA PETITE HISTOIRE

Si Beaulieu se définit spontanément comme romancier et essayiste, voire comme auteur de téléfeuilletons, il se reconnaît moins facilement comme dramaturge, bien qu'il ait pourtant écrit et publié jusqu'à maintenant une bonne dizaine de pièces, dont certaines ont remporté un succès considérable.

Son rapport au théâtre est ressenti sur le mode du specticisme, Beaulieu semblant croire qu'il ne s'agit pas là de la meilleure part de son œuvre. S'il persiste tout de même dans cette voie, c'est qu'il estime que le théâtre constitue l'art social par excellence car il réunit, dans le cadre d'un même travail, d'une même production, un auteur, un metteur en scène, des techniciens de diverses disciplines. Ces intervenants créent ensemble, dans un constant échange, une œuvre qui s'adresse à un large public réuni durant le spectacle en un espace-temps commun et constituant de la sorte un collectif sur lequel l'auteur peut exercer une influence directe, avec lequel il entre en communication réelle, ce qui n'est pas le cas dans la lecture où la relation ne s'établit jamais qu'en différé, qu'en après-coup et sans qu'il y ait véritable échange.

L'expérience théâtrale de Beaulieu remonte au début des années 1970, alors qu'il s'est déjà fait reconnaître comme romancier et essayiste prometteur, et naît d'une « commande ». C'est en effet à une demande de Michelle Rossignol qu'il répond en 1973 par la création de *Ma Corriveau*, premier texte de lui mis en scène par la célèbre comédienne. Cette pièce, il importe de le signaler, s'inscrit dans le prolongement direct de son intérêt pour les conteurs de la fin du XIXe siècle (Honoré Beaugrand, Louis Fréchette, Faucher de Saint-Maurice) et pour la littérature populaire évoquant la « petite vie » des marginaux en tous genres de la société québécoise (monographies paroissiales, hagiographies, légendes racontant la vie des couches populaires)[1].

Dans la « présentation » de la pièce, Beaulieu situe explicitement son texte dans la filiation du conte dont l'intérêt résiderait d'abord dans le langage, dans la liberté parolière que s'accorde généreusement l'auteur plutôt que dans son contenu folklorique qu'il estime très « restreint[2] ». À partir d'un usage dynamique et souverain de la langue et de la parole, il se propose donc de créer un univers magique pouvant produire sur les spectateurs et ensuite sur les lecteurs un « état d'envoûtement » (p. 11) qui les ferait participer activement à la réalité de ce monde régi par le merveilleux.

La pièce est ainsi conçue comme une « suite d'épiphanies folkloriques » (p. 12) ne prétendant en rien rétablir la vérité du légendaire personnage et de ses gestes troublants. Elle est revendiquée comme une fable se réclamant pleinement de l'imaginaire et s'autorisant toutes les libertés à l'endroit du « réel ». Ce qui intéresse d'abord l'auteur, c'est la magie, un certain usage ludique de la langue, et la symbolique que permet aussi de déployer le personnage de la Corriveau en tant que figure de la révolte et de la liberté.

La pièce s'ouvre sur un prologue d'une vingtaine de pages mettant en scène des personnages de conteurs devenus très familiers à l'imaginaire québécois : Jos Violon, Tom Caribou, Fefi Labranche, convoqués par le plus célèbre d'entre eux, Jos Violon, qui entend leur raconter la « légende » (p. 18) de la Corriveau. Ce morceau est constitué pour l'essentiel des répliques colorées des conteurs qui évoquent, sur un mode à la fois nostalgique et joyeux, l'univers du folklore local : la légende de la chasse-galerie (p. 29-30), la présence des « marionnettes » du Grand-Nord et de Montréal (p. 33-34), créatures oniriques souvent nées d'un usage généreux de « p'tit blanc », cette divine liqueur qui enflamme l'imagination déjà fertile de ces grands parleurs.

Cette période de réchauffement terminée, la pièce se resserre sur le personnage de la Corriveau et prend la forme d'un procès

---

1. À la même époque, il prépare son fameux *Manuel de la petite littérature du Québec* qu'il publiera chez L'Aurore en 1974.

2. *Ma Corriveau*, suivi de *La sorcellerie en finale sexuée. Théâtre*, Montréal, VLB éditeur, 1976, p. 9. Les références des citations tirées de cette pièce seront dorénavant placées entre parenthèses dans le texte.

instruit par un juge britannique. Ce personnage est joué par Tom Caribou qui est, comme on le sait, un gros buveur. Il s'agit donc plus exactement de la parodie d'un procès et d'une satire féroce de l'occupation anglaise qui, à travers cette cause, est l'objet d'une dénonciation très ferme bien qu'énoncée sur le mode humoristique. La pièce, en cela, présente une incontestable dimension politique, comme en témoignent également les allusions aux « séparatisses » (p. 44) dans la bouche du juge qui se montre horrifié par l'immoralité et l'ivrognerie des Canadiens français, travers qui seraient incarnés de manière exemplaire par la Corriveau.

La meurtrière est représentée comme un personnage double. La Corriveau « blanche » tente de se disculper devant le juge de l'assassinat de ses deux maris. Elle n'admet pas ses crimes ou, à tout le moins, tente d'en atténuer la portée, de les légitimer en tant que réponses, sans doute inappropriées, excessives, aux agressions de ses ex-conjoints dont elle aurait été une « victime ». La Corriveau « noire », au contraire, assume les meurtres de ses maris comme elle assume sa sexualité, défendant son « devoir d'les occire » (p. 56) comme elle revendique son droit au plaisir. Il s'agit donc d'un personnage contrasté, ambivalent, partagé entre deux modèles, celui de la femme soumise socialement valorisé et celui de l'insurgée, de la femme rebelle, critique de l'ordre établi.

La pièce se termine sur la célébration de cette facette du personnage. La Corriveau, déchaînée, entend en effet s'opposer à « l'esclavage », à la « peur », à la « répression » et veut « r'virer l'Kébec à l'envers » (p. 80) pour en finir une fois pour toutes avec le folklore de la domination. Le personnage et la pièce, en conclusion, échappent par là à l'univers du merveilleux et rejoignent l'actualité en s'inscrivant dans le cadre du processus de libération nationale en cours depuis la Révolution tranquille. C'est à la lumière de cette lutte que la pièce, au-delà du folklore, rencontre en quelque sorte son « historicisation ».

Ma Corriveau est suivie par un texte d'accompagnement qui exprime la fascination de Beaulieu pour ce qu'il appelle les « Mongols » (p. 87), pour les infirmes en tous genres, aussi bien de l'esprit que du corps, pour les marginaux et les fous.

Sur le plan historique, la Sorcière en représente un cas de figure particulièrement intéressant. Produit de l'Église et de ses agents les plus pervers, elle apparaît comme une victime exemplaire, comme un bouc émissaire chargé d'expier les crimes du monde, à commencer par ceux de ses bourreaux. L'Église fabrique ses sorcières comme elle créera les hérétiques qu'il lui faut pour que puisse se mettre en place et sévir, dans toute son horreur, la Sainte Inquisition. Le romancier évoque non sans quelque complaisance les diverses tortures, plus affreuses les unes que les autres, alors utilisées contre les sorcières et les infidèles. Ces méthodes seront reprises et raffinées, si l'on ose dire, dans la gestion ultérieure de la folie au sein des asiles et autres hauts lieux d'enfermement, et transposées, sur le plan littéraire, par Sade, ce « saint de la Mardeté » (p. 109), ce chrétien retourné et dévoyé, cet archange de la pourriture.

La Corriveau s'inscrit pour lui dans cette filiation. C'est à sa manière une sorcière, la seule au Québec à avoir assumé le « Mal intégral et figurant à elle seule tout le démonisme d'ici » (p. 114). Mais c'est aussi, et en cela même, une figure de liberté, de révolte, qui s'oppose au monde de la soumission et du conformisme et qui appelle à l'insurrection par son exemple même.

Il faut, conclut Beaulieu dans une envolée aussi passionnée qu'échevelée, « inventer le monde fou, aller plus loin que le dérèglement de tous les sens du bon Rimbaud » (p. 115), hurler sa fureur et sa joie « d'être les sauvages de la déraison » (p. 116) dans un monde programmé et normé, fondé sur la répression des forces vives et créatrices de l'humanité. C'est par ce plaidoyer lyrique que se termine l'ouvrage, le plaçant ainsi sur un autre registre, beaucoup plus grave que celui du merveilleux projeté à l'origine, le faisant osciller entre folklore et tragédie.

Quelque chose d'analogue va se produire avec *La tête de Monsieur Ferron ou les Chians* créée et publiée cinq ans plus tard, en 1979. Le titre de la pièce, en lui-même, est énigmatique : il met l'accent sur le personnage de Ferron, laissant entendre que celui-ci occupera le centre de la représentation alors que, dans les faits, il n'en est rien. Il comporte avec les « Chians » un néologisme qui ne peut qu'intriguer. Et il qualifie le texte génériquement comme une « épopée » qui serait « drolatique », ce qui constitue pour le moins un paradoxe.

Une épopée, c'est au contraire l'expression symbolique d'une collectivité à travers l'idéalisation d'un héros glorieux et de ses exploits, comme l'a bien montré Gáorg Lukács dans *La théorie du roman*. L'épique appartient donc au registre du grave, du sérieux ; il ne saurait être « drolatique » qu'en se dégradant. En caractérisant ainsi sa pièce, Beaulieu semble donc la placer d'emblée sur un mode mineur, la désigner comme une pochade, farce destinée plus à amuser qu'à « instruire ».

Pourtant, dans « l'introduction » qui précède le texte, le dramaturge n'insiste pas tellement sur cette dimension ludique de l'œuvre, bien au contraire ; il souligne avec une certaine gravité toute l'importance du *Ciel de Québec* de Ferron, dont il a tiré pour l'essentiel l'inspiration et la substance de sa propre pièce. Avec ce roman, contenant une « fresque exemplaire de la société québécoise dans la fin des années trente[3] », Ferron n'aurait tenté rien de moins que de « faire naître l'écriture épique dont la grande fonction, comme on sait, est de rendre possible le mythe » (p. 11), et ce à travers une « grandiose épiphanie » (p. 12).

Au centre de cette épiphanie, technique d'écriture qui chez un James Joyce consistait à révéler de manière fulgurante un destin à travers un épisode bref mais privilégié et exemplaire d'une vie, il y a le personnage de Rédempteur Faucher, une sorte d'Enfant Jésus, de Messie, apparu en terre québécoise comme signe et annonce d'un possible salut pour la collectivité. C'est autour de ce personnage de « sauveur » que la pièce se structure et que s'affrontent les deux collectivités qui en réclament la « paternité » : les élites canadiennes-françaises représentées par l'épiscopat, les Amérindiens et Métis dépossédés. Chacune à leur manière, ces deux communautés n'attendent rien de moins qu'un miracle ; la pièce est construite sur cette attente et sur les stratégies qu'elle implique de part et d'autre.

Le motif principal de l'œuvre est donc « emprunté » au grand roman de Ferron. Beaulieu, par ailleurs, met celui-ci en scène en tant que personnage pour illustrer les « mécanismes de la création » (p. 16) et pour lui rendre un hommage particulier, le tenant, comme on sait, pour le « plus grand écrivain que le Québec ait jamais

---

3. *La tête de Monsieur Ferron ou les Chians, une épopée drôlatique tirée du* Ciel de Québec *de Jacques Ferron*, Montréal, VLB éditeur, 1979, p. 11. Les références des citations tirées de cette pièce seront dorénavant placées entre parenthèses dans le texte.

produit » (p. 16)[4]. À travers cette filiation il manifeste à nouveau son intérêt pour le folklore et la petite histoire, si prisée par le célèbre auteur des *Historiettes*, grand initiateur de Beaulieu dans ce curieux univers.

L'action qui sert de structure porteuse à l'argument de la pièce est fort simple. À l'occasion d'une visite épiscopale au Bourg des Chiquettes, une annexe du gros village de Saint-Magloire, une délégation d'évêques québécois est immobilisée dans un ruisseau par suite d'un accident de voiture. Le chauffeur des évêques, un Inuit, se rend alors au Bourg des Chiquettes – promis à devenir Sainte-Eulalie – où il espère trouver du secours. Au même moment, dans ce lieu providentiel, naît Rédempteur Faucher, le nouveau Messie, que tenteront de s'approprier les évêques d'une part, les Amérindiens et les Métis des Chiquettes de l'autre. C'est cette reconnaissance et cette appropriation qui constituent l'enjeu majeur des *Chians* sur le plan symbolique.

D'un côté donc le groupe des prélats qui fait l'objet d'une représentation satirique, voire burlesque par moments. La délégation épiscopale consiste en un curieux équipage formé d'un évêque conservateur, irascible et un peu toqué, Mgr Cyrille Gagnon, d'un évêque libéral et original, critique littéraire et poète à ses heures, le célèbre Mgr Camille Roy, et du cardinal Rodrigue Villeneuve, archevêque de Québec et ancien missionnaire oblat.

Le personnage de Mgr Cyrille paraît particulièrement ridicule, notamment lorsqu'à la vue des « Chians » des Chiquettes il devient hystérique et se met à hurler en appelant à la guerre sainte contre ces possédés du démon, ou lorsqu'il se propose, à la requête de sa maman, d'aller la chercher en aéroplane doré sur le toit de sa maison où, pauvre folle, elle s'est réfugiée ! Tout au long de la pièce il joue surtout un rôle de figuration, illustrant la dimension illuminée et délirante que revêt une religion conçue et pratiquée de manière fanatique.

Mgr Camille est décrit comme un ecclésiastique ouvert sur le plan idéologique, comme un rêveur aussi, préoccupé d'abord de littérature et par sa propre poésie dont, à tout moment, il récite

---

4. Cette représentation n'ira pas sans poser de problèmes, notamment dans le traitement de la vie privée de Ferron ; j'aborde plus longuement cette question dans le prochain chapitre de cet ouvrage.

quelques vers pour le plus grand amusement de ses auditeurs (et des lecteurs). Provincial, il s'identifie essentiellement à Québec dont il défend le « point de vue » avec toute sa « pompe de poète du Séminaire de Québec » (p. 28). Il s'oppose par sa sagesse, sa bonhomie, à la folie furieuse incarnée par Mgr Cyrille et plus encore par son protégé, l'abbé Louis-de-Gonzague Bessette, un vicaire dément et incendiaire enfermé à Saint-Michel Archange. Dans son délire, celui-ci reprend à son compte l'épopée des zouaves sur le mode de la célébration frissonnante, et il entend la prolonger dans sa future mission de curé de Sainte-Eulalie qu'il faudra débarrasser des infidèles, Amérindiens et autres métèques en tous genres, en les convertissant par la force si nécessaire, en les purifiant dans un baptême de sang.

Le cardinal Villeneuve, enfin, dernier membre du triumvirat, apparaît comme un sage, un fin politique ayant appris la diplomatie et l'art de convaincre comme missionnaire dans le Grand Nord, et considérant tout du « point de vue de la Terre Aurélie » (p. 76), avec distance et un sens certain de la mesure. C'est lui, finalement, qui, par sa roublardise et avec le concours de Joseph à Moïse à Chrétien, le « vendu », aura raison de la résistance des Chiquettes.

Le monde blanc, le monde de la domination, est donc incarné essentiellement par ces prélats qui, pour présenter des traits caricaturaux et faire l'objet d'une satire décapante, n'en possèdent pas moins un pouvoir énorme sur le plan social et symbolique. Détenteurs de la parole et de la légitimité idéologique, ils travaillent de concert avec les politiciens et les pouvoirs publics pour étendre partout la domination du monde blanc et chrétien au détriment du monde rouge, dominé et infidèle qu'il faut réduire et faire disparaître par l'assimilation, sinon par la force brutale.

À cet ordre établi s'oppose le monde rebelle des marginaux et insurgés qu'on retrouve aux Chiquettes, ce bourg mal famé, peuplé de « mécréants » (p. 39) et de pêcheurs. Les Chiquettes, c'est en quelque sorte « l'enfer » de Saint-Magloire, le refuge où l'on vient lorsqu'on « veut s'dérouiller un brin » (p. 41), un mal nécessaire avec lequel les esprits libres composent volontiers mais que des zélés comme Mgr Cyrille ou l'abbé Bessette vouent aux gémonies.

Cet univers est représenté dans la pièce par Aurèle de la Terre Aurélie, le chauffeur des évêques, Inuit ramené du Grand Nord par le cardinal Villeneuve, par Joseph à Moïse à Chrétien, un Métis des Chiquettes, reconnu comme un organisateur d'élection hors pair, travaillant notamment pour le compte du sénateur Lesage, et enfin par la Capitainesse, Eulalie Durocher, une sage-femme amérindienne symbolisant la tradition et la résistance de sa communauté.

Joseph à Moïse à Chrétien incarne le rôle du collaborateur, position adoptée par certains Amérindiens qui croient pouvoir sortir vainqueurs en concluant des alliances tactiques avec les Blancs. Acceptant un enquébécoisement qui lui paraît inévitable, Joseph à Moïse à Chrétien suggère de ne pas s'opposer à la création de la nouvelle paroisse de Sainte-Eulalie, de s'accommoder même de l'abbé Bessette, ce fou furieux, pour obtenir en retour la reconnaissance de Rédempteur Faucher comme Sauveur, nouveau Messie appelé à libérer tout le monde, Indiens comme Blancs, et à fonder une nouvelle culture, une nouvelle civilisation.

C'est à cette résignation et cet accommodement que s'oppose fièrement la Capitainesse dans un long monologue à la fin de la pièce, monologue pathétique qui fait basculer le texte de la comédie en pleine tragédie. Dans son long « cri de haine et de peur » (p. 97), elle rappelle l'épopée pitoyable de la nation amérindienne, vaincue, dominée, méprisée, parquée dans des réserves, infantilisée et conduite au mépris d'elle-même et au rejet de son histoire par honte de ses origines. C'est pour demeurer fidèle à ses origines et à sa condition qu'elle rejette les compromis avalisés par un Joseph à Moïse à Chrétien, refusant de pactiser avec le monde blanc et espérant tout de l'action éventuelle d'un Rédempteur voué au salut de tous, et d'abord des siens qu'il rachètera par son triomphe et l'avènement de son royaume[5].

La pièce se termine par une ultime prise de parole du personnage Ferron qui, se définissant comme « cartographe » et « artisan » (p. 113) en appelle à un engagement patient pour la construction du pays, jour après jour, « village après village », jusqu'à la victoire finale. Beaulieu reprend ainsi un argument central de l'auteur des *Contes du pays incertain,* qui recoupe sa propre conception de

---

5. Le rôle de Rédempteur Faucher, personnage sans voix et sans présence réelle, est joué un temps par Ferron, ainsi tenu pour une sorte de sauveur, ou à tout le moins de prophète, de Jean-Baptiste annonçant la venue du Christ et l'établissement prochain de son règne. Je n'insiste pas ici sur cet aspect que j'aborde aussi, de manière plus détaillée, dans le prochain chapitre.

l'avenir collectif et qu'il propose comme tâche aux spectateurs et aux lecteurs.

Conçue comme une œuvre légère, une « épopée drôlatique » et largement informée par cette perspective, contenant de nombreuses scènes relevant du burlesque ou de la farce telle que pratiquée par les théâtres de collège, cette pièce, comme d'ailleurs celle portant sur la Corriveau, connaît d'importantes transformations au cours de son développement. Commençant en comédie, misant sur le folklore et la petite histoire, et tout en demeurant largement à ce niveau qui n'est pas très pratiqué dans l'œuvre de Beaulieu, axée essentiellement sur la réalité des milieux socialement dégradés et sur la problématique de l'écriture, ces textes subissent un infléchissement durant le processus de rédaction et débouchent sur un questionnement plus fondamental qui présente un caractère tragique. Ainsi, dans *La tête de Monsieur Ferron,* le drame amérindien que l'auteur a déjà traité sur le plan romanesque, notamment dans *Oh Miami Miami Miami* et dans *Satan Belhumeur,* est repris sur un mode « sérieux » dans les propos de la Capitainesse ; la question nationale québécoise, qui lui est liée, est soulevée sur le mode de la caricature, du burlesque, bien sûr, mais aussi sur un ton plus grave et plus politique à la fin de la pièce.

Bref, comme toujours, tout se tient dans l'univers de Beaulieu et, si cette veine plus « souriante » du folklore, de la magie, d'un certain fantastique, révèle chez lui une « manière » différente, plus dégagée, plus légère et « optimiste », il reste qu'elle s'inscrit malgré tout dans le cadre d'un projet global d'écriture centré sur l'évocation, en des termes généralement « pessimistes » et désespérés, de la condition québécoise. Les pièces qui feront l'objet des prochaines analyses l'illustrent éloquemment en nous renvoyant directement à l'univers sombre et tourmenté des romans les plus noirs de l'auteur.

LA MISE EN SCÈNE DE LA « PETITE VIE » : LA THÉÂTRALISATION DE *LA GRANDE TRIBU*

Créée en janvier 1974, la deuxième pièce de Beaulieu, *En attendant Trudot,* introduit le lecteur dans un univers tout à fait familier, celui des laissés-pour-compte de la société qu'il a déjà rencontré à de nombreuses reprises dans la production romanesque de l'auteur publiée au tournant des années 1970.

Il s'agit d'une pièce composée d'un unique mouvement, tenant dans un seul acte, constituant une sorte de huis clos dans lequel s'affrontent deux personnages dont l'un, le héros, Ti-Bé, est dédoublé ; un troisième personnage lui sert en effet de « Mémoire ». Sans exagérer beaucoup, on pourrait même avancer que la pièce ne comprend qu'un seul personnage pleinement développé, celui précisément de Ti-Bé, personnage pitoyable de dépossédé, d'aliéné, victime passive d'un cruel destin que le texte évoque sur un mode dramatique.

Le titre fait un clin d'œil, bien sûr, à la célèbre pièce de Samuel Beckett, *En attendant Godot*[6], créée en janvier 1953 et que Beaulieu, manifestement, connaît très bien. Dans la pièce de Beckett, deux personnages coupés du monde, vivant dans une sorte de no man's land, attendent, pétrifiés, paralysés, un certain Godot qui représente pour eux le salut, la possibilité d'échapper à leur condition d'abandonnés, de misérables désorientés. Godot, bien entendu, ne viendra pas et la situation d'enfermement qu'ils vivent ne sera pas transformée.

Beaulieu reprend donc à sa façon le titre de Beckett, en le colorant d'une signification politique conjoncturelle. Le Trudot dont il s'agit ici, c'est un équivalent métaphorique du Trudeau alors premier ministre du Canada, l'incarnation même des pouvoirs oppresseurs qui tiennent les couches populaires dans un état de domination, de dépendance et d'aliénation.

C'est sous cette double et significative enseigne que le texte va se déployer. Dans un court texte de présentation, écrit en langue québécoise dégradée, une « manière de s'exprimer » alors empruntée à l'occasion par l'auteur, celui-ci présente son héros, Ti-Bé, comme une « manière de double »[7] de lui-même, traduisant à sa façon, avec maladresse et gaucherie, le mal de vivre québécois. Ce personnage, par ailleurs, est un membre à part entière du personnel

---

6. Samuel BECKETT, *En attendant Godot*, Paris, Minuit, 1952. Beckett appartient aussi au vaste réseau intertextuel de l'œuvre de Beaulieu, explicitement avec cette pièce, de manière plus diffuse dans les premiers romans.

7. *En attendant Trudot*, Montréal, L'Aurore, coll. « *Entre le parvis et le boxon* », 1974. Les références des citations de la pièce seront dorénavant placées entre parenthèses dans le texte.

imaginaire d'une œuvre conçue comme « Totalité », à exprimer dans toute sa « Démesure » afin de faire apparaître en pleine lumière, dans la « grande impatience créatrice », la recherche de la « sainteté québécoise » (p. 20), les aspirations les plus vives et les plus hautes de la collectivité nationale.

Dans sa préface, le dramaturge Jean-Claude Germain, rapprochant Beaulieu de Ferron et de Miron, le considère comme un chantre de « l'épaisseur de la nuit québécoise » (p. 21) dans ce qu'elle recouvre de trouble et de désespéré, de « terrien et de viscéral » (p. 22). Notant avec justesse que fantasme et réalité sont inextricablement liés dans la pièce, comme ils le sont dans les romans, il voit dans ce type de pratique dramatique une « théâtralisation du monologue intérieur joycien » (p. 23). L'observation, on le verra, n'est pas dénuée de pertinence dans la mesure où le drame d'*En attendant Trudot* se joue d'abord dans la tête égarée, dépossédée et convulsive du pauvre Ti-Bé. Dans cette perspective, l'écriture de Beaulieu, au théâtre, ne serait peut-être pas essentiellement différente de ce qu'elle est dans le roman, bien qu'elle s'en éloigne au moins partiellement, compte tenu des exigences spécifiques de la représentation théâtrale.

Le décor de la pièce, qui ne change pas jusqu'à la fin, est celui d'une cuisine « mal famée » d'une petite maison de Saint-Jean-de-Dieu. Cette cuisine est dépourvue de tout, sans mobilier, sauf deux chaises dont l'une, celle de Ti-Bé, est flanquée d'un « énorme sac de pinottes » (p. 25) dont la dimension symbolique est évidente dans le cadre de ce drame. Génie, l'épouse de Ti-Bé et son vis-à-vis, est associée pour sa part à une bassine de trognons de choux très représentative de sa condition de cuisinière-ménagère.

C'est dans ce lieu dépouillé, dans cette atmosphère macabre et désespérante, qu'aura lieu le huis clos en forme de drame domestique qui oppose les deux personnages disloqués de ce couple défait, à l'image de sa cuisine en démanche. Ti-Bé est d'emblée décrit comme un écorché vif, comme quelqu'un de complètement écœuré, revenu de tout et n'ayant plus rien à dire, même à son épouse Génie qu'il a tendance, dans son délire, à rendre responsable de ses déboires. Celle-ci, pour sa part, le perçoit comme un raté qui n'a « jamais été capab'e de rien faire » (p. 27), comme un « mardit soulon » (p. 28), un dégénéré détruit par l'alcool. Bref, chacun à sa façon, selon des modalités propres à leur sexe, ils symbolisent la misère la plus totale, de l'âme aussi bien que du corps, dépossédés qu'ils sont tant sur le plan de l'imaginaire, du rêve, que sur le plan matériel, social et économique.

Complètement aliéné, ayant perdu jusqu'à l'usage de sa mémoire – qui lui revient par bribes, fragments incohérents à travers un brouillard opaque, véritable retour du refoulé par bouffées morcelées, véhiculées ici par son double, sa Mémoire incarnée –, Ti-Bé en vient à haïr tellement Génie qu'il projette de la « tuer » (p. 33) pour régler, comme il le dit, « toutes nos problèmes » (p. 34). Il passe ensuite à l'acte, sur le plan du réel ou du fantasme on ne sait trop, comme c'était le cas pour le Barthélémy Dupuis d'*Un rêve québécois*. Et comme celui-ci il constate, *in fine*, que ce « meurtre » est au fond gratuit, qu'il n'a réglé aucun problème, et décide, toujours dans un état comateux, de s'en prendre désormais à ceux qui l'ont fait ce qu'il est, qui l'ont détruit, lui et sa famille. Le drame se termine sur sa dernière réplique proclamant fortement sa nouvelle résolution de « dev'nir dans l'très dangereux » (p. 73).

Toute la pièce, au fond, consiste à expliquer d'abord le « meurtre » initial, ensuite la résolution finale, la transformation de Ti-Bé en « révolutionnaire ». Révolutionnaire sans doute velléitaire, car cette nouvelle agressivité est sûrement due plus à l'effet de l'alcool qu'à un éveil politique qui semble plutôt fruste et sommaire.

Ce travail d'interprétation, de reconstitution des mobiles des gestes posés, s'effectue à travers l'orchestration et la mise en rapport de trois temporalités : celle, immédiate, de l'action en cours durant la pièce ; celle du passé (de l'enfance, du début de la vie adulte) ; celle de l'avenir (à travers les rêveries liées aux ambitions familiales et personnelles). Dans ce travail de décodage et de reconstruction, Mémoire, la conscience refoulée et voilée de Ti-Bé, joue un rôle capital : c'est elle qui rappelle les racines (anciennes) du mal présent.

Dès les premiers temps de sa vie, Ti-Bé se sent une victime. Souffrant d'une malformation oculaire, il ressent cruellement cette singularité : « Quand j'tais p'tit, toute le monde avait peur de moi parce que j'avais les yeux dans l'même trou » (p. 40). Ce mal originaire s'accroît lorsqu'il prend conscience qu'il ne pourra pas réaliser son grand rêve de devenir un nouvel Alexis-le-Trotteur, un homme-cheval parcourant librement, sans mors aux dents, les vastes contrées de l'arrière-pays de Trois-Pistoles. Mais quand tu es « coquel'œil », comme le dit Mémoire, « c'pas yiabe yiabe pour courir ! » (p. 43). Cet espoir déçu sera relayé par un autre rêve fou, celui d'être un « cow-boy », un aventurier, un fondateur de pays : avec Génie, qu'il se représente comme une Indienne, il a songé, à vingt ans, à « virer toute à l'envers le paysage et fonder la ville qui va faire qu'on va êt'e heureux… Squateck » (p. 63).

Le second rêve échoué sur les rives de la réalité, c'est un mariage banal, très « ordinaire », qu'il contracte avec Génie au début de sa vie adulte. Les commencements en sont plutôt heureux au « temps des lilas » (p. 28) : Génie se révèle une « rôdeuse de bonne femme », généreuse de son corps, aimant le plaisir ; elle sait de plus administrer le budget familial en « vraie sœur économe » et s'avère enfin une mère extraordinaire, attentive, totalement dévouée à ses enfants, « mére poule comme c'est rare » (p. 37). Les circonstances semblent donc particulièrement favorables au couple dans les tout débuts. Cependant, quelque sombre arrêt du destin – le texte est fort discret là-dessus – viendra bientôt mettre fin à ces grandes espérances. Ti-Bé se retrouve sans travail et se met à boire jusqu'à plus soif. Les enfants l'abandonnent, désertant la maison et s'engageant qui dans le F.L.Q., qui dans la police[8] et renient les parents qu'ils ne viennent plus visiter dans ce qui est devenu pour eux un coin perdu. Ne restent plus en face à face, laissés à eux-mêmes, que les époux, amers, aigris, se détestant férocement. Ti-Bé en veut particulièrement à Génie d'avoir refusé de donner suite à l'un de ses rêves farfelus : faire entrer son cheval dans la maison ! En cela, Ti-Bé apparaît comme un double de Malcomm Hudd, partageant sa passion « chevaline » et son goût insatiable pour l'alcool.

Cela étant rappelé – qui constitue pour l'essentiel la substance de la pièce –, on comprend mieux pourquoi Ti-Bé s'en prend à Génie. Faute de pouvoir cerner les causes réelles de son malheur, incapable d'en identifier les vrais responsables et d'évaluer sa propre part dans son naufrage, il agresse Génie, la transformant en

---

8. Cette donnée a vraisemblablement été inspirée par la lecture du *Salut de l'Irlande* de Ferron où on la rencontre déjà. Elle sera également reprise autrement dans *Cérémonial pour l'assassinat d'un ministre*.

victime expiatoire, bouc émissaire de tous ses déboires et échecs. Sa vengeance accomplie, il en mesure les limites dans un éclair de lucidité : prenant conscience que le meurtre de sa femme ne change en rien sa condition, il décide de devenir « dangereux », sans trop savoir cependant contre qui et contre quoi canaliser à l'avenir sa colère et sa révolte.

La pièce se termine donc sur une « ouverture » en forme de cul-de-sac. Ti-Bé a commis un crime fantasmatique dans le cadre d'un rituel macabre, d'une sorte de messe noire qui n'a rien transformé, et surtout pas lui-même. Beaulieu, ce faisant, dresse un constat de même nature que ceux qu'il donnait à lire dans ses romans noirs de l'époque : *La nuitte de Malcomm Hudd, Un rêve québécois*.

Son théâtre, et en particulier cette pièce, présente une incontestable dimension misérabiliste. Il s'agit d'un théâtre social, bien sûr, en tant que tableau, illustration d'une aliénation, mais dépourvu de distanciation, de regard ironique, politiquement douteux et peu susceptible d'exercer une influence transformatrice sur les spectateurs et les lecteurs. S'apparentant par certains côtés au théâtre militant de l'époque, notamment dans sa dimension populiste, il s'en distingue par son refus du politique, ou à tout le moins par sa mise à distance[9]. Ce ne sera pas toujours le cas ; on le verra, entre autres, avec *Cérémonial pour l'assassinat d'un ministre*, mais ici cette limite, si c'en est une, existe objectivement, signalant une faiblesse certaine du propos, aussi bien sur le plan idéologique que dramaturgique.

Créé en juin 1977 à la télévision de Radio-Canada, *Monsieur Zéro*, au premier regard, semble rompre radicalement avec la production théâtrale antérieure. On n'est plus ici dans le folklore, la petite histoire et la tranche de vie misérabiliste, mais dans un univers tout à fait contemporain, dans la grande ville bruyante et

---

9. Le théâtre engagé, chez ses tenants les plus radicaux, est conçu et pratiqué durant ces années comme une action d'agitation et de propagande. Beaulieu ne partageant pas cette optique sera taxé par les intellectuels de gauche de l'époque, en particulier par les rédacteurs de la revue *Stratégie*, de timoré, voire d'opportuniste petit-bourgeois. Revendiqué et célébré comme anticonformiste, il est rejeté pour son absence d'implication aussi bien dans les luttes sociales concrètes que dans les débats très virulents qui divisent alors le milieu théâtral. Voir là-dessus l'ouvrage, publié sous ma direction, *L'avant-garde culturelle et littéraire des années 1970 au Québec*, Montréal, Cahiers du département d'études littéraires, 1986 ; se reporter plus particulièrement aux contributions de Jean-Guy Côté et Claude Lizée sur l'avant-garde théâtrale (p. 119-150).

cosmopolite de Montréal, en pleine jungle urbaine. Cet univers complexe, éclaté, fait lui-même l'objet d'une représentation artistique inventive, créatrice, possédant des traits relevant d'une esthétique qu'on pourrait qualifier de « postmoderne » si l'expression n'était pas tant galvaudée.

Sur le plan dramaturgique, il s'agit de la pièce la plus achevée, la plus réussie sans doute de l'œuvre de Beaulieu ; celui-ci semble se livrer, sur le plan formel à une véritable expérimentation, qui rappelle les tentatives analogues d'un Hubert Aquin. Le romancier fait montre d'une extraordinaire virtuosité sur le plan technique, multipliant les niveaux de construction du texte, le décomposant en nombreux fragments, dédoublant les personnages et les déstabilisant, recourant à des procédés d'auto-représentation et d'ironisation, comme la mise en abyme et autres jeux de miroir.

En première approximation, on peut avancer que l'auteur, pas encore devenu « téléfeuilletoniste », a déjà compris que le petit écran offrait des possibilités créatrices que le roman ou le théâtre en salle ne possèdent pas. Peut-on prétendre, pour autant, qu'il renouvelle complètement son univers et sa manière d'écrire, accomplissant une révolution qui ferait de ce texte le moment capital d'une rupture et d'une métamorphose ?

La pièce comprend trente-trois fragments d'inégale longueur, certains extrêmement brefs (simple didascalie commentant une séquence visuelle, par exemple), d'autres plus longs constituant de véritables « scènes ». Ces « scènes » sont elles-mêmes toujours entrecoupées de morceaux plus brefs qui servent de disjoncteurs s'opposant à ce qu'une certaine linéarité puisse prendre forme dans le texte et lui imprimer une allure plus « classique ».

Ces « scènes » se déroulent enfin dans plusieurs lieux qui, eux, nous renvoient à l'univers habituel de l'auteur : la taverne, le Café du Nord, le Ouique, le petit appartement de la mère du (des) héros, le mobilier d'Antoine qui est une copie conforme de celui de Jos Beauchemin dans le roman *Jos Connaissant* (ne comprenant qu'une chaise pliante, une petite table, une pile de livres, un tourne-disques), le poste de police du quartier, la clinique psychiatrique. Bref, sur le plan de l'aménagement spatial de la pièce, on se retrouve en territoire connu. Ce qui est nouveau, c'est la dynamique que crée l'auteur en orchestrant une incessante circulation d'un lieu à l'autre, qui provoque ainsi un effet d'accélération donnant l'impression que la pièce se déroule selon un axe vertical, en simultanéité, sur un plan spatial et non (ou peu) temporel.

C'est dans ce cadre éclaté, tourbillonnant, que l'action va se structurer, que l'argument central de la pièce va progressivement se dessiner. Celle-ci se déploie dans un jeu subtil de déconstruction/reconstruction qui ne cesse d'étonner, de désorienter ; elle ne trouvera pas de véritable résolution en fin de parcours, de révélation ultime qui en dégagerait la « vérité ». Le sens demeure suspendu lorsque le spectacle s'achève, lorsque la lecture prend fin, et c'est le spectateur et le lecteur qui doivent assigner au texte cette « vérité » délibérément absente, escamotée.

Cela étant précisé, on peut tout de même essayer d'y voir clair en examinant comment l'auteur construit peu à peu son monde à partir de son héros, « Monsieur Zéro », personnage bicéphale autour duquel la pièce s'organise tant bien que mal.

« Monsieur Zéro », c'est en effet, et tour à tour, Antoine et Antonin, les deux personnages qu'il incarne sur le plan symbolique. Antoine est travailleur d'usine et militant syndical. Il rappelle irrésistiblement certains héros romanesques de Beaulieu, Abel Beauchemin, le romancier de la « quochonnerie », mais surtout Jos dont il semble le frère jumeau, sinon la doublure. Antonin, pour sa part, ressemble à Steven en poète du sublime écrivant sous la protection de la diaphane Gabriella. Il rédige un roman mettant en scène Antoine et auquel il entend donner le titre de *Monsieur Zéro*. Antoine fait de même à son endroit. Ce roman à quatre mains est lu par le docteur Jacqueline Perron, psychiatre d'Antonin, qui tente de décoder, à travers ce texte-témoignage, le « cas » clinique que représente pour elle ce malade bien particulier qu'est cet énigmatique « Monsieur Zéro » ainsi mis en abyme, plusieurs fois plutôt qu'une, dans le texte qui nous est donné à lire.

Forcé de quitter l'école à treize ans et de travailler en usine, Antoine, l'ouvrier, s'est politisé, devenant syndicaliste puis meneur de grève à une époque où on pratique un « syndicalisme de combat », où, à l'occasion, on occupe les locaux des entreprises. La pièce l'installe d'abord comme militant essayant d'entraîner ses camarades à l'action, n'y parvenant pas et décidant, sous le coup de la déception, d'abandonner la lutte et de se transformer en « Monsieur

Zéro », c'est-à-dire en grand raté qui se résigne à son médiocre destin de manière aussi flamboyante que dérisoire.

Cet ouvrier et syndicaliste est aussi un intellectuel et un artiste à sa façon. Il est passionné par la musique (de Buxtehude), lit les ouvrages fétiches de Beaulieu lui-même – *Le ciel de Québec*, *Finnagans Wake*[10], *Don Quichotte* – et les classiques de la contestation : Bakounine, Marx, Marcuse, Mao.

Il entretient une relation affective curieuse avec Marie, la serveuse, qui apparaît par moments comme sa maîtresse, par moments tout simplement comme une amie. À l'instar de Jos, il a vécu dans l'enfance un traumatisme ineffaçable, lié à la double présence d'un coq agressif et d'un père castrant. D'où une sexualité incertaine, généralement bloquée et vraisemblablement centrée sur les hommes lorsqu'il y a passage à l'acte ; Marie le décrit en effet comme une « tapette[11] » au chef de police qui enquête sur les motifs qui l'ont conduit à l'agresser. Car Antoine, suivant là aussi les traces de Jos, saisit Marie à la gorge au cours d'une nuit de beuverie, puis court se dénoncer au poste de police croyant avoir assassiné celle qu'il considère comme une « réprouvée » (p. 61).

L'avant-dernier fragment nous montre cependant Marie à nouveau compagne d'Antoine qu'elle trouve inconscient dans son appartement, qu'elle croit soûl et qui, en réalité, est « mort », du moins en tant que « Monsieur Zéro », comme le signale la conclusion du roman qu'il vient tout juste de finir et dont Marie prend connaissance avec effroi. La pièce se termine sur cette image à laquelle s'ajoute, comme en superposition, un gros plan d'Antonin qui, couché dans un lit, jette par terre *Monsieur Zéro* et se livre à une séance de baise frénétique, délirante, avec le docteur Perron.

Antonin se présente bien comme l'autre visage de ce héros à deux têtes que constitue « Monsieur Zéro ». Travaillant de jour comme cuisinier dans la « vraie vie », il incarne symboliquement l'écrivain du sublime, la nuit, le poète pur ne vivant que pour et par son art, rêvant, comme Steven Beauchemin dont il est une réincarnation, de traduire Joyce dans une langue magique à défaut de

---

10. Des citations de l'ouvrage de Joyce ponctuent le texte d'un bout à l'autre ; elles figurent au haut de chaque page et forment ainsi de lancinantes enluminures.

11. *Monsieur Zéro*, Montréal, VLB éditeur, 1977, p. 80. Les références des citations tirées de cette pièce seront dorénavant placées entre parenthèses dans le texte.

pouvoir l'égaler et le dépasser. « Vêtu comme quelqu'un de la cour de Louis XIV, avec perruque et tout le tralala », il considère l'écriture comme un geste sacré, exigeant un « rite » (p. 74), et est hanté par l'ambition d'écrire un « livre définitif » (p. 79). N'arrivant pas à devenir ce grand écrivain qu'il ambitionne d'être depuis toujours, il sombre dans la folie ; il est interné après une agression commise (ou fantasmée, on ne sait trop) contre sa femme, reprenant ainsi à sa façon le geste violent d'Antoine, s'avérant en cela aussi son double indélébile. À la clinique, il est traité par le docteur Perron dont il s'éprend et qui semble fascinée par son drame tant comme écrivain raté que comme malade ; elle finira également par tomber amoureuse de lui. Soigné ensuite par le docteur Gauthier, qui le considère comme un mythomane et un paranoïaque, il se rebelle, assomme le médecin, s'évade de la clinique et se rend au domicile du docteur Perron qu'il traite en putain « comme toutes les autres » et qu'il « viole » (p. 125).

Bref, on retrouve ici un scénario que la lecture des romans nous a rendu très familier. La femme est une ennemie, quelqu'un qui vous trahit ou vous trahira et dont il faut se méfier. Et quand le héros masculin la frappe, il la « punit » d'une faute préalable, d'une fourberie commise en des temps immémoriaux. Cette trahison est réactivée par l'abandon de la mère et par les femmes qui en prennent ensuite le relais, toutes plus ou moins des figures maternelles, qui aggravent et dramatisent ce rejet originaire. C'est ce scénario qui fait doublement retour dans cette pièce à travers le personnage d'Antoine/Antonin, l'étrange « Monsieur Zéro » qui nous est donné en représentation à travers une extraordinaire machinerie, extrêmement sophistiquée et inventive et qui, à mon sens, constitue un sommet, sur le plan esthétique, dans le théâtre de Beaulieu.

Les pièces à venir de ce mini-cycle de la « petite vie » relèveront d'une autre approche dramaturgique, beaucoup plus conventionnelle, ajustée à l'univers de la misère et de la dépossession mis en scène.

Votre fille Peuplesse par inadvertance s'offre comme une incarnation particulièrement exemplaire de ce courant. Comme le signale l'auteur dans sa « Présentation » de *La nuit de la grande citrouille*, version revisée[12] de *Peuplesse*, l'idée de cette pièce remonte à aussi loin que 1975 et a été inspirée par la lecture de faits divers dans les journaux de l'époque sur les enfants battus et abusés sexuellement et par une thèse de doctorat en criminologie de Guy Tardif qui confirmait, scientifiquement, les données rapportées dans les journaux sur un mode plus spectaculaire. L'étrange nom de l'héroïne viendrait, pour sa part, d'une institutrice de paroisse de l'arrière-pays de Trois-Pistoles, Peuplesse Bélanger, et aurait été retenu pour son aspect singulièrement évocateur de la « petite misère sociale, politique, religieuse et culturelle du Québec d'autrefois » (p. 11).

Créée pour la première fois en 1978 au Théâtre d'Aujourd'hui par André Brassard, la pièce aurait alors énormément déçu Beaulieu qui ne se serait pas reconnu dans le traitement « hyperréaliste » (p. 12) imprimé à celle-ci par le metteur en scène fétiche de Michel Tremblay, traitement qui gommait le « côté symbolique et carnavalesque » (p. 12) au profit d'un misérabilisme de premier niveau. Reprenant la pièce, en 1990, il entendait donc mettre en relief cette dimension mythologique et dépasser ainsi le simple constat d'une aliénation et d'une dépossession. En 1993, enfin, il reviendra à nouveau à *Peuplesse*, accentuant encore la dimension symbolique du texte donné à voir et à lire comme un cérémonial, un grand événement rituel relevant du sacré et non de la dramatisation fruste de la « petite vie ». C'est du moins le projet qu'il évoque explicitement dans sa « Présentation ». Sa réalisation effective fait-elle pour autant l'économie de tout misérabilisme ? L'examen du texte devrait permettre de répondre à cette question qui met en jeu les fondements et la nature exacte de son travail créateur au théâtre.

Le décor du drame est simple, constitué de deux petites maisons de campagne habitées par des citadins qui y prennent leurs vacances

---

12. Beaulieu prétend que sa nouvelle version, tout en contenant la même pièce, s'offre comme une « toute autre pièce de théâtre » (p. 10), comme *Satan Belhumeur,* par exemple, était un tout autre roman que *Mémoire d'outre-tonneau.* En réalité, cela est sans doute vrai au chapitre de la mise en scène, de la représentation dramatique. Mais ce ne l'est pas forcément pour le texte lui-même qui, somme toute, subit peu de changements. Dans *La nuit de la grande citrouille,* l'auteur ajoute des extraits de chansons de Lawrence Lepage qui rendent l'atmosphère de la pièce plus « poétique ». Il apporte quelques modifications, le plus souvent mineures, aux répliques que s'échangent les personnages sans qu'elles en modifient foncièrement la signification. Il propose un nouveau découpage, ramenant la pièce à deux actes, alors qu'elle en comportait trois. Mais tout cela, qui n'est pas rien, n'affecte pas de manière fondamentale le propos, l'argument central développé par le texte qui, quoi qu'en pense l'auteur, demeure le même d'une version à l'autre. Voir Victor-Lévy Beaulieu, « Présentation » de *La nuit de la grande citrouille,* Montréal, Stanké, 1993. Les références des citations de ce texte seront placées entre parenthèses dans le texte.

d'été et lors de certains congés. Devant la maison de Maurice Cossette, un des trois protagonistes, se trouve un piquet auquel est accrochée une longue corde pouvant servir à attacher des chiens ou des enfants qu'on veut retenir près de la maison. « Au fond, quelques gros plans de citrouilles. Sur la table, un petit magnétophone transistor[13] ». Bien que jouée en extérieur, la pièce prend donc forme dans un espace possédant toutes les caractéristiques d'un lieu fermé, coupé du monde, particulièrement favorable à l'éclosion de la tragédie.

Les éléments de cette tragédie vont progressivement se mettre en place autour du personnage de Maurice Cossette, un policier à la retraite, curieusement fasciné par les citrouilles qu'il assimile aux femmes, les entretenant et les caressant avec amour, tout en paraissant mystérieusement hanté par le suicide. Seront confrontés à ce personnage Michel Breton, un homme jeune, solitaire et triste, habité par le rêve de devenir un grand « acteur glorieux » (p. 25), et Peuplesse, la fille de Maurice Cossette, une adulte de trente-sept ans « demeurée en enfance » depuis un étrange « accident de ch'val » (p. 36) qui semble l'avoir traumatisée pour la vie.

Ces trois personnages dépossédés, malheureux, s'affronteront dans un cérémonial macabre qui se terminera d'ailleurs par la mort de deux des trois protagonistes. Maurice Cossette est représenté comme un ex-policier brutal, partisan des méthodes fortes, cherchant dans l'alcool une bien illusoire compensation au grand ratage de sa vie, conscient toutefois qu'il s'agit là d'un comportement suicidaire ne faisant que reporter l'échéance à laquelle il devrait se rendre s'il était le moindrement conséquent et courageux. Michel Breton est décrit comme une sorte de petit garçon demeurant, même après la mort de sa mère, accroché à ses jupes, fixé dans un rapport œdipien non résolu et n'arrivant pas à surmonter sa déception de n'être pas devenu le grand « acteur glorieux » qu'il rêvait d'être depuis sa tendre enfance. Quant à Peuplesse, évoquée d'abord comme une « arriérée », une « demeurée », il apparaît bientôt qu'elle est aussi prisonnière de son enfance, victime d'un traumatisme indépassable, que Cossette attribue au fameux accident de cheval qu'elle aurait subi naguère.

---

13. *Votre fille Peuplesse par inadvertance*, Montréal, VLB éditeur/Stanké, 1990, p. 9. Les références des citations tirées de ce texte seront indiquées entre parenthèses dans le texte.

L'action de la pièce s'enclenche lorsque Peuplesse, muette depuis trente ans, se décide enfin à prendre la parole et à expliquer pourquoi elle « aguit » (p. 41) tant son père qu'elle n'appelle pas autrement que « Monsieur Cossette », le rendant l'unique responsable de son triste sort. Dans un long monologue en forme d'acte d'accusation, elle rétablit la vérité sur la mort de son poney tué par son père avant qu'il ne la « prenne » elle-même au cours d'une beuverie durant laquelle il a perdu tout contrôle sur ses pulsions. Depuis trente ans, depuis cette agression incestueuse, elle a, dit-elle, « toujours sept ans » (p. 66).

Révélant son secret à Michel Breton, Peuplesse se livre à une véritable catharsis au cours de laquelle elle retrouve non seulement la parole mais une pleine conscience d'elle-même, rejoignant enfin son âge réel. Michel Breton, dépossédé lui-même de son enfance, lui propose alors de s'allier contre Cossette, avec qui il couche. Déguisé en femme, métamorphosé dans la personne de sa mère dont il revêt les vêtements et le maquillage, il trouve dans ce travestissement et les gestes qu'il appelle et qu'il couvre l'occasion rêvée de se révéler comme « grand acteur glorieux » (p. 63) avant de retomber dans la honte et la culpabilité. Il propose à Peuplesse de partir et de tout recommencer avec lui « au grand soleil » (p. 67). Elle refuse et, dans un geste rageur, se remet à piétiner les citrouilles de Cossette, exerçant enfin sa vengeance contre celui-ci, qui, insulté, entend la punir comme elle le mérite.

Durant la nuit de l'Halloween, enviant une sexualité noire qu'il s'imagine démesurée, Cossette se déguise en « nègue » et orchestre un cérémonial tordu ; il fait violer Peuplesse par Michel Breton sous la contrainte d'une arme à feu, espérant se dédouaner ainsi de l'inceste commis naguère contre elle. Dans son esprit dérangé de « grand malade », ce nouveau crime, par son horreur même, devrait annuler le premier, faire renaître Peuplesse, lui rendre sa virginité et lui permettre de « recommencer une nouvelle vie » (p. 95). Bien entendu ce viol n'annule en rien l'inceste, ne fait que l'aggraver, et sa fille n'a plus désormais d'autre choix que de tuer (réellement ou symboliquement) un père qui meurt sans avoir saisi la portée du drame, ne comprenant pas la haine de Peuplesse.

Beaulieu reprend donc ici, et sur un mode exacerbé, le motif de l'inceste si souvent modulé dans son œuvre. Il le met en scène dans sa dimension la plus morbide en tant que crime contre l'humanité, une humanité qu'incarne Peuplesse. Sa condamnation du geste, cette fois, n'est pas ambiguë, et on conçoit que Brassard ait pu insister sur le caractère « réaliste » de la pièce, l'accentuant au détriment de sa dimension poétique et symbolique.

L'auteur, prenant le contre-pied de ce traitement, met l'accent dans sa dernière version sur la dimension allégorique, mythologique du drame. Il le représente comme un cérémonial nocturne, comme une sorte de messe, noire bien sûr, durant laquelle un saint sacrifice est consommé en l'honneur de quelque mystérieuse divinité.

Cet aspect ne subsume toutefois par totalement le premier, si bien que le « fait divers », transposé sur une autre scène, ne s'évapore pas pour autant et appartient toujours au registre du drame et de l'horreur. Il traduit une dépossession et une aliénation que symbolise tragiquement Peuplesse, victime expiatoire d'un père lui-même dépossédé, infantilisé, produit monstrueux d'une histoire, personnelle et collective, évoluant selon une trajectoire déclinante et dégénérescente.

C'est cette dimension « sociale » que la dernière pièce du cycle, *La maison cassée,* met au premier rang, en pleine lumière.

Créée sur scène à l'été 1991 au théâtre d'été de Trois-Pistoles, la pièce constitue une nouvelle version d'un téléthéâtre diffusé à Radio-Canada, en 1978, sous le titre de *In terra aliena*. Beaulieu, dans le « liminaire » qui ouvre le texte, explique que durant quinze ans il a été obsédé par le motif central de cette pièce, soit l'abandon, par un vieil habitant de l'arrière-pays, de ses terres et de ses propriétés. Ce drame comporte une dimension familiale, opposant le vieux à ses enfants, mais également une dimension sociale : cette crise intervient en effet au cours du processus plus général de désertion de l'arrière-pays par ses forces vives, par la jeunesse, mais aussi par ses plus anciens occupants.

Bien que la pièce ne comprenne que quatre personnages, elle réunit, selon les dires mêmes de l'auteur, toute sa tribu. Elle contient effectivement des allusions à Calixte Doucette, personnage déjà rencontré dans *Satan Belhumeur,* à Milien des *Grands-Pères* et à un Baptiste Pichlotte vraisemblablement de la même famille que le fameux « chien chien » de ce roman. Au-delà de ces marques explicites, la référence à la « grande tribu » s'impose sur un plan plus

large par la réactivation du cadre spatio-temporel central de l'œuvre, l'axe Trois-Pistoles – Montréal, et par la reformulation du motif
capital de « l'héritage » (familial aussi bien que national), de la
transmission (d'une histoire et d'une culture).

La pièce comporte deux actes, dont le premier se déroule dans
un rang de l'arrière-pays, tandis que le second a pour cadre Montréal
et comprend un parc, un bureau (avec ordinateur), un jardin fleuri.
Le parc est le lieu de rencontre des personnages centraux, Maxime
et Blanche ; le bureau est occupé par Camille, le fils fonctionnaire,
spécialisé en informatique ; le jardin fleuri est associé à Bérangère,
la fille meurtrie, obsédée par la « blessure » qui afflige sa joue
gauche.

Si les personnages de Maxime et de Blanche entretiennent des
rapports directs, en présence l'un de l'autre, les deux enfants dia-
loguent et interviennent dans le récit sans jamais entrer en rapport
de proximité, en face-à-face. L'auteur signale ainsi leur essentielle
étrangeté, la distance qui les sépare les uns des autres, la seule
rencontre possible se situant sur le plan de la mémoire d'une
enfance éprouvée, par Camille surtout, comme un temps de désolation caractérisé par l'absence du père : « Quand Bérangère et moi
on était petits, le père jouait jamais avec nous autres. On était toujours de trop[14] ». À père manqué, enfants manquants, comme l'ont
bien montré certains analystes, enfants dépossédés, aliénés, n'ayant
pas grand-chose à offrir et que seule une réconciliation avec l'enfance et avec le père pourrait peut-être transformer et rendre ouverts
aux autres et au monde.

On se trouve donc à nouveau en plein roman familial centré sur
la grande opposition père- enfants. Cette opposition est particulièrement vive entre Maxime et Camille. Comme le dit celui-ci :
« Le père et moi on s'est jamais entendus [...] Le père, ça fait
longtemps qu'il est mort pour moi » (p. 19) et il songe, dans certains
moments d'exaspération, à le tuer. Maxime, pour sa part, déteste
son fils depuis la première enfance parce que celui-ci refuse le modèle et les valeurs patriarcales, préférant se déguiser et vivre en
« fille » (p. 85), et « la maison, dit Maxime, telle qu'elle a toujours

---

14. *La maison cassée*, Montréal, Stanké, 1991, p. 70. Les références des citations de ce texte
seront placées entre parenthèses dans mon analyse.

existé pouvait pas le prendre » (p. 98)[15]. De plus, il tient ce dernier pour responsable de la blessure ultérieure infligée à Bérangère, acte dont il se sent aussi coupable parce qu'il n'a pu l'éviter. Enfin, le fils honni s'avère au surplus comme un « traître », sur le plan professionnel, en contribuant par ses travaux au « vidage » de l'arrière-pays. Dans une scène grandiloquente, frisant le mélodrame, le père et le fils se confrontent une dernière fois, Camille menaçant de tuer son père, mais se montrant incapable de passer à l'acte et retournant ensuite à sa solitude radicale.

Bérangère, pour sa part, est en manque du père. Elle lui écrit depuis des années des lettres qui demeurent sans réponse. Ce qui l'inquiète, car elle l'aime, tout en étant consciente qu'elle ne peut « rien faire » pour lui qui demeure emmuré dans sa solitude. Bérangère elle-même vit en recluse. Depuis l'accident[16] qui a provoqué sa blessure à la joue gauche, elle s'est coupée du monde, s'enfermant chez les sœurs de la Providence durant de longues années, suivies, après son départ de la communauté, d'une existence monacale de « vieille fille » farouche. Depuis ce traumatisme, qui a figé son existence en destin crucifiant, elle vit dans un état de paralysie, de catatonie, que seul le regard du père pourrait faire disparaître : « Si vous me regardez, lui dit-elle, il y aura plus de blessure. Il y aura plus de couteau dans la lumière » (p. 104). Celui-ci refuse d'accéder à sa requête mais, dans un geste involontaire, il la regarde tout de même et la « guérit » en quelque sorte, la délivre de la peur qui l'habite depuis le fatidique incident. Ce faisant, il lui permet peut-être de revivre et de sortir enfin de la réclusion dans laquelle elle est détenue. La pièce se termine ainsi sur une certaine « ouverture » en ce qui concerne Bérangère.

---

15 On notera la curieuse allure anthropomorphique dont est dotée ici la maison qui, réagissant comme un être humain, repousse et exclut Camille. L'expression traduit à sa manière le romantisme singulier de Beaulieu qui n'hésite pas à l'occasion à faire parler les choses inanimées et à leur donner une « âme ».

16. Cet « accident » est évoqué de manière assez floue. Il semble que Bérangère aurait été blessée par un couteau dont la menaçait Camille. C'est en intervenant pour empêcher le geste du fils que Maxime aurait, bien involontairement, provoqué la fameuse blessure. On pourrait bien sûr voir dans cette blessure une métaphore de l'inceste, ce qui permettrait d'expliquer à la fois son caractère traumatisant et la culpabilité du père qui vit depuis lors dans la honte et qui n'est plus capable de regarder sa fille. Cette interprétation est plausible, compte tenu de l'importance de l'inceste dans cette œuvre. Je n'insiste pas ici sur cet aspect, sur la composante fantasmatique d'un drame qui, tout en comportant cette dimension, est aussi explicitement social, ce qui n'est pas souvent le cas dans la production de Beaulieu.

Le drame du père, Maxime, c'est, littéralement, celui d'une dépossession. Ne pouvant plus vivre de sa terre, il est obligé de « casser maison », de la vendre à l'encan et de partir, ce qui représente pour lui la fin d'un monde et d'un règne, la débâcle d'une vie. Cette catastrophe a elle-même été précédée et annoncée par le départ de ses enfants « qui aimaient pas la terre » (p. 27). Après le décès de sa femme, il s'y est tout de même cramponné, y demeurant seul, orgueilleux et « désenchanté » (p. 35). « Chessé par en dedans » (p. 59), coupé du monde, il se réfugie quotidiennement dans la lecture de son livre de messe comme Xavier Galarneau le faisait avec *La bible,* n'attendant plus rien du « monde » qui a « rapetissé […], a pâli » (p. 66). Il refuse l'amour de Blanche, l'encanteuse, belle-sœur et voisine, veuve qui paraît l'avoir aimé depuis toujours, considérant qu'il n'a plus de « sève » (p. 84), qu'il ne peut plus rien donner, comme un arbre mort.

À la fin de la pièce, une fois Blanche morte dans le petit parc de Montréal, il acceptera de la raccompagner dans sa maison de l'arrière-pays de Trois-Pistoles, ne sachant plus, de toute manière, où aller et rentrant pour mourir à son tour dans l'espace sacré des origines. *La maison cassée* reprend donc pour l'essentiel l'argument des *Grands-Pères,* Maxime relayant ici Milien. À travers leurs destins tragiques, Beaulieu donne à voir et à lire la fin d'un monde et d'une tradition, la destruction d'une culture au nom de la modernité et du progrès.

***

Somme toute, lorsqu'on met ces quatre pièces en perspective synchronique, on constate que l'auteur reprend, tels quels, des éléments (personnages, situations, thèmes) de la « grande tribu », ou les emprunte en les transposant et en les déformant légèrement. Si bien que ce « cycle » théâtral constitue un équivalent, dans ce registre d'écriture, de la « véritable saga » des Beauchemin, cette fameuse épopée qui se déploie essentiellement sur un mode dégradé, se présentant comme une sorte d'anti-chant lyrique.

On a affaire ici à la mise en scène de quatre cas de figure s'inscrivant dans un processus général de dépossession, de décomposition, illustrant autant de facettes d'un énorme naufrage collectif. Ti-Bé, dépouillé de ses rêves et même de sa mémoire qu'il n'arrive plus à retrouver totalement, apparaît comme une pauvre loque, comme un alcoolique fini, incapable d'échapper à une déchéance aussi inéluctable que totale. Antoine et Antonin, ces frères jumeaux, sont représentés comme deux grands ratés, deux « Monsieur Zéro », l'un n'accomplissant pas son ambition de transformer le monde, l'autre ne réussissant pas à assurer son salut par l'écriture. Peuplesse, « prise » par le père dès la tendre enfance, n'arrive pas à s'en sortir et à grandir, à se construire dans le temps ; elle demeure prisonnière de l'événement traumatisant qui a scellé son destin. Maxime, enfin, doit « casser maison » et s'exiler de son royaume, qui devient un paradis perdu.

Pris ensemble, ces personnages symbolisent la fêlure et l'échec d'un univers dont la cohésion éclate faute de références, pour reprendre une expression chère à Fernand Dumont[17], faute d'une représentation commune du monde, faute aussi de valeurs qui pourraient leur servir de guides et d'objectifs présidant à l'organisation de leurs vies. Cet échec fait l'objet d'une mise en scène qui, dans l'ensemble, ne se distingue pas par une très forte originalité. À l'exception de *Monsieur Zéro* qui témoigne d'une véritable recherche expérimentale, ces pièces paraissent assez conventionnelles et « classiques » sur le plan dramaturgique. Leur intérêt réside donc surtout – je ne dis pas exclusivement, et à dessein – dans leur propos, dans le discours qu'elles tiennent sur un monde qui est également le nôtre et qui se manifeste sous d'autres formes dans l'œuvre proliférante et globalisante de Beaulieu. À l'inverse de l'univers qu'elle donne à lire, cette œuvre s'avère, en effet, comme un tout cohérent et largement autosuffisant.

On rencontrera également cette profonde unité dans les pièces plus circonstancielles écrites sous l'influence d'événements ponctuels liés à l'Histoire ou à la vie de l'auteur.

UN THÉÂTRE DE CIRCONSTANCES :
CÉRÉMONIAL ET VAUDECAMPAGNE

Cérémonial pour l'assassinat d'un ministre peut et doit être lu comme la seule production de l'auteur mettant en scène explicitement

---

17. Cette notion est précisée dans un développement théorique important présenté en appendice de *Genèse de la société québécoise*, Montréal, Boréal, 1993, p. 337-352.

un événement politique. On rencontre ailleurs dans l'œuvre des allusions à des personnages ou à des faits d'actualité, mais cela demeure le plus souvent de l'ordre de la référence rapide ou implicite. C'est le cas de la Crise d'octobre 1970 dans *Un rêve québécois*, par exemple ; les marques textuelles de l'événement sont peu nombreuses et le rapport entre ce qui se passe dans le roman et dans la réalité politique est essentiellement d'ordre symbolique.

Cette fois, la circonstance historique est présente dans le titre même de la pièce qui est décrite génériquement comme un « cérémonial », et plus précisément comme un « oratorio », c'est-à-dire comme un spectacle religieux avec récitatifs et interventions d'un « chœur » qui encadre et commente le « cérémonial » donné à voir et à lire.

L'événement ne fait pas l'objet d'un traitement anecdotique, factuel, bien qu'il soit évoqué très directement dans le texte même. Dans le récit de l'enlèvement de Pierre Laporte[18] repris par la pièce, tout est conforme à la réalité, sauf la mention du nom de Laporte qui n'est pas évoqué.

Si la référence politique est nette, il n'est pas évident que son interprétation soit elle-même d'abord politique. Le titre, en insistant sur la dimension rituelle du texte, nous en fournit un premier signal. Sa désignation générique en ajoute un autre en mettant l'accent sur le caractère sacré de la représentation et, par-delà, de ce qui constitue l'objet même de cette représentation. La première intervention du chœur met en relief l'arrière-plan mythologique sur lequel se déploie la pièce en se référant directement à Prométhée, incarnation légendaire et exemplaire de la révolte dont Galilée, Jeanne d'Arc, Trotski et Guevara seront par la suite autant de figures marquantes. Le héros du *Cérémonial...*, appelé tout simplement mais fort significativement L'Homme, est ainsi inscrit dans une longue et glorieuse lignée, dans une série relevant autant du mythe que de l'Histoire.

Structurée comme un chant, la pièce accorde une énorme importance au chœur, qui fait entendre sa voix à de nombreuses reprises dans le texte, le commentant au fur et à mesure de son déroulement.

---

18. *Cérémonial pour l'assassinat d'un ministre. Oratorio*, Montréal, VLB éditeur, 1928, p. 95-96. Les références des citations de cette pièce seront placées entre parenthèses dans le texte. Sur les rapports entre la Crise d'octobre 1970 et la littérature québécoise, on se reportera aux chapitres IV et V de mon ouvrage, *Le poids de l'histoire, op. cit.*, p. 141-182.

L'action, pour sa part, s'organise autour de personnages conçus comme des figures allégoriques qui incarnent et symbolisent d'abord et avant tout des statuts et des fonctions. Il s'agit d'« actants » plus que d'acteurs qui sont répartis en deux grandes catégories appartenant soit au Peuple, soit au Pouvoir. Dans le camp du Peuple on trouve l'Homme déjà évoqué, Complice et Courage ; ensemble ils combattent le Pouvoir regroupant, pour sa part, le Travail, le Grand et le Petit Capital, la Force de la Police, qui s'appuie elle-même sur la Délation.

L'action réside essentiellement dans la confrontation de ces deux univers antithétiques évoqués sur un mode davantage symbolique, allégorique, qu'empirique et politique. Ce qui nous est donné à voir et à entendre, c'est d'abord une fable, un récitatif lyrique, circonstanciellement déterminé par un événement précis, mais appartenant foncièrement à une temporalité supra-historique, à un espace largement mythique.

Ainsi conçue, la pièce aurait pu aisément sombrer dans le pur didactisme, à l'exemple du roman à thèse. Les personnages sont très stéréotypés, figés, ne disposant pas (ou peu) de physionomie propre. Ils ne possèdent même pas de patronyme et on les connaît essentiellement à travers leurs discours, qui sont ceux des groupes auxquels ils appartiennent. La pièce est malgré tout « sauvée », du moins en partie, par le traitement plus détaillé que l'auteur accorde à certains personnages. Ainsi, le personnage de Pouvoir est doté d'une histoire personnelle : c'est un petit commerçant qui a acquis du « Bien » avec son épicerie et sa quincaillerie ; il est devenu notable grâce à cela et a été conscrit politiquement ; petit-bourgeois, c'est sans gaieté de cœur qu'il s'est rallié à la politique de répression décrétée par les forces du Grand Capital, qu'il sert avec mauvaise conscience. De même Délation accepte de trahir les étudiants et les autres contestataires après avoir été violée par le père, inceste qui la conduit à dénoncer ses alliés naturels, expliquant que : « après ça [la défloration par le père] ça ne pouvait plus être pareil. Alors à l'Université, j'ai dit oui j'accepte » (p. 76). Enfin le personnage du Médecin, qui semble directement inspiré de Jacques Ferron, est représenté comme un esprit libre qui comprend la quête de sens du révolutionnaire emprisonné et torturé, se rappelant s'être naguère imaginé lui-même « en train de sauver le monde comme ce pauvre garçon, comme ce pauvre garçon » (p. 32). Cette « humanisation » de certains personnages contribue donc à casser le moule statique de la pièce, à lui insuffler un certain dynamisme qu'assure aussi la présence envahissante du chœur.

Le chœur assume un rôle tout à fait central dans le *Cérémonial...*, remplissant plusieurs fonctions cardinales du récit (narrativisé) qu'est aussi ce texte. Il assure sa contextualisation historique en faisant référence très directement à la Crise d'octobre 1970. Il en dégage la dimension mythologique en recourant d'entrée de jeu à la figure de Prométhée, et ferme l'« oratorio » par un nouveau rappel de Prométhée, de Trotski, de Guevara, évoqués aussi dans l'incipit, ajoutant à cette liste George Jackson, un Black Panther assassiné dans la prison de Soledad en Californie. Il met fin à la pièce par la proclamation d'un désir utopique, souhaitant que l'Humanité connaisse un « nouveau temps » dans lequel l'homme « ne sera plus jamais une simple marchandise » (p. 103). La Crise d'octobre, dans cette perspective, n'est qu'un maillon dans une chaîne, qu'un événement, significatif mais limité, s'inscrivant dans un processus de très longue durée qui n'est rien de moins que l'accession progressive de l'humanité à sa pleine liberté.

Le chœur fournit aussi, dans une large mesure, la substance concrète des personnages. Ce n'est pas tant par leurs discours, en effet, que nous les connaissons que par ce que le chœur nous en apprend dans ses passages les plus narrativisés. On évoque ainsi, sur le mode épique, la trajectoire qui conduit L'Homme de la révolte à la révolution. On explique de même la transformation progressive du Ministre qui, d'« homme simple », poussé par ses nouvelles fonctions, se met lentement « à corrompre et à être corrompu lui-même » (p. 50). On montre également comment la répression est nécessaire et légitime pour les représentants du Grand Capital.

Ceux-ci font par ailleurs l'objet de « portraits » qui présentent de grandes similitudes avec les célèbres « biographies lyriques » des romans de John Dos Passos[19]. La trajectoire des Simard,

---

19. Dans sa trilogie *U.S.A.*, en particulier, Dos Passos utilise ces « biographies lyriques » en complément d'autres techniques de représentation. Il recourt aux « Actualités » de la société américaine telles que reprises dans les journaux. Il invente des monologues conçus comme des manifestations de la rumeur sourde de cet univers saisi sur le vif par une sorte d'« œil de la caméra ». Il dessine des portraits psychologiques de personnages fictifs, eux-mêmes choisis pour leur représenta

capitaines de bateaux puis armateurs, est ainsi reconstituée dans un long récitatif de nature lyrique. Il en va de même pour Paul Desmarais dont le chœur rappelle le parcours, passant de propriétaire d'une petite entreprise d'autobus à la présidence de Power Corporation au terme d'une longue saga, possesseur d'une énorme « société multinationale », véritable « État souverain » (p. 67), et qui n'a rien à envier à un Henry Ford évoqué aussi dans un emprunt direct, pour ne pas dire un plagiat pur et simple[20], à *La grosse galette* de Dos Passos.

Le chœur remplit donc un office de caisse de résonance, de commentaire métadiscursif de l'argument de la pièce. Mais, comme on le voit, sa fonction ne se limite pas à cela : il contient des éléments capitaux pour la compréhension des « personnages » et de l'action du *Cérémonial...* Il comporte une analyse « politique » du texte qui est l'un des très rares dans toute l'œuvre de fiction de Beaulieu à aborder de front, explicitement, les questions sociales et politiques. D'où son intérêt par-delà ses limites sur le plan esthétique, car on a quelque peine à imaginer comment un tel texte pourrait faire l'objet d'une représentation dramatique vivante, dynamique, entraînante et convaincante pour le spectateur. Comme texte cependant, le *Cérémonial...* tient le coup ; il dégage les données les plus significatives de la Crise d'octobre, en suggère une interprétation conséquente, très critique à l'endroit de la version officielle de ces événements.

La pièce s'inscrit tout naturellement dans l'œuvre de l'auteur, dont elle reprend des thèmes centraux – l'inceste, la quête d'absolu – dans le cadre de l'espace théâtral, sur une scène autre mais complémentaire de celle du roman.

Il n'est pas sûr que ce soit le cas, du moins au même degré, pour le « vaudecampagne » créé récemment sous le titre racoleur du *Bonheur total*, choisi sans doute par dérision à l'endroit du fameux slogan de la « qualité totale » si ardemment proclamé par

---

tivité sociale et formant des équivalents romanesques aux héros réels des « biographies lyriques ». Beaulieu, dans le *Cérémonial...,* s'inspire essentiellement de cet aspect de l'écriture globalisante de Dos Passos.

20. On pourra s'en rendre compte en comparant les pages 60-62 du *Cérémonial...* aux passages équivalents des pages 76, 78 et 89 du tome I de *La grosse galette*. Voir John Dos Passos, *La grosse galette*, Paris, Gallimard, coll. « Livre de poche », 1946.

les hommes d'affaires contemporains, ces soi-disant « guerriers de l'émergence ». Spectacle divertissant, léger, mais sans profondeur et sans grande portée, il donne l'impression, au premier abord, qu'il s'agit d'une pochade, d'une œuvre mineure, ne dépassant guère la circonstance qui a provoqué sa création.

Cette circonstance, c'est bien entendu le différend qui a opposé Beaulieu à Lise Payette au sujet de la propriété intellectuelle de leurs téléromans respectifs portant sur Montréal. Différend déclenché par une déclaration publique malencontreuse de l'auteur de *L'héritage* entraînant des poursuites judiciaires de son adversaire et se terminant par un procès rocambolesque : « C'était à ne plus rien y comprendre, écrit Beaulieu dans le curieux « journal » qui accompagne son essai sur *Monsieur de Voltaire* : Kafka revu par le drolatique père Ubu Roi, puis corrigé par Diafoirus, puis adapté par un teinturier du dix-huitième siècle voulant niveler la chaussée ! Ça faisait dur et pas rien qu'un peu[21] ». C'est donc pour se venger de ce procès et de sa condamnation que l'auteur aurait écrit ce *Bonheur total*, contre celle qu'il appelle plaisamment madame Blancheneige dans les dernières pages de son *Voltaire*.

Cette intention est formulée très explicitement dans la quatrième de couverture de la pièce, Beaulieu substituant maintenant au nom de madame Blancheneige celui de madame Belleau (sans doute suggéré par le célèbre Jean-Paul Belleau, héros fétiche d'un téléroman populaire de Lise Payette) qu'il qualifie ironiquement de « plus grande téléromancière féministe du Québec », se déguisant à l'occasion en « homme de ménage quand elle est à court d'inspiration ou qu'elle n'a pas de procès à mener contre tous ces affreux que sont les hommes »[22]. Il s'agit de se venger joyeusement, de faire ressortir la dimension comique de la réelle tragédie qu'a été le procès. À cette fin, l'auteur a « lâché lousse » son « fou » dans une pochade qu'il qualifie de « vaudecampagne », une « appellation loufoque non encore contrôlée par madame Belleau » et qu'il propose lui-même comme un divertissement à composante pamphlétaire, comme un impromptu à saveur polémique.

---

21. *Monsieur de Voltaire. Romancerie,* Montréal, Stanké, 1994, p. 248.
22. *Le bonheur total. Vaudecampagne,* Montréal, Stanké, quatrième de couverture. Les références des citations de cette pièce seront placées entre parenthèses dans le texte.

La pièce comprend quatre personnages, trois femmes, madame Belleau et les deux sœurs Roma et Romaine impliquées dans une intrigue amoureuse avec le seul homme sur scène, un macho portant le nom emblématique de Beauregard Litalien ! À un premier niveau, *Le bonheur total*, qui épouse étroitement le canevas d'un vaudeville, se construit et se développe sur cette donnée on ne peut plus classique : Beauregard, beau parleur et petit faiseur, tente de conquérir Roma, secrétaire à Revenu Québec, pour la « pleumer ». Romaine, intellectuelle féministe, s'oppose à ses visées, désireuse de sauver sa sœur des griffes du bellâtre, initiative qu'encourage évidemment madame Belleau, téléromancière célèbre et féministe de pointe.

L'intrigue amoureuse ne subit pas de transformations significatives au cours de la pièce. Elle sert essentiellement de cadre et de prétexte à l'entreprise satirique visant madame Belleau. Celle-ci est décrite sur un mode caricatural, évoquée dans le déguisement d'un « employé de la ville, arborant une grosse moustache » (p. 7) et équipée d'une *moppe*, ou encore portant « cheveux longs, barbe, moustache [...] de façon qu'on puisse la prendre pour l'auteur de *L'héritage* » (p. 89) ! Bref, elle apparaît comme un personnage burlesque digne de figurer en bonne place au Théâtre des variétés de Gilles Latulippe.

Son féminisme est perçu et représenté comme une forme d'extrémisme confinant au ridicule. L'auteur lui fait dire : « J'ai changé la face du petit écran en mettant partout des femmes pour régler leur cas aux hommes » (p. 8), et il la montre applaudissant aux tirades antimachistes les plus excessives et les plus stupides d'une Romaine hystérique dans la guerre sainte qu'elle livre contre les hommes qui sont tous pour elle des êtres « dégoulinants », des « femmes manquées », des « avortons congénitaux ». Madame Belleau, qui s'estime la « plus grande téléromancière anti-macho du Québec » (p. 44), ne peut évidemment que se réjouir de ces propos qui confirment ses propres analyses. En retour elle est considérée comme une héroïne par les deux sœurs, séduites par son talent, sa clairvoyance, sa capacité de débusquer le machisme partout où il se montre le bout du nez. C'est notamment le cas au petit écran dans les répliques de l'auteur de *L'héritage,* par exemple, qui n'hésite pas à mettre en scène des fantasmes « incestueux » relevant du

« transfert œdipien » (p. 61) le plus éculé, si « usé qu'on ose même plus en parler à la télévision, sauf à Radio-Québec évidemment » (p. 61) !

Stigmatisée comme porte-flambeau d'un féminisme aussi extrême que dépassé, dégénérant en grosse farce burlesque, madame Belleau est aussi parodiée en tant qu'auteure. « Championne toutes catégories de la forme adverbiale » (p. 71) qui lui permet d'étirer à peu de frais la prose hyper-conventionnelle de ses téléromans, elle utilise avec surabondance des locutions figées, dans le registre « passe-moi le beurre », qui assurent la « profondeur » de son écriture et sa conformité absolue à l'air du temps. Cela en fait la « plus grande écrivaine du Québec ! Sans elle, fait remarquer Romaine, notre télévision en serait encore à Pépinot pis Capucine ! » (p. 26).

À travers elle, Beaulieu se livre à une critique féroce de la télévision et en particulier des téléfeuilletons, trop souvent refuges douillets de l'écriture la plus banale, la plus conformiste, totalement intégrée et ajustée à l'univers qu'elle met en scène sans distanciation, comme s'il était une doublure naturelle, spontanée, du monde réel. Cette dénonciation vitriolique tourne toutefois largement à vide, d'une part, parce qu'elle relève trop étroitement d'une querelle personnelle, d'autre part, parce qu'elle recourt aux armes très – et trop – légères du vaudeville, du burlesque, de la comédie d'abord conçue et pratiquée comme un divertissement pour amuser la galerie.

Il s'agit finalement d'une œuvre mineure qui vaut surtout pour l'usage ludique du langage auquel se livre l'auteur avec un plaisir évident, rappelant ses premières tentatives dans cette direction au tout début de l'œuvre, et en particulier dans *Race de monde !*.

Pour le reste, contrairement à ce qui se produit dans le *Cérémonial…,* la pièce ne transcende pas les circonstances biographiques qui l'ont fait naître. Elle ne propose pas de problématique nouvelle pas plus qu'elle ne reprend, autrement et sur un mode inventif, des paramètres familiers. Le vaudeville, même rebaptisé en vaudecampagne, demeure une forme théâtrale mineure. Beaulieu, quoi qu'il veuille et qu'il fasse, demeure ici prisonnier d'un ensemble de règles et de contraintes qu'il n'arrive manifestement pas à déjouer comme il sait si bien le faire avec les impératifs du téléfeuilleton.

LA DRAMATISATION DE L'ABSOLU

Du divertissement léger et superficiel on passe à tout autre chose avec la grande machinerie qu'est *Sophie et Léon*, la pièce sans doute la plus achevée de l'œuvre, avec *Monsieur Zéro* bien sûr. Créée à l'été 1992 au théâtre d'été de Trois-Pistoles, elle reprend des thèmes fondamentaux qui traversent la production de Beaulieu, tous genres et toutes époques confondus : celui de l'amour-passion comme quête de l'absolu et celui de l'écriture comme assomption (possible) de l'existence. Et cela à travers le drame passionnel de Léon Tolstoï et de Sophie Bers, sa conjointe pour le meilleur et pour le pire.

Dans l'essai-journal consacré au *Seigneur Léon Tolstoï*[23] qui accompagne la pièce, Beaulieu, après avoir formulé à nouveau sa conception de l'écriture comme geste passionnel, « folie » avalante et dévorante qui se développe, se construit, à même la santé et l'équilibre de l'écrivain, confie qu'il est venu à l'auteur russe un peu « par hasard ». Réfugié à Trois-Pistoles, rêvant de relire Beckett et Joyce sur qui il se propose toujours d'écrire, mais ayant oublié leurs œuvres à Montréal, il s'est rabattu en quelque sorte sur l'œuvre disponible d'un Tolstoï qui, après une semaine de lecture, le tire entièrement à lui et auquel il songe à consacrer un livre faisant état de sa passion. C'est cette nouvelle et furieuse passion qui inspirera aussi bien la pièce de théâtre que l'essai qu'il rédige sur l'œuvre de celui qui est sans doute le plus grand écrivain russe de tous les temps. On verra que, quelque part, Beaulieu se reconnaît et se projette dans les amours, les excès, la recherche de sainteté du maître se métamorphosant en ermite d'Iasnaïa Poliana.

La pièce, la plus longue qu'ait écrite l'auteur, se déroule dans un décor « surréaliste[24] », soit à l'intérieur de la propriété seigneuriale d'Iasnaïa Poliana, soit à la petite gare d'Astopovo, un village voisin, lieu des grands départs. Se déroulant en quatre actes, ce qui la singularise des autres pièces qui en comportent généralement deux, elle met en scène, au premier rang, Tolstoï lui-même à divers moments de sa vie, depuis son entrée dans la quarantaine jusqu'à sa mort prochaine. Elle le fait dialoguer tour à tour avec Axiana, sa

---

23. *Seigneur Léon Tolstoï. Essai-journal*, Montréal, Stanké, 1992.

24. *Sophie et Léon. Théatre*, Montréal, Stanké, 1992, p. 10. Les références des citations de la pièce seront placées entre parenthèses dans le texte.

maîtresse préférée, Sophie Bers, son épouse possessive, Sacha, sa fille chérie et disciple, Tchertkov, son exécuteur littéraire et un moine-pèlerin, incarnant la tradition religieuse orthodoxe.

Le premier acte nous montre un Tolstoï jeune, partagé entre la tentation de la chair – symbolisée par une Axiana qu'il désire follement, avec laquelle il s'abandonne à la luxure la plus débridée –, et l'exigence de pureté que lui prêche le moine-pèlerin. Celui-ci, habité par une divine colère, le somme de faire le « ménage » dans sa vie et de poursuivre la « véritable grandeur russe » (p. 32) autant dans son existence personnelle que dans son œuvre.

Entre la débauche et la sainteté, faute de pouvoir effectuer un choix et de résoudre le conflit, il reste à Tolstoï l'écriture par et dans laquelle il y a peut-être un sens à trouver, permettant éventuellement de « rendre tout ce qu'on est » (p. 27) à travers une épiphanie salvatrice, une grande révélation sur soi et sur le monde. Tolstoï s'y engouffre donc totalement entre ses séances de fornication dépravées et ses pâmoisons mystiques, jusqu'à ce qu'il trouve l'occasion de réaliser avec Sophie Bers un mariage qui puisse satisfaire tant sa raison que sa passion, le libérant enfin des monstres qui ne cessent de le hanter le jour comme la nuit, le détenant dans une culpabilité crucifiante.

Le mariage ne résoudra pas toutes les contradictions de Tolstoï qui, au fil des ans, se retrouvera plus souvent qu'autrement en conflit ouvert avec Sophie Bers. Le deuxième acte met en scène les querelles de ménage qui dressent les époux l'un contre l'autre dans de véritables combats de coqs où ils se déchirent à belles dents, poussés par la jalousie et le désir forcené de posséder totalement l'autre et de l'asservir. Ces crises atteignent de tels sommets d'exaspération que l'écrivain en viendra à menacer sa femme de la « tuer », tout en invoquant dans la même poussée son immense amour pour elle. Il réactive par son attitude paradoxale une ambivalence souvent rencontrée chez les héros de l'œuvre romanesque et théâtrale de Beaulieu et qui se dénoue généralement par un meurtre (réel ou imaginaire) ou le suicide. Ici la tension est d'autant plus vive qu'Axiana, la flamme du désir, est toujours présente, incarnant une menace pouvant s'actualiser à n'importe quel moment dans la vie du couple. Partagé entre les deux femmes, oscillant de l'une à l'autre, Tolstoï, excédé, finit par les négliger l'une et l'autre au profit de son œuvre, d'*Anna Karénine* qui devient sa grande passion, celle qui l'anime et le porte avant tout et à laquelle il sacrifie tout, sa vie comme ses amours, au cours de ces années.

Le troisième acte présente un écrivain vieillissant qui, confronté à la perspective d'une mort qui s'annonce pour bientôt, s'interroge sur les limites de l'écriture, qui n'est peut-être pas la voie royale qu'il croyait. Se livrant à une sévère autocritique, il juge maintenant que son œuvre – comme l'art moderne en général – est « profondément inutile et ne sert ni la cause du peuple ni celle de Dieu. Tout ça ne sert qu'à justifier la bourgeoisie dans sa dépravation, confie-t-il à Sophie. Pendant ce temps-là le peuple souffre » (p. 74). La littérature est déboulonnée du socle sur lequel elle avait été hissée auparavant, disqualifiée comme valeur suprême : ce qui compte désormais, c'est le salut, d'abord celui du peuple opprimé et souffrant, ensuite le sien en tant que personne. Tolstoï ne semble plus aspirer qu'à la solitude, préoccupé exclusivement de « chercher la vérité… et trouver Dieu… et trouver la paix » (p. 87).

Cette nouvelle orientation va bouleverser sa vie, le transformer en prophète d'une nouvelle religion à forte saveur populiste ; les riches sont appelés à se départir de leurs biens au profit des plus démunis, à les libérer du servage, initiative qui leur vaudra leur propre rédemption. Cette métamorphose de l'écrivain en leader charismatique, en grand-prêtre d'une religion nouvelle, créant une dissidence, une hérésie, à l'intérieur du christianisme, vaut à Tolstoï une excommunication par l'Église catholique et une résistance acharnée de la part de Sophie sur le front domestique. Ce n'est plus à une maîtresse passionnée que l'épouse doit disputer le terrain, mais à sa propre fille, Sacha, qui fait siennes les idées de son père et qui devient sa collaboratrice privilégiée. D'où d'incessantes querelles entre les membres de ce trio infernal opposant la mère aussi bien à la fille qu'à l'époux s'enfonçant dans un mysticisme de plus en plus prononcé.

Les scènes de ménage vont se poursuivre en s'exacerbant jusqu'à la mort de l'écrivain, les époux se reprochant mutuellement d'avoir eu la vie gâchée par l'autre. À la toute fin de son existence, au moment où il entre en agonie, Tolstoï aura le sentiment d'avoir tout raté : sa vie conjugale et familiale qui s'est révélée un échec, son œuvre qui n'a rien changé à la Russie qui continue de sombrer dans

« l'hystérie » (p. 112), sa mission de chef religieux et de réformateur social demeurée inaccomplie, faute de détermination de sa part. Ce sentiment d'un immense désastre est partagé par Sophie qui, pour sa part, a tout investi, tout misé sur lui et qui se retrouve devant rien, dépossédée, abandonnée au profit des nouvelles lubies d'un homme qu'elle aime pourtant toujours, sans espoir, qui ne lui appartient plus, qui est désormais la possession exclusive de la « sainte Russie » et de la littérature.

Beaulieu, on l'aura aisément constaté, renoue dans cette pièce avec la problématique centrale qui traverse et détermine l'ensemble de son œuvre. Dans le cadre du discours et de l'espace dramaturgiques, il se pose la grande question des finalités de l'écriture. Dans l'exemple particulièrement suggestif de Tolstoï, ce sont les pouvoirs de la littérature qui sont à nouveau interrogés.

L'écrivain russe, à l'instar d'Abel Beauchemin dont il semble une réincarnation, est partagé entre la vie, l'amour et l'écriture, ce temps mort qui par ses exigences dévorantes finit par envahir la vie et la détruire. Loin de rapprocher l'écrivain des autres, son geste repris infiniment creuse une distance de jour en jour plus infranchissable, le renvoyant à une solitude radicale. Loin de sauver le monde, loin d'unir les hommes dans un espace de réconciliation, l'écriture n'offre qu'une caricature grinçante de cette aspiration. Née du vide et du manque pour combler précisément ce vide et ce manque, elle ne peut que créer un plein illusoire, qu'une cohérence factice qui demeure sur le plan de l'imaginaire, qui ne change en rien le réel.

Cette réflexion qui hantait la pensée du romancier Abel au point de paralyser son écriture, et qu'il concluait par un pari aussi absolu que gratuit sur la capacité de la littérature de produire du sens, en dépit de toutes ses limites, est à nouveau au cœur de la création. Elle témoigne de la persistance de cette préoccupation fondamentale dans l'univers de Beaulieu où tout, décidément, bien qu'en incessante circulation, renvoie à tout, sert l'ambition totalisante qui caractérise foncièrement cette entreprise.

***

Au total, la production théâtrale s'avère assez impressionnante. Elle compte une bonne dizaine de pièces, dont certaines, *Monsieur*

Zéro et *Sophie et Léon,* sont d'incontestables réussites. L'auteur lui-même ne considère pas qu'il s'agit là de la meilleure part de son œuvre ; il est vrai qu'il est moins audacieux, moins « révolutionnaire » au théâtre que dans le roman.

Dans l'ensemble, sa dramaturgie est assez conventionnelle, peu soucieuse d'inventer sur le plan du langage scénique. Elle se distingue en cela de la production de Michel Tremblay, qu'elle rejoint parfois sur le plan du « populisme », aussi bien que de celle plus immédiatement contemporaine de Michel Marc Bouchard ou de Normand Chaurette. Sauf dans *Monsieur Zéro*, elle semble très éloignée des perspectives postmodernes qui caractérisent à des degrés divers la majeure partie de la création théâtrale actuelle.

Beaulieu paraît nettement plus préoccupé par le propos, l'argument, de ses textes que par la dimension spectaculaire qui leur donne chair sur scène. Il semble les envisager d'abord comme des épiphanies, des instruments au service d'une révélation décisive sur les personnages et sur le monde. En cela, il met en forme, dans l'espace et le langage du théâtre, la conception de l'écriture qui sous-tend ses romans.

La remarque de Jean-Claude Germain voulant qu'il dramatise le monologue intérieur joycien est judicieuse et vaut pour la partie la plus significative de sa production théâtrale. Qu'il s'agisse de simples divertissements, de la mise en scène de la petite histoire, d'écrits de circonstance ou de la dramatisation de la vie quotidienne ou de passions excessives, ce qui est donné à voir et à entendre c'est un certain regard sur le monde, et cette vision est celle-là même qui imprègne l'ensemble de l'œuvre de Beaulieu.

On ne devrait pas être étonné par conséquent d'y rencontrer des reformulations de motifs et obsessions qui traversent cette production de manière lancinante depuis les tout débuts. Le « roman familial » (sous diverses formes) demeure au premier plan, notamment à travers la modalité extrême de l'inceste. Le motif « archaïque » de la femme traîtresse revient sans cesse, véritable retour du refoulé. Ces obsessions font l'objet d'une double approche, relevant parfois d'un réalisme élémentaire, s'apparentant au populisme, parfois d'un traitement symbolique ou allégorique.

L'auteur insiste beaucoup sur cette dernière dimension de son travail qui, selon lui, se situerait foncièrement à ce niveau. Cela est juste sans doute, bien que ses textes jouent habituellement sur les deux registres ; leur étroite imbrication, leur complémentarité, n'apparaît pas toujours d'emblée, si bien qu'ils peuvent, en raison même de cette ambivalence, se prêter à des mises en scène aussi bien hyperréalistes qu'essentiellement symboliques et « poétiques » et, par suite, à des lectures et des interprétations très différentes selon qu'un aspect ou l'autre est mis en relief.

Projetée sur l'horizon de l'œuvre saisie comme totalité, la production théâtrale de Beaulieu s'inscrit dans le cadre du projet, maintes fois réitéré, de faire advenir « l'épopée mythologique des pays québécois ». C'est par rapport à cette ambition démesurée qu'elle trouve sa pleine signification, qu'on peut la comprendre la plus justement, y compris dans ses excès, et en évaluer la mesure exacte.

DE L'AUTRE À SOI : HAGIOGRAPHIE ET AUTOPORTRAIT

SE RECONNAÎTRE DANS LE MIROIR DE L'AUTRE

Parler de l'autre, écrire sur l'autre, ce n'est jamais vraiment autre chose pour Beaulieu que parler de soi, écrire sur soi et sur son monde.

Cela s'impose avec évidence dès les toutes premières phrases de l'essai qu'il publie sur Hugo, en 1971 : « J'avais treize ans. Nous venions de déménager de Saint-Jean-de-Dieu à Rivière-des-Prairies. Nous étions treize enfants à la maison et mon père, qui était journalier, rapportait peu[1] ». Suit un long passage évoquant la misère économique, sociale et culturelle, de la famille, l'absence de livres importants à la maison et la grande révélation, l'éblouissement que représentera la découverte de Hugo à travers *Les misérables* emprunté à la bibliothèque municipale de Montréal. C'est cette émotion, la joie de ce moment initiatique[2], qui sert de point de départ au romancier et non quelque objectif d'ordre académique, Beaulieu reconnaissant volontiers n'être pas un « spécialiste de Victor Hugo » (p. 81).

Écrit au milieu des années 1960 dans le sillage d'une participation à la célèbre émission-questionnaire *Tous pour un*, *Pour Saluer Victor Hugo* témoigne essentiellement de l'admiration inconditionnelle éprouvée par Beaulieu à l'endroit du grand poète français. Dédicacé à Hubert Aquin, reconnu comme un frère aîné en écriture, et à Fernand Dumont, sociologue de la culture, l'ouvrage signale en outre un nouveau rapport à la littérature québécoise que

---

1. *Pour saluer Victor Hugo*, Montréal, Éditions du Jour, coll. « Littérature du jour », 1971, p. 11. Les références des citations de cet ouvrage seront dorénavant placées entre parenthèses dans le texte.
2. Beaulieu précise plus loin qu'avec cette lecture « quelque chose d'immense allait m'arriver, j'allais découvrir des mondes (selon l'expression consacrée), et faire une rencontre qui, *j'en étais sûr parce que je le voulais,* me marquerait à jamais » (p. 15) (je souligne). Comment mieux faire entendre que cette découverte est d'abord vécue comme une appropriation, un report et une intégration de l'autre sur soi et en soi ?

l'écrivain s'est appropriée grâce à la lecture de quelques grands textes publiés au cours des années 1965-1966 : *La nuit* de Jacques Ferron, *Prochain épisode* d'Hubert Aquin, *L'avalée des avalés* de Réjean Ducharme, notamment.

Ce qui frappe, fascine et éblouit d'abord Beaulieu en Hugo, c'est l'excès, l'« éclatement de la parole », le « jaillissement du mot », l'« œuvre colossale », l'entreprise gigantesque, fabuleuse, d'un écrivain mégalomane chez qui il poursuit le « mythe » de ce qu'il voudrait être lui-même : « il fallait être démesuré, note-t-il, éclater par tous les possibles, vivre toutes les errances et toutes les folies et tous les bonheurs » (p. 18). Plus loin, il précisera que ce qui le pousse à s'intéresser au grand écrivain, c'est sa « puissance, sa force, son indomptable énergie, son inconcevable faim d'écrire [...] Pas de milieu chez lui. Que du prodige. Que de la grandeur. Que de la démence » (p. 33).

Adolescent révolté, confronté à la « petite vie », à l'existence médiocre qui est le lot des siens et son probable avenir, il trouve en Hugo un modèle, un exemple de ce que la « volonté de puissance » et le « choix délibéré de la mégalomanie » (p. 70) peuvent engendrer chez un être doté de vastes talents, voire de génie. Plus encore, Hugo se présente à lui comme une figure paternelle, comme un père « inaccessible comme tous les pères, et pourtant si près de moi, en moi pour tout dire » (p. 186), étant reconnu, coopté par un fils qui en fait sa « chose », un compagnon de route dans l'édification de sa propre œuvre. On sait que *La grande tribu* sera bientôt conçue comme une œuvre collective, prise en charge et écrite principalement par le fils, mais sous la protection et avec l'aide du père biologique et de ses pères en littérature, dont Melville explicitement évoqué, mais aussi Ferron et, avant eux, Hugo déjà, également tenu pour un générateur d'écriture.

Le grand poète est également à l'origine de ce qu'il faut bien appeler la conception romantique de l'écriture de Beaulieu, conception qui détermine et imprègne profondément toute son œuvre. Quand l'écrivain n'est pas perçu comme un moine vivant dans un cloître, il est en effet saisi comme un « prophète », comme un missionnaire qui annonce la « bonne nouvelle » ou prêche la révolte – c'est selon – à une humanité en attente de ses lumières. Pour Hugo, note Beaulieu, l'écrivain « doit cristalliser, dans un moment d'histoire, la voix de l'homme déchu, il doit faire œuvre de protestation, il doit symboliser, par ses livres, la colère sainte. Son œuvre devient alors un gigantesque poème-accusation de l'histoire » (p. 88).

Dans cette optique l'écrivain est un rebelle, un insurgé qui se range du côté de « l'homme déchu », de l'humanité souffrante, et sa mission est de donner voix à une misère trop souvent silencieuse. Le romancier québécois reprend donc et fait sienne cette conception romantique de l'écrivain comme prêtre laïque, régénérateur de société, fonction qui le relie étroitement à la communauté à laquelle il appartient et s'identifie.

Beaulieu s'en tiendra par la suite à cette représentation sociale de l'écrivain qui lui vient en partie d'Hugo à qui il « emprunte » aussi sa « théorie » de l'écriture réparatrice. En le lisant, il comprend en effet que son passage de Saint-Jean-de-Dieu à Montréal n'a été rien de moins qu'une « mort symbolique » abolissant d'une certaine manière son passé, son histoire personnelle. Et il prend conscience que seule l'écriture pourra faire revivre cet univers perdu en jetant un « pont entre l'enfance et ma nouvelle vie » (p. 19).

Cette enfance à la campagne, il en dresse une première reconstitution très évocatrice dans son livre. Il rappelle ses joies, dont la découverte précoce de la sexualité dans la proximité des bêtes, expérience qu'il transposera fréquemment dans ses romans. Il rappelle aussi ses petites et grandes misères, la pauvreté matérielle s'accompagnant comme naturellement d'une grande pauvreté sur le plan culturel, prenant la forme d'une « vulgarité qui était notre lot à tous et de laquelle nous ne sortions jamais parce qu'elle nous ressemblait trop, qu'elle était à notre image, celle de l'enfance sans poésie » (p. 52). Cette « enfance sans poésie » sera relayée par une adolescence guère plus reluisante dans le Montréal-Nord où la famille échoue au milieu des années 1950. Ce quartier banal sert d'annexe à la métropole, accueillant, en périphérie de la ville, des villageois dépossédés, exilés, venant s'y réfugier en quête d'une sécurité économique qu'ils ne trouvent plus dans leur milieu d'origine. Or, c'est largement à travers la lecture des romans d'Hugo que l'écrivain en herbe prend conscience de cette réalité : « je faisais la découverte de ma vie et de mon milieu, écrit-il. Les misérables, ils étaient dans mon quartier » (p. 191).

La lecture d'Hugo transforme donc le regard de Beaulieu sur le monde : elle lui fait voir le réel sous un jour neuf, sous un éclairage cru ; elle lui inspire le désir d'en rendre compte, car elle s'avère un extraordinaire générateur d'écriture : « pour la première fois de ma vie, note-t-il, je me rendais compte qu'avec la laideur, la pauvreté, le blasphème, et l'ignorance, il était possible de faire de la beauté » (p. 18). Projet qu'Abel Beauchemin, son alter ego fictif, exprimera à sa manière dans son ambition démoniaque de décrire la « quochonnerie » du monde. Beaulieu, lui, à dix-sept ans, sous l'impulsion d'Hugo, écrit « d'énormes romans qui me laissent dégoûté de moi-même, éreinté, convaincu que je n'ai aucun talent » (p. 23). D'« énormes romans » ? À dix-sept ans ? On éprouve quelques difficultés à prendre là-dessus l'écrivain au mot. Il y a sans doute là une part d'exagération qu'explique la foi avec laquelle Beaulieu, tout jeune, s'engage à fond dans l'écriture, y voyant un salut possible, un moyen privilégié d'assumer sa vie tout en la dépassant, à l'exemple et selon le modèle d'Hugo.

En somme, le romancier québécois, tout en célébrant le grand poète français, en lui dressant un monument, s'en empare et le met à son service. Sa lecture et le livre qu'elle lui inspire constituent un moment fort dans sa propre marche vers l'écriture. Hugo, en cela, remplit un rôle de passeur, d'initiateur, qui ouvre la voie au fils qui se reconnaît et se projette en lui.

L'essai doit donc être tenu ici pour ce qu'il est : une interprétation toute personnelle, éminemment subjective, de l'œuvre et du personnage d'Hugo. Il faut par suite le distinguer nettement des ouvrages académiques, des analyses critiques visant à décrire objectivement l'univers imaginaire du grand écrivain. La perspective dominante qui s'impose dans ce premier essai, et Beaulieu s'y tiendra dans ses travaux critiques ultérieurs, c'est celle de l'autoportrait. La dimension hagiographique, l'étude en forme de vénération et d'hommage, est une composante nécessaire bien que secondaire, car écrire sur autrui, au bout du compte, c'est d'abord et surtout écrire sur soi et sur son univers.

C'est essentiellement le portrait d'un jeune homme en écrivain que Beaulieu nous donne à lire, le récit d'un parcours, bref dans le temps, mais décisif, au cours duquel un apprentissage s'accomplit. On voit le futur romancier attiré tour à tour par la littérature dépouillée, voire sèche d'un Gide, le lyrisme d'un Hugo, la tentation du mysticisme et du silence à l'époque de l'attaque de poliomyélite, et trouvant enfin sa voie dans l'« écriture mythologique ».

Assez curieusement, les premières lectures de Beaulieu se situent tout à l'opposé du type d'écriture qu'il pratiquera plus tard pour son compte. Il lit en effet Georges Duhamel, Julien Green, François Mauriac, auteurs de romans psychologiques d'inspiration chrétienne, puis André Gide « qui, à lui seul, représente tout ce que la littérature occidentale a de décadent et de pétrifié » (p. 59). Sous l'influence de ce dernier, il écrit des romans visant une « certaine sécheresse qui s'obtient en raturant : il fallait que je dise l'essentiel dans le moins de mots possible, et cela tout en n'étant jamais excessif » (p. 59).

La découverte d'Hugo lui permettra de se délivrer de cette sécheresse stylistique et de l'univers étroit, mesquin, qu'elle exprime. L'exubérance dont fait montre cette œuvre le persuade de passer du côté de ce qu'il appelle les « Mongols », de la « Barbarie » et d'abandonner les « Persans » à leur « Raffinement » (p. 59). Il tourne le dos définitivement à l'écriture ascétique de l'intériorité et lui substitue une pratique sauvage, seule capable de témoigner de l'univers violent auquel il appartient, passage que va lui faciliter également la lecture de Louis Fréchette et de Rabelais. Le premier l'introduit au monde du conte, du grand « jeu avec les mots ». Le second fait éclater ses « vieilles peurs », le libère de ses « stupides impuissances » (p. 60). En cela ils complètent, chacun à sa façon, le travail de prise de conscience amorcé par la lecture d'Hugo.

Ses choix esthétiques effectués, Beaulieu paraît mûr pour écrire l'œuvre qu'il désire obscurément, cette reconstitution archéologique d'une enfance et d'un milieu, lorsque l'attaque de poliomyélite déporte brutalement son projet et semble même, durant un certain temps, le compromettre à tout jamais. Cruellement blessé, paralysé sur son lit de douleurs, le futur romancier en vient à détester la toute-puissance d'Hugo si prisée auparavant, et songe à s'en détourner et plus radicalement encore à renoncer à écrire. Il lit *L'imitation* de Jésus-Christ, Thomas Merton, Simone Weil, les philosophes spiritualistes orientaux et rédige, sous cette influence, un « cahier que j'intitulai *Dieu* », note-t-il, précisant que cette « recherche de Dieu ne pouvait être qu'intérieure et ne concernait que moi » (p. 98). Il ajoute encore un peu plus loin : « Je cédai en quelque sorte à cette tentation d'une vie divinisée, tout entière tournée vers une spiritualité par essence éthérée, je coupai les ponts avec le monde, je ne me préoccupai plus que de moi » (p. 99)[3].

Cette crise dénouée, la foi en l'écriture se ravivant, Beaulieu reviendra cependant à Hugo, comprenant que « la *fonction de la littérature était d'abord d'être mythologique, d'être plus grande que l'homme, d'aller loin à l'intérieur du ventre des symboles. Et je compris que si je voulais être vraiment romancier, je devais sans tarder me mettre à l'étude de mon pays, que dans son passé j'y ferais des découvertes importantes qui allaient me permettre des prolongements sans lesquels il ne pourrait, pour moi, y avoir de vérité » (p. 193)[4]. Hugo est ainsi le premier à lui avoir fait saisir pleinement que « l'œuvre véritable en est une de connaissance, connaissance du pays et connaissance de l'homme » (p. 193).

Hugo fournit donc au romancier les principaux fondements de la conception historico- mythologique de l'écriture qui inspirera désormais son œuvre. Cette conception s'ancrera en lui encore plus profondément lorsqu'il la rencontrera chez Ferron, l'auteur québécois qui, après Hugo et Melville, lui servira de maître et de père, d'inspiration et d'exemple, et qu'il placera au-dessus de tout. C'est par Hugo qu'il vient à Ferron d'une certaine manière et c'est, comme eux, qu'il entend « faire œuvre nationale » (p. 104) par une production symbolisant la société québécoise et appelant, dans le même mouvement, à son dépassement.

L'« essai-poulet » qu'il consacre à Jack Kerouac, en 1972, est d'ailleurs dédicacé à Jacques Ferron « avec qui commence les pays québécois[5] ». Celui-ci est reconnu, et très tôt, comme le véritable fondateur de la littérature nationale moderne, celui par qui tout commence. Kerouac, par contraste, qualifié de « cerise sur le sunday franco-américain » (p. 13), symbolise ce qui finit, le vieux rêve d'une Amérique française sombrant dans la grisaille des villes

---

3. C'est cette expérience qu'il transposera en la métamorphosant dans *Mémoires d'outre-tonneau*. Cet événement capital sera refoulé un temps puis resurgira dans l'œuvre à intervalles de plus en plus rapprochés, donnant à son entreprise l'allure d'une quête religieuse, d'une recherche du sacré, ce qu'elle est, à vrai dire, pour une large part.

4. Je souligne ce passage tout à fait capital.

5. *Jack Kérouac. Essai-poulet*, Montréal, Éditions du Jour, 1972, p. 7. Les références des citations de cet ouvrage seront dorénavant placées entre parenthèses dans le texte.

manufacturières de la côte Est et préfigurant peut-être le destin d'un Québec qui n'assumerait pas jusqu'au bout sa vocation historique.

L'auteur le plus célèbre du mouvement beatnik américain est d'abord considéré sous l'angle de sa condition de Canadien-français dépossédé et marginalisé. C'est celle-ci qui expliquerait l'essentiel aussi bien dans sa vie que dans son œuvre. La réussite littéraire de Kerouac reposera effectivement sur un malentendu fondamental entre ses désirs profonds comme écrivain et les attentes de ses lecteurs qui créeront de toutes pièces le mythe du « pape beatnik ». Et son existence ne sera pas celle, flamboyante, d'un « clochard céleste », mais prendra plutôt la forme d'une pitoyable et inéluctable descente vers une solitude totale et une désespérance absolue. Pour Beaulieu, il est, et de plus d'une manière, un de ces « hommes *anachroniques* faiseurs de procès-verbaux des collectivités en voie de disparition, prophètes qu'on n'entend pas, chevaliers d'Apocalypse devant lesquels on se voile les yeux » (p. 233)[6].

Cette collectivité, c'est bien entendu celle formée par les Canadien français quittant, durant la seconde moitié du XIXe siècle, les terres de roches dont ils n'arrivent plus à tirer leur subsistance et s'exilant aux États-Unis, attirés par la prospérité américaine, troquant leur condition d'« habitants » pour celle « d'ouvriers de fabrique ». Ce fut le cas de la famille Kerouac quittant le bas du Fleuve et venant s'établir à Lowell, dans le Massachusetts, dont Beaulieu reconstitue, largement par l'imaginaire, le grand « dérangement », l'odyssée à partir de laquelle on peut vraiment comprendre le destin de Kerouac qui ne « prend tout son sens qu'avec Marie-Rose Ferron, la stigmatisée de Woonsocket, et le Mouvement sentinelliste » (p. 25)[7]. Pratiquant déjà une approche qu'il approfondira davantage dans son ouvrage sur Melville, le romancier-critique replace donc Kerouac dans le contexte familial et social des Franco-Américains car, insiste-t-il, « l'héritage des ancêtres est un conditionnement écrasant » (p. 125).

---

6. C'est Beaulieu qui souligne, estimant parfois ressembler en cela à Kerouac, se retrouvant comme lui à contretemps, coupé de son époque et de l'évolution de son milieu, prophète criant dans le désert, ses mots emportés par le vent ne rejoignant plus personne.

7. Quelques pages sont consacrées à cette « sainte » dans le cinquième chapitre du *Manuel de la petite littérature du Québec*, Montréal, L'Aurore, 1974, p. 174-180.

Descendant de Canucks, d'une collectivité sur le déclin, mal ajustée au rêve américain, Kerouac ne peut guère se révéler autre chose qu'un anti-Hugo, qu'un négatif de ce personnage démesuré, excessif. Beaulieu était tombé « en pamoison » devant cet « homme-tiroirs, ce romancier-à-étages, ce dramaturge-aux-portes-secrètes-et-aux-fausses-pistes », ce « Monstre-Mots » réussissant tout ce à quoi il touchait en « tous lieux et en tous temps » (p. 224). Kerouac suscite chez lui une adhésion beaucoup plus ambivalente, faite d'admiration et de détestation, car il s'avère un « homme hypothéqué, dépossédé, petit et dérisoirement sublime comme seul on sait l'être entre Canadiens français » (p. 224) et ses livres sont « ce que le Québécois a fait de plus douloureux contre lui-même – Peau de chagrin canuck » (p. 225).

Si Kerouac fascine tant Beaulieu, parfois jusqu'à la morbidité, c'est que son ratage est pour ainsi dire complet et exemplaire : « Jack, écrit-il, ne pouvait pas gagner. Il était allergique à des mots comme succès, bonheur, santé, argent, gloire. Il n'entendait rien à toutes ces choses et à cause de cela, s'illusionnait sur ce qu'il était » (p. 117). En littérature, il ne deviendra pas le grand créateur qu'il était potentiellement, n'osant pas se livrer totalement à l'imaginaire et lâcher son fou sans réserves. Si bien qu'il ne surmontera pas sa situation de « chroniqueur déchiré dans ses deux pôles d'attraction : le pôle beat et le pôle canadien-français » (p. 228). Une fois reconnu comme figure légendaire de la Beat Generation, il ne saura pas en profiter, refusant d'assumer la fonction de leader et de porte-parole du mouvement dont un Allen Ginsberg, plus opportuniste, s'emparera[8].

Devenu malgré lui un héros de la jeunesse américaine, il demeure foncièrement un petit garçon, rentrant sagement à la maison chaque automne, courant se reposer dans l'ombre protectrice de Memère après ses épuisantes équipées estivales. Loin d'être un aventurier, il est effarouché par les excès de ses amis, la surconsommation de drogues d'un Burroughs, l'homosexualité glorieuse d'un Ginsberg. Coincé dans son corps, obsédé par la culpabilité, imprégné de

---

8. « Jack, écrit encore Beaulieu, n'avait pas même soif *d'être* et de *paraître* [que les autres] il était, pour pousser la chose loin, en quelque sorte l'idiot du groupe, trop poigné par ses *petits* problèmes personnels pour accepter de jouer son rôle dans le vaste Mouvement qu'il avait contribué à lancer » (p. 151). C'est l'auteur qui souligne.

valeurs conservatrices – la famille, la nation, la religion catholique –, il ne se défonce guère que dans une absorption excessive d'alcool qui le conduira doucement à un suicide passif, dernier terme d'une trajectoire en rien héroïque[9].

Incapable d'effectuer une véritable rupture avec la mère et avec la communauté canadienne- française dont elle est l'archétype, incapable également de rompre, comme ses amis l'ont fait, avec les valeurs dominantes des États-Unis et de les rejoindre dans leur révolte, Kerouac finira par se retrouver de plus en plus seul et désespéré. À sa manière, il répète l'échec lamentable du père, imprimeur prospère subissant une faillite qui le déclasse sociale-ment ; après lui, et à son exemple, il s'avère « incapable d'être Américain, poigné pour toujours à l'impuissance canuck » (p. 167). Plus loin, Beaulieu ajoute : « Si Canadien français était Jack dans ses idées d'amour, de sainteté et de paradis, si folklorique, si dérisoire [...] Tout cela dont Jack parle dans ses livres avait pris trop de place en lui et il n'eut pas la force de tout faire revoler en l'air » (p. 193). Si bien qu'à le lire, « on dirait parfois le Gaston Miron de l'aliénation délirante » (p. 167).

On voit que le critique-romancier procède à nouveau par identi-fication et projection. Refusant le modèle universitaire – « faire un plan, disséquer le cadavre scientifiquement » (p. 9) –, il attaque son sujet à partir d'une adhésion préalable née d'un éblouissement, d'une fascination pour l'Autre appréhendé comme un double de soi, « car lire, fait-il remarquer, n'est-ce pas établir des correspondances entre soi et Jack ? Pourquoi passer des heures le nez dans un roman si jamais les mots ne vous renvoient à vous-même ? » (p. 35).

Pour comprendre Jack, il faut – et il suffit de – se reconnaître en lui, se retrouver à travers lui. Et cette rencontre n'est possible qu'à la lumière de sa propre expérience comme individu aussi bien que comme écrivain. D'où, dans l'essai, un incessant chassé-croisé entre les moments d'écriture de la biographie de Kerouac à partir des informations et témoignages disponibles sur sa vie et de la documentation historique sur la période, et les moments d'écriture

---

9. Le romancier, comme on le voit, attribuera aux héros de ses romans de l'époque plusieurs traits de caractère empruntés à Kerouac dont, négativement, la passivité et l'alcoolisme, et positive-ment, le culte des origines et le désir de sainteté.

autobiographique où l'on se reporte à sa propre expérience pour mieux saisir Jack et, ce faisant, découvrir sa propre réalité.

Du portrait à l'autoportrait il n'y a en vérité qu'un pas, qu'une frontière très poreuse à franchir, que Beaulieu n'hésite pas à traverser très allégrement encore une fois.

L'« essai-poulet » ajoute de nouvelles touches au tableau de la famille et de la vie rurale esquissé dans le livre sur Hugo, dessinant ainsi les contours de l'éventuelle *Grande Tribu* fantasmée dès la venue à l'écriture. Le romancier y réaffirme sa conviction d'y avoir acquis une « vision du monde » qui, au fil des années, « n'a absolument pas changé » (p. 46).

Cette conception originaire de la vie s'apparente à celle de Kerouac, ce double de soi, élevé dans un univers largement semblable au sien. D'où la fascination de Beaulieu pour l'écrivain « canuck », ensorcellement auquel il met fin en se démarquant du puritanisme et de la position de victime vécue par celui-ci. Contrairement à Kerouac, le romancier québécois ne craint pas la « merde » dont un Burroughs se servait à des fins de purification dans son œuvre, au grand effroi d'un Jack coincé dans sa culpabilité judéo-chrétienne ; il en fera même un constituant de la « théorie » de l'écriture prêtée à Abel Beauchemin, son porte-parole fictif, comptant édifier son œuvre sur cet humus particulièrement fertile.

C'est ainsi qu'insensiblement l'essai bascule du côté de la fiction. Le romancier n'hésite pas en effet à imaginer de toutes pièces des événements de la vie de Kerouac, le mettant en scène notamment dans un dialogue avec Memère dans le bungalow de Saint-Petersburg où il finit sa vie dans un état lamentable... Plus encore, il l'annexe d'une certain manière à sa production romanesque, tenant Jack pour un semblable de ses héros « purement fictifs », le Barthélémy Dupuis d'*Un rêve québécois* ou le Berthod Mâchefer d'*Oh Miami Miami Miami*, ces symboles pathétiques de l'impuissance québécoise.

L'ouvrage, tout en étant un portrait en forme de célébration de l'écrivain franco-américain, se présente donc comme un roman, s'avérant un remarquable exercice de « lecture-fiction ». Cette désignation générique, Beaulieu l'accolera bientôt à son grand livre sur Melville, à la fois vénéré, placé au-dessus de tout et dévoré par l'inassouvissable cannibale littéraire, le prédateur féroce, le carnassier sanguinaire[10] que sait si bien être parfois le romancier de Trois-Pistoles.

On verra qu'il procédera largement de même avec Ferron, l'écrivain québécois considéré comme la figure emblématique du Père, de la « plus haute autorité », à la fois « salué » (comme Victor Hugo) et totalement absorbé au bénéfice de sa propre œuvre.

FERRON : LA CONSTRUCTION
D'UNE FIGURE MYTHOLOGIQUE[11]

Beaulieu entretient un véritable culte pour l'œuvre et la personne de Ferron, écrivain qu'il considère comme le plus important de la littérature québécoise contemporaine. Il l'a dit et répété à de nombreuses reprises dans des entrevues accordées au fil des années à des revues et journaux depuis sa venue à l'écriture à la fin des années 1960.

Ces témoignages publics, qui sont parfois fort révélateurs, ne forment cependant que la couche superficielle d'un rapport plus fondamental, essentiel, s'inscrivant dans la texture même de l'œuvre romanesque et critique de Beaulieu. Je rappellerai d'abord rapidement comment opère la référence à Ferron dans le texte, en dégageant progressivement une figure qui prendra des contours très nets, voire définitifs, dans *Les chians* en 1979 et le *Docteur Ferron* en 1991 et en faisant une représentation de l'écrivain avec laquelle il nous faut désormais compter et composer, ne serait-ce que pour polémiquer avec elle et éventuellement la refuser.

LA FORMATION D'UN MYTHE : PREMIÈRES VARIATIONS

Dès 1970, dans *Jos Connaissant*, son quatrième roman, Beaulieu renvoie à Ferron en plaçant en épigraphe de l'avant-dernier

---

10. Jean Morency met bien en évidence cette « anthropophagie » particulièrement virulente dans *Monsieur Melville,* ouvrage critique dont je ne traite pas dans ce chapitre ; je renvoie le lecteur aux pages que je lui consacre ici dans mon analyse des « Voyageries ». Voir Jean MORENCY, « Américanité et anthropophagie littéraire dans *Monsieur Melville* », *Tangence,* nº 41, octobre 1993, p. 54-68.

11. Je reprends dans cette section, en le modifiant légèrement, un article publié dans un numéro spécial de la revue *Littératures* consacré à la « Présence de Jacques Ferron ». Voir « Victor-Lévy Beaulieu, lecteur de Ferron : la construction d'une figure mythologique », *Littératures,* nᵒˢ 9-10, 1992, p. 239-254.

chapitre de son récit la fameuse phrase du *Mythe d'Antée* : « Ainsi te voici donc dans ton pays natal ». Cette citation intervient à un moment stratégique dans un roman dont la problématique centrale est axée sur la mort et la renaissance d'un héros devant incarner l'image « outrageante », excessive, sinon délirante, d'un Québec à secouer, à réveiller de sa torpeur séculaire. Première image associée donc à l'idée d'une naissance tant individuelle que collective.

La même année, il publie dans *La Presse* un article polémique au titre très évocateur (« La tentation de la sainteté ») s'en prenant à l'ensemble des écrivains québécois, à l'exception d'Aquin et de Ferron dont il affirme : « Quelqu'un a dit de lui qu'il nous grandissait, qu'il était le premier à le faire. C'est vrai[12] ». Et il ajoute, précisant sa pensée, que ce qui fait la grandeur de Ferron, c'est qu'il a « compris que la littérature d'ici sera un vain mot, que l'homme d'ici sera un vain mot tant et aussi longtemps qu'ils ne feront pas la paix avec le passé, tant et aussi longtemps qu'ils ne l'auront pas assumé et dé-passé[13] ».

Ce qui l'intéresse, c'est l'attitude qu'il croit déceler chez Ferron à l'égard du passé : le sentiment qu'il faut le relire, autrement, à rebours de l'histoire officielle, pour le comprendre, le ré-approprier et pouvoir l'assumer pleinement. Dans cet article, comme dans la fiction romanesque, ce qui est retenu, c'est donc un certain rapport au monde, et plus particulièrement au Québec.

Dans les deux ouvrages critiques consacrées ensuite à Victor Hugo, puis à Jack Kerouac, la référence prendra de nouvelles significations. Dans le *Hugo*, Beaulieu évoque bien sûr Ferron comme historien contestataire, iconoclaste, prenant les historiens officiels à partie, révélant la face cachée des choses et du monde. Mais il met surtout l'accent sur la dimension mythologique de son œuvre – dimension mythologique dont il fera le fondement même de sa propre pratique d'écriture ; « en assumant le pays, écrit-il, en le devançant dans des contes ou des romans bizarres, difficiles, parce qu'ils creusaient une réalité dont on s'était presque toujours tenu éloigné, Ferron faisait de nous des hommes dignes et fiers, en

---

12. Article repris dans *Entre la sainteté et le terrorisme, op. cit.*, p. 146.
13. *Ibid.*, p. 148.

marche vers leur destin, et luttant pour un nouvel ordre du monde. Une œuvre s'affirmait enfin, qui venait de nous [14] ». Et il ajoute plus loin : « Ferron y fait œuvre nationale : le pays commence avec lui, le pays devient possible avec lui [15] ».

Ce que l'œuvre de Ferron met en jeu dépasse l'univers de la littérature pour Beaulieu et met en rapport plus fondamentalement l'œuvre et la collectivité à laquelle son destin est lié, qu'elle accompagne, questionne et contribue à faire avancer. Avec d'autres moyens, sur d'autres bases, et dans un contexte différent, Ferron, comme Hugo, apparaît comme « écrivain national », acteur et participant à part entière d'une Histoire qu'il ne se borne pas à observer et à symboliser, mais qu'il *fait* littéralement par ses œuvres. En cela il préfigure le personnage que Beaulieu lui-même est alors en train de se construire.

Ce personnage rêvé, fortement idéalisé, s'oppose bien sûr à celui de Jack Kerouac, écrivain maudit, grand perdant devant l'éternel, symbole par excellence du destin pitoyable qui attend le peuple québécois s'il ne trouve pas en lui l'énergie, le courage de rompre avec la domination américaine. « L'essai-poulet », on l'a déjà signalé, est dédicacé à Ferron « avec qui commence les pays québécois » rappelle d'entrée de jeu Beaulieu. Toutefois, dans ce second essai, Ferron n'est par la suite guère présent, si ce n'est sur le mode d'un rêve, ou plutôt d'un cauchemar, au cours duquel il meurt dans sa voiture en traversant le pont Jacques-Cartier. Mort dérisoire qui symbolise la vision désespérée et désespérante suscitée chez Beaulieu par le naufrage de Kerouac, ce « meilleur romancier canadien-français de l'Impuissance [16] ». Ce que Ferron possède en commun avec Kerouac, et qui autorise Beaulieu à les réunir, c'est une conscience aiguë du drame canadien-français et québécois et de la menace de mort qui plane au-dessus de la collectivité.

C'est à cette époque, je le signale en passant, que Ferron reconnaît pour sa part l'importance de Beaulieu, estimant que *Les grands-pères*, publiés en 1971, ne constituent rien de moins que « le livre de base » pour les amateurs de monographies de paroisse, celui

---

14. *Pour saluer Victor Hugo, op. cit.,* p. 193.
15. *Ibid.,* p. 193-194.
16. *Jack Kérouac. Essai-poulet, op. cit.,* p. 231.

qui sait en reconstituer l'ambiance, « une ambiance qu'on ne trouvera jamais dans les dites monographies ». Et il juge que « c'est un beau livre, le livre admirable où l'on joue le grand jeu, mais ce n'est pas un livre drôle, un livre de tout repos : il se situe un peu au-delà du tragique » [17]. Ainsi s'amorce publiquement une longue relation qui n'ira pas sans quiproquos, sans malentendus, mais qui apparaît assez singulière, sinon unique, dans notre histoire littéraire récente.

Après s'être initié à Ferron à travers *La nuit* lue en 1965, Beaulieu s'éprend tour à tour du *Ciel de Québec*, qu'il salue comme « le livre québécois le plus important qui ait été publié depuis la Révolution tranquille[18] », de *L'amélanchier* qui contiendrait « quelques-unes des meilleures pages de Jacques Ferron[19] » et du *Salut de l'Irlande* qu'il décrit comme une « œuvre profondément souterraine, une manière de fleuve qui charrie dans ses eaux beaucoup plus que ce que nous sommes encore ». Et il ajoute, notation capitale : « Ferron fait, parmi nous, figure de *prophète*, et de *père*[20]».

Déjà donc, en 1971, dans cet article publié dans la revue *Maintenant*, Beaulieu, après avoir reconnu l'auteur du *Ciel de Québec* comme témoin essentiel, historien exemplaire, écrivain supérieur, le sacre désormais comme prophète, investi de la mission de prévoir et d'annoncer l'avenir – accomplissant ainsi la fonction mythologique de la littérature – et comme père de la nouvelle écriture québécoise. Ce qui me paraît remarquable, c'est qu'il pose déjà les éléments cardinaux d'une représentation qu'on retrouvera à peu près telle quelle dans le grand ouvrage à l'allure souvent hagiographique de 1991, très justement qualifié de « pèlerinage » : célébration respectueuse et parfois dévote d'un écrivain tenu en quelque sorte pour Dieu le Père.

Inscrit dès le début des années 1970 dans l'œuvre de Beaulieu, Ferron ne cessera d'y resurgir périodiquement par la suite. Comme il serait sans doute fastidieux d'évoquer dans le détail ces occurren-

---

17. Texte reproduit sur la quatrième de couverture de l'édition VLB éditeur des *Grands-pères*, en 1979.

18. « Donoso et Marquez, cette grande leçon pour les romanciers québécois », *Le Devoir*, 8 septembre 1973. Repris dans *Entre la sainteté et le terrorisme*, *op. cit.*, p. 280.

19. « La générosité de l'écrivain », *Maintenant*, février 1971. Repris dans *Entre la sainteté et le terrorisme*, *op. cit.*, p. 182.

20. *Idem*.

ces, je me bornerai à en signaler rapidement quelques-unes, particulièrement significatives.

Dans *Oh Miami, Miami, Miami*, publié en 1973, on le retrouve au centre d'une conversation, entre deux étudiants, sur la signification de son œuvre, et en particulier de ses contes. Et le roman lui-même reprend la structure de *La nuit*. Le parcours de François Ménard retrouvant sa vérité au cours d'un rite initiatique, dans ce mystérieux Château qu'est Montréal vu de Longueuil la nuit, sert en effet de modèle, de matrice à la quête du héros de Beaulieu dans ce non moins étrange Château que peut être un Miami fantasmagorique où il découvre sa vocation de prophète d'une révolution « rouge », à accomplir au Québec en alliance avec les Amérindiens, renouant ainsi avec le projet de Riel, figure mythique aussi au cœur du *Ciel de Québec*.

Dans *Blanche forcée*, récit inaugural des « Voyageries » publié en 1976, on le rencontre à nouveau à l'orée du livre et du projet du *cycle*, cité dans une épigraphe du roman : « Il a parlé comme il a pu, en homme sage, pour conjurer la folie par la folie ». Cette citation provient du *Ciel de Québec*[21], elle constitue une partie d'une réplique du brigadier Louis-Archibald Campbell à Frank Anacharcis Scot à propos de Louis Riel justement. Allusion significative encore une fois qui établit une sorte de chaîne entre Riel, Ferron et Beaulieu, artisans, chacun à sa manière, de la construction d'une mythologie nationale pour le Québec.

Au cours de cette période, la présence de Ferron devient vraiment centrale, massive, sinon obsessionnelle dans l'œuvre de Beaulieu. Sous son inspiration directe et explicite, il publie successivement le *Manuel de la petite littérature du Québec* en 1974, *Ma Corriveau* en 1976 et *Moi Pierre Leroy, prophète, martyr et un peu fêlé du chaudron* en 1982, trois variations sur la petite histoire du Québec. Une petite histoire tenue pour fort révélatrice de la réalité québécoise, plus encore que la grande, l'officielle, celle que l'on enseigne dans les écoles et dont se réclament les hommes politiques et les idéologues.

Dans l'introduction du *Manuel*, Beaulieu remercie Ferron « sans l'aide de qui, écrit-il, cet ouvrage n'aurait pas été écrit, l'inspiration

---

21. Jacques FERRON, *Le ciel de Québec*, Montréal, VLB éditeur, 1979, p. 138.

du *Manuel* venant de lui[22] » . Dans la présentation de *Ma Corriveau*, il se réclame encore de lui et se réfère plus particulièrement à la conception de l'histoire de Ferron telle qu'énoncée dans *Du fond de mon arrière-cuisine*. Et dans *Moi, Pierre Leroy...* enfin, ce curieux roman-reportage sur le Canada français du XIXe siècle, qualifié de « plagiaire », Beaulieu reconnaît à nouveau sa dette à l'endroit du médecin historien qui lui aurait fait lire l'étrange autobiographie d'un « missionnaire » français exalté venu à Québec durant les années 1870 avec l'ambition de réformer le système scolaire et, en plus, la société dans laquelle celui-ci s'inscrit. Encore ici, Ferron est rattaché à la genèse d'un projet de nature historiographique et reconnu comme une autorité dans le domaine.

Se réclamant de Ferron, Beaulieu est-il pour autant fidèle à ses conceptions, à sa méthode et à sa pratique ? La question mériterait un examen auquel on ne saurait procéder correctement sans de longues et minutieuses analyses. Mon impression, toutefois, est que le romancier, tout en s'inscrivant dans les perspectives ouvertes par Ferron, radicalise ses positions, les porte jusqu'à une sorte de limite où l'auteur des *Historiettes* a probablement eu du mal à se reconnaître parfois, notamment dans cette image outrancière, voire caricaturale, d'un certain Québec que propose l'auteur du *Manuel* : représentation qui ne coïncide pas en tout cas avec la description proposée entre autres dans *Le ciel de Québec*. Quoi qu'il en soit, il reste que le docteur sert à Beaulieu de garant, de caution dans son entreprise de re-lecture et de ré-interprétation de l'histoire du Québec : il est pour lui tout à la fois l'écrivain et l'historien national[23].

DU *CIEL DE QUÉBEC* AUX *CHIANS* : UNE SINGULIÈRE TRANSPOSITION

Ces deux tendances majeures de l'œuvre de Ferron se retrouvent imbriquées, fusionnées de manière exemplaire dans *Le ciel de*

---

22. *Manuel de la petite littérature du Québec, op. cit.*, p. 11.

23. Ferron occupe également d'autres fonctions, plus modestes si l'on veut, dans l'œuvre de Beaulieu. Ainsi, par exemple, on le retrouve comme médecin humaniste et sceptique quant aux possibilités de révolutionner le monde dans *Cérémonial pour l'assassinat d'un ministre* publié en 1978. Et comment ne pas le reconnaître, dans le personnage de Philippe Couture, être double, homme d'affaires le jour et poète la nuit dans *L'héritage*, l'homme respectable, le notable, faisant ici aussi vivre l'homme de l'écriture, de l'absolu ?

Québec, œuvre capitale, somme et sommet de la production de cet écrivain dans l'optique de Beaulieu. Dans *N'évoque plus que le désenchantement de ta ténèbre, mon si pauvre Abel,* rare ouvrage dans lequel le romancier prend la parole résolument et exclusivement en son nom propre, sans passer par son faire-valoir Abel Beauchemin, le grand roman de Ferron n'est comparé à rien de moins qu'à *Ulysse* de Joyce, cette figure emblématique de la grande littérature, celle qui appelle au dépassement de soi et qui justifie un engagement total et absolu : « En fait, écrit Beaulieu, il ne manque au *Ciel de Québec* qu'un élément, pourtant fondamental, pour répondre à l'*Ulysse* et y ajouter ce qu'il ne peut avoir et qui n'est rien moins que notre différence. Et cet élément, c'est le héros. Pourquoi, ayant rassemblé tous les morceaux apparents de l'œuvre, *Le ciel de Québec* ne nous fait-il assister qu'à la naissance de l'odyssée et non à l'odyssée elle-même[24] ? »

À cette question, il répond lui-même : « C'est que dans notre ici, pas de mythe et apparente impossibilité d'en créer. Pas de mythe, ni même d'histoire[25] ». Aussi tient-il le roman de Ferron pour un « gigantesque prologue » appelant l'avènement de l'histoire et du mythe qui la génère, condition absolument nécessaire à la production même du Livre, projet vital auquel l'écrivain doit participer, qu'il doit contribuer à faire avancer pour donner un son plein à son œuvre : « Sans ce projet, précise-t-il, que serait, que pourrait être l'écriture ? Sans cette volonté, que pourrait-il bien y avoir dans nos mots[26] ? »

Beaulieu, on le voit, retrouve ou plutôt projette dans l'œuvre de Ferron sa propre problématique d'écriture. Est-il possible de tirer de la non-Histoire, du vide, de l'absence d'un pays, non plus incertain mais désormais équivoque, le plein de l'œuvre, une symbolisation du réel qui puisse excéder le réel lui-même et éventuellement le transformer ? C'est cette question que la lecture du *Ciel de Québec* suscite chez lui et c'est sur cette base qu'il entreprend de réécrire le récit de Ferron dans *Les chians.*

---

24. Victor-Lévy- BEAULIEU, *N'évoque plus que le désenchantement de ta ténèbre, mon si pauvre Abel, op. cit.,* p. 151.
25. *Idem.*
26. *Idem.*

Je rappelle que la pièce, créée au théâtre d'Aujourd'hui en 1979, porte un double titre, celui des *Chians*, bien sûr, mais aussi celui de *La tête de monsieur Ferron*, signalant ainsi la position stratégique occupée par l'auteur. Beaulieu la qualifie lui-même « d'épopée drôlatique » en page de couverture et la range donc dans une catégorie littéraire étonnante, pour ne pas dire incongrue : depuis quand en effet le récit épique est-il drôlatique ? Une telle appellation, inventée pour l'occasion, ne fait sens sans doute pour l'auteur que dans le cadre d'une société québécoise dérisoire, pays des ambivalences, des malentendus, des quiproquos et de l'équivoque.

Dans ce cadre raréfié, aseptique, *Le ciel de Québec* apparaît comme « l'une des rares tentatives faites ici pour faire naître l'écriture épique[27] », comme une « grandiose épiphanie » qui n'est pas sans rappeler ce que Beaulieu décrit comme « l'arme secrète de James Joyce[28] ». Cette épiphanie se produit lors d'une « procession épique qui, de Québec aux Chiquettes, va reconstituer tout l'univers québécois » à l'occasion de la naissance de Rédempteur Faucher, symbole de l'Enfant Jésus, du Christ sauveur, incarnant « l'être collectif québécois en devenir[29] ». C'est donc ce grand épisode, cette « imagerie du miracle » (au sens médiéval), qui est prélevé et privilégié dans le roman polyphonique et pluridimensionnel de Ferron dont Beaulieu croit et espère avoir respecté l'esprit.

La pièce, enfin, est présentée comme une réflexion sur la création par la mise en scène de Ferron en personnage commentant le spectacle au fur et à mesure de sa progression. En quoi, bien entendu, sur ce plan tout au moins, elle sort du cadre du *Ciel de Québec*.

Voilà ce qui en est des intentions de Beaulieu. La pièce elle-même respecte ce projet dans la mesure où elle prend forme, se structure autour de l'épisode de la création de Sainte-Eulalie, transformant en communauté chrétienne et québécoise la société déviante – impie et métisse – des Chiquettes. Le rouleau compresseur de la civilisation est incarné dans les personnages loufoques des évêques Camille et Cyrille et du cardinal Rodrigue, eux-mêmes à la remorque de politiciens véreux et cupides recrutant aux

---

27. *La tête de Monsieur Ferron ou Les chians, op. cit.*, p. 11.
28. *Ibid.*, p. 14.
29. *Ibid.*, p. 15.

Chiquettes leurs travailleurs d'élection. Ces derniers sont représentés par le personnage de Joseph à Moïse à Chrétien, individu à la fois rusé, retors et soumis, figure de l'acceptation, de la résignation qui caractérise une partie de la communauté métisse. Eulalie Durocher, la célèbre capitainesse, sage-femme dépositaire de la tradition, de la mémoire amérindienne, incarne par opposition la révolte, la rébellion de ceux et celles qui refusent l'assimilation et qui luttent pour préserver la spécificité et l'avenir de la culture « rouge » dont Rédempteur Fauché symbolise l'avenir menacé, problématique.

Reprenant en cela un propos qui lui est propre, qu'il a déjà mis en fiction notamment dans *Oh Miami, Miami, Miami* dans le personnage de Berthold Mâchefer, rebaptisé Géronimo au terme d'une initiation sexuelle et politique par un énigmatique Faux Indien qui en fait le prophète de la nouvelle civilisation amérindienne à établir sur le continent américain, il faut reconnaître que Beaulieu respecte néanmoins, sur ce plan, la structure de cet important épisode du *Ciel de Québec*. Il prend ses distances toutefois à l'endroit du texte ferronnien lorsqu'il isole ce passage du contexte romanesque dans lequel il est inséré et qui lui assure, dans une large mesure, sa signification.

Le ciel de Québec contient bien plus, en effet, que le récit épique de la re-création du village des Chiquettes. C'est aussi une vaste chronique sur les milieux et les mœurs politiques d'avant la Révolution tranquille ; c'est un tableau de la vie culturelle et intellectuelle du Québec des années 1930 et de l'après-guerre, incarnée dans les figures posées comme antithétiques de Borduas, chantre de la liberté et du bonheur, et de Saint-Denys Garneau, poète du repli sur soi, de la défaite et du malheur ; c'est également, et peut-être surtout, le récit de la conversion de Frank Anacharcis Scot à la nationalité québécoise dans un bordel de la rue Saint-Vallier. Un Frank Anacharcis, on s'en souviendra, qui, devenu François, prend la parole dans la « Conclusion » du roman et se présente comme le chroniqueur de l'épopée à venir sur *La vie, la passion et la mort de Rédempteur Faucher*.

Dans cet immense univers, Beaulieu retient et privilégie donc un élément, important certes, qui correspond à la représentation qu'il se fait de Ferron comme écrivain national, mais qui ne saurait être tenu sans réduction pour le tout du texte. Il y a là un premier problème. Le second est lié à la mise en scène de l'écrivain comme personnage. Dans l'introduction des *Chians*, le romancier affirmait vouloir utiliser Ferron dans le cadre d'une réflexion sur la création, centrée sur les rapports de celui-ci à ses personnages. La pièce, sur ce plan, ne répond guère au programme. Elle ne contient, en réalité, que des remarques plutôt générales sur la fonction sociale de l'écriture et se termine par un rappel de l'image de Ferron comme cartographe de l'imaginaire, modeste artisan d'un pays équivoque, inaccompli.

Elle comporte, par ailleurs, des allusions à la vie privée de l'écrivain : son rapport à la mère, son usage de la chloropromazine, un matériel en partie déjà thématisé dans l'œuvre – je pense, entre autres, à *La charrette*, à l'« Appendice aux *Confitures de coings* » – ou connu par des confidences de Ferron, mais qui présente un caractère saugrenu dans la pièce, n'apparaissant pas relié de manière essentielle à son propos central.

Beaulieu reconnaît dans le « pèlerinage » publié en 1991 qu'il s'est ainsi fourvoyé dans *Les chians* en privilégiant un seul épisode du *Ciel de Québec* et en intervenant dans la vie privée de Ferron auquel il estime avoir totalement manqué de respect, un aveu sous forme d'autocritique peu banale s'agissant de lui[30]. Repentir tardif ne changeant rien cependant à l'image suggérée par la pièce qu'il se propose d'une certaine manière de « corriger » dans la représentation « totalisante » qu'il entend donner au *Docteur Ferron* toujours considéré comme le « seul écrivain véritablement national que le Québec contemporain ait produit[31] ».

LE CRITIQUE EN HAGIOGRAPHE : *DOCTEUR FERRON. PÈLERINAGE*

Au point de départ de cet ouvrage conçu comme un hommage inspiré par la ferveur, l'admiration, l'affection, on trouve – et c'est très significatif – un rêve et une image.

Dans le rêve, qui va appeler et légitimer en quelque sorte l'entreprise de Beaulieu, madame Ferron recourt à ses services pour

---

30. *Docteur Ferron. Pèlerinage*, Montréal, Stanké, 1991, p. 300-302.
31. *Ibid.*, p. 12.

démêler le vrai du faux dans les représentations de l'écrivain jusqu'alors proposées. S'exécutant, le romancier répond ainsi à une demande et s'engage dans une mission sacrée : reconstituer l'authentique visage du docteur. Mission qu'il accomplit sous la forme d'un pèlerinage aux lieux saints qui ont encadré la vie de Ferron : Louiseville et le monde de l'enfance, la Gaspésie et l'univers de la médecine vécue comme vocation, Ville Jacques-Cartier et l'espace de l'écriture. Dans chacun de ces lieux privilégiés, Beaulieu essaie – en vain, parfois – de retracer l'« esprit » qui aurait servi de déclencheur à l'imaginaire ferronnien et engendré son œuvre.

L'image, elle, donne à voir un « homme bizarre, tout décoiffé, la barbe longue et les vêtements désordonnés, sans parler des yeux qui, très loin dans leur enfoncement, ne semblaient rien voir[32] ». Elle est construite à partir du souvenir – réel ou imaginaire, cela reste à voir – de la première rencontre, de la prise de contact de Beaulieu avec Ferron au milieu des années 1960. Marchant dans le carré Saint-Louis, l'écrivain semble égaré et un peu confus, relevant péniblement d'une crise cardiaque et portant dérisoirement un macaron de Pierre Elliott Trudeau sur la poitrine. Macaron qui sera ensuite remis, dans cette scène initiatique, à un Beaulieu reconnu comme fils et baptisé par un Ferron lui intimant de ne jamais devenir un « tueur de pères[33] ».

D'entrée de jeu, dans ce passage d'allure surréaliste, une double figure est posée ; celle, d'une part, d'un homme énigmatique, étranger à la marche courante du monde, vivant dans une sorte de brouillard, plein de compassion pour l'humanité, mais ne lui appartenant pas vraiment, lui échappant par on ne sait trop quelle secrète recherche ; celle, d'autre part, d'un père affectueux mais distant en même temps à l'endroit d'un fils perçu comme un successeur, un héritier, mais également comme un concurrent potentiel.

---

32. *Ibid.*, p. 24.

33. *Ibid.*, p. 26. Cette scène étrange, on en trouve déjà une première formulation dans *Satan Belhumeur* publié dix ans plus tôt. En reprenant les grandes lignes, le texte de 1991 insiste davantage, toutefois, sur les rapports de filiation des deux écrivains et accentue la dimension « paternelle » du personnage de Ferron. Là encore on notera comment tout, chez Beaulieu, remonte à une origine à laquelle il ne cesse de revenir dans un perpétuel mouvement d'aller-retour qui le ramène toujours à une sorte de temps premier du monde et de l'œuvre. Voir *Satan Belhumeur*, Montréal, VLB éditeur, 1981, p. 190.

Les rapports esquissés dans ce passage ne sont donc pas ceux qui prévalent généralement entre critiques et écrivains, et qui supposent prise de distance et objectivation. D'emblée nous sommes ici dans une histoire familiale ; on nous parle d'héritage à reconnaître, à reprendre et à faire fructifier. Si la lecture de Beaulieu a quelque chose à voir avec les études littéraires, c'est à la tradition de la critique d'identification qu'il faut la rapporter. Une critique fondée, on le sait, sur l'empathie de l'analyste pour son sujet d'étude, attitude qui chez le romancier confine à la *fascination*, au saisissement et au frémissement sacré devant la figure d'un Père-Dieu dont procède un Fils promis au martyre et à la rédemption en tant que nouvel écrivain national.

Ce propos nous place incontestablement dans le registre du mythe, Beaulieu fonctionnant pour l'essentiel à la croyance. Sa foi n'est cependant pas complètement aveugle. Il se démarque par exemple de la version révisée de *La nuit*, transformée en *Confitures de coings* et amputée d'une partie de sa signification politique révolutionnaire par l'élimination de la référence au felquisme. Il critique de même certains passages du *Ciel de Québec* contre Saint-Denys Garneau qui, selon son expression, lui font « mal au cœur ». Mais, si l'on excepte ces réserves somme toute assez secondaires, son admiration pour Ferron demeure entière, avec même une part d'autocritique concernant sa lecture antérieure du *Ciel de Québec* et sa transposition théâtrale jugée superficielle, indiscrète et tronquée.

Beaulieu fait ainsi preuve d'une modestie que lui est peu commune, s'estimant à l'occasion impuissant à rendre la vérité de l'œuvre. Ce que confirme Bélial, créature de Ferron, voix d'outre-tombe incarnant le Prince des ténèbres, qui décrit ainsi son état de stupeur muette devant *L'amélanchier* : « Ce pèlerinage l'épuise et ne fait qu'ajouter à la grande fatigue où l'a laissé la télévision, sans doute parce qu'il voudrait que quelque chose de définitif survienne, et qui assurerait en même temps la pérennité de Jacques Ferron et la sienne[34] ».

Produire « quelque chose de définitif », c'est là l'objectif qui hante l'œuvre de Beaulieu depuis les origines et que symbolise de manière exacerbée la fameuse saga, toujours à écrire, de la famille

---

34. *Ibid.*, p. 341.

Beauchemin, cette épopée conçue comme modèle réduit, métaphore d'une Histoire enfin advenue, qu'incarne de manière embryonnaire un Rédempteur Faucher. Ferron est privilégié dans la mesure où il participe, à sa manière, de ce projet. Se nourrissant de son œuvre et de son exemple, Beaulieu, au terme de son livre-hommage, écrit : « J'ai l'impression d'être un tout petit enfant, j'ai l'impression que je viens tout juste de sortir d'entre les cuisses de mon père, j'ai l'impression non de renaître mais de venir au monde pour la première fois », et il ajoute, s'adressant à Samm, la Montagnaise, « et ce n'est pas seulement à cause de Jacques Ferron, mais parce que tu m'as accompagné tout ce temps-là, même dans l'affreux de la représentation[35] ».

Passage assez extraordinaire, on en conviendra, et on ne peut plus révélateur du véritable sentiment qui habite Beaulieu : être reconnu pour le fils légitime en quelque sorte du grand « écrivain national » québécois. Passage d'autant plus éclairant qu'il met à contribution encore une fois Samm qui, déjà à l'époque du *Melville*, veillait sur un Abel qui paraissait mûr pour l'écriture de *La grande tribu*, solidement secondé par le Père Beauchemin et guidé par la main bienveillante de l'auteur de *Moby Dick*.

C'est donc essentiellement comme figure paternelle que Beaulieu s'approprie Ferron. Qu'il ait approuvé et entretenu cette appropriation, c'est une autre histoire ; on peut en douter, compte tenu de la légendaire réserve, du quant-à-soi fort prononcé dont l'écrivain a toujours fait preuve devant les tentatives d'embrigadement, aussi bien intentionnées fussent-elles, comme l'a démontré éloquemment l'épisode Bigras. Quoi qu'il en soit, c'est cette figure de la plus haute autorité, celle du géniteur qui vous donne la vie, qu'incarne Ferron dans la mythologie personnelle du romancier.

En cela sa représentation et sa fonction diffèrent sensiblement de celles développées auparavant autour des figures – et des œuvres – de Hugo, Kerouac et Melville. Chez Hugo, ce qui fascinait Beaulieu, c'était la démesure, les proportions gigantesques que pouvaient prendre une vie et une œuvre ; le grand poète français s'offrait comme une incarnation concrète de la vision romantique de la littérature entretenue par un écrivain en germe. Chez Kerouac, ce

---

35. *Ibid.*, p. 408-409.

qui était retenu, c'était le caractère tragique d'un destin voué à l'échec et qui symbolisait l'avenir possible – sinon probable – de la collectivité. Chez Melville, ce qui était privilégié, c'était la quête de l'absolu, la tentative ambitieuse de donner par la littérature un surplus de sens au monde, de la faire ainsi accéder à un dépassement qui seul justifie et légitime sa pratique forcenée. D'une certaine manière, Melville était déjà une figure paternelle, mais la distance géographique et historique n'autorisait pas une appropriation aussi directe que celle que la proximité et la fréquentation de Ferron permettent.

Beaulieu se reconnaît en Ferron et se projette plus encore que dans les figures d'écrivains antérieures. Et Ferron, comme eux, est déporté du côté de la fiction, devenant un personnage dans son théâtre intérieur. Dans l'image qu'on nous en propose, on aurait toutefois bien du mal à départager le vrai du faux, contrairement à la prétention fortement affirmée dans le liminaire de *Docteur Ferron*. Certaines idées et conceptions appartiennent incontestablement à l'auteur du *Ciel de Québec*, d'autres, par contre, lui sont généreusement prêtées par un héritier en quête de légitimité. Un héritier qui se nourrit de l'œuvre et de l'exemple d'une figure vénérée et qui cherche en même temps, sans en être trop conscient, à lui succéder, à la remplacer en devenant à son tour un Père, renversant ainsi le sens de la relation établie vingt ans plus tôt. Ce renversement s'effectue à travers une sorte de meurtre symbolique qui prend la forme de l'édification d'un Monument au Mort, entreprise qui témoigne bien sûr d'un immense culte pour la figure paternelle, mais aussi sans doute de la fin d'une fascination. En écrivant *Docteur Ferron*, Beaulieu reconnaît sa dette à l'endroit de son père en littérature et s'en acquitte. Sur le mode de l'hommage, de la célébration, il le congédie, fait place nette et assume son emprise totale sur l'héritage : le grand écrivain national du Québec contemporain, la plus haute autorité, désormais, c'est lui et nul autre.

LA CRITIQUE DE CIRCONSTANCE : DE L'ESSAI À L'AVEU

Les ouvrages consacrés à Tolstoï et à Voltaire ne sont pas portés par la même passion et se situent sur un tout autre registre. Ce sont des textes de circonstance, nés largement de hasards de lecture.

L'œuvre de Tolstoï a été lue « par défaut », en l'absence des ouvrages de Beckett ou de Joyce que Beaulieu souhaitait lire durant ses vacances. Ne les ayant pas sous la main, il se rabat sur Tolstoï qui bientôt le fascine et lui inspire à la fois l'« essai-journal » qu'il rédige sur son œuvre et la pièce de théâtre consacrée au couple exceptionnel que l'écrivain russe forme avec Sophie Bers. Quant à l'œuvre de Voltaire, il s'en saisit de même, sans projet très arrêté, lorsqu'il prend la décision d'entrer en clinique de désintoxication alcoolique. C'est là que naîtra l'idée d'écrire sur ce personnage « monstrueux » une série d'émissions radiophoniques qui constitueront elles-mêmes la matière première de la « romancerie » qu'il tirera de son séjour en clinique.

Les deux ouvrages comportent une structure similaire, à double entrée. On y trouve une étude, assez classique, de l'œuvre (et de la vie) de ces auteurs, accompagnée d'un témoignage personnel prenant la forme d'un « journal » dans le *Tolstoï*, d'une « romancerie » (comme on dit une « menterie » !) dans le *Voltaire*. Les deux types de récit se suivent selon un principe de stricte alternance. L'essai occupe un plus grand espace dans le texte, mais le témoignage, plus court, est toutefois beaucoup plus significatif : on a l'impression que les auteurs évoqués servent d'abord de prétexte à une entreprise qui, à partir d'eux, se déploie à ses propres fins.

Il y a donc un incontestable glissement, un infléchissement prononcé de l'analyse vers l'autoportrait en forme d'aveu, de confession, sur l'expérience présente du romancier. Cette dernière s'inscrit elle-même dans le prolongement d'une vie profondément marquée par ce qui s'est joué dès les toutes premières origines, dans une sorte de préhistoire familiale et collective. C'est cette dimension autobiographique qui fait l'intérêt premier de ces ouvrages.

La partie critique du livre consacré à Tolstoï, par exemple, n'est guère originale, il faut bien le reconnaître. Beaulieu, comme toujours, prétend fonctionner à la « fascination[36] », mais celle-ci ne se sent guère dans son texte, contrairement à ce qui se passait lorsqu'il s'agissait de Melville ou de Ferron. En vérité, Tolstoï compte pour lui dans la mesure où il s'avère un être double, partagé entre les exigences du travail et la débauche dans laquelle le jettent ses passions

---

36. *Seigneur Léon Tolstoï. Essai-journal,* Montréal, Stanké, 1992, p. 167.

débordantes. Il l'intéresse aussi par sa posture prophétique qui rejoint, sur un mode exacerbé, sa propre conception romantique de l'écriture comme instrument de régénération de l'humanité. Il se reconnaît enfin, en partie tout au moins, dans la manière dont l'écrivain russe vit sa relation de couple avec Sophie Bers.

Il reste que son étude ne nous apprend rien de bien nouveau et qu'elle se propose essentiellement comme un repiquage et un montage de citations de Tolstoï, encadrées par une évocation de sa trajectoire dans la Russie de la seconde moitié du XIXᵉ siècle, et s'alimentant à quelques monographies célèbres, dont plusieurs d'Henri Troyat, écrivain et historien d'origine russe. C'est donc à un autre niveau qu'il faut chercher le véritable intérêt de l'ouvrage, dans le curieux « journal de bord » que tient Beaulieu, y faisant entendre un cri de détresse annonciateur de la grande débâcle dont rendra compte le livre sur Voltaire[37].

Dans ce curieux écrit en forme de lamentation, le romancier évoque en premier lieu le décor dévasté de sa vie quotidienne. Complètement absorbé par son travail de scripteur à Radio-Canada, cloué à ce labeur infernal comme un Christ sur sa croix, il ne vit plus que pour et par une écriture qui le dévore littéralement. Seul l'alcool arrive à le délivrer de cet esclavage, mais au prix d'une immense fatigue et d'un désespoir que la surconsommation de gros gin ne fait qu'aggraver. Échappatoire trompeuse que Beaulieu connaît bien, qui ne règle rien, qui permet tout juste d'oublier durant de trop courtes périodes la cruauté de l'existence, ses avanies misérables comme ce procès qui l'oppose à Lise Payette.

Ainsi submergé par une écriture qu'il pratique comme un forçat, il paraît au bout de son rouleau dans ce « journal de bord », encore « vivant » pour en reprendre le leitmotiv obsessionnel, mais bien peu solide, se décomposant sous le poids de sa double passion, de sa double dépendance. Dans cette nuit sinistre, il y a toutefois quelques lueurs, quelques étoiles en forme de rêveries et de souvenirs d'enfance qui fournissent, malgré tout, des raisons de survivre et de persévérer aussi bien dans le travail que dans l'existence.

---

37. Chaque fragment du « journal » s'ouvre par un cri de l'auteur étonné d'être toujours « vivant » et se ferme par un vœu, celui de l'être encore le lendemain, pour pouvoir reprendre une tâche effectuée avec un sentiment d'extrême urgence, dans la crainte d'une mort imminente.

On retrouve donc, ici encore, des fragments de souvenirs liés à l'enfance et à l'adolescence vécues à Trois-Pistoles et dans son arrière-pays. Celui du vieux curé Primeau, prêtre dévasté par un cancer du cerveau qui le rend fou et qui aimait utiliser l'expression « gouffre du passé » que l'écrivain, lui-même désemparé, se rappelle avec émotion. Celui du « temps des fêtes » de l'enfance chez le grand-père Antoine qui gardait des pensionnaires pour arrondir ses fins de mois, pensionnaires qui échangeaient leur entretien contre des corvées non rémunérées, exploités par le grand-père qui les reléguait à leurs chambres comme des pestiférés durant les réjouissances de Noël et du Nouvel An. Celui encore de la messe dominicale à Saint-Jean-de-Dieu, instant de « grande tranquillité », « l'un des plus beaux moments de mon enfance »[38], écrit Beaulieu qui essaie d'en revivre des équivalents dans l'écoute de la musique religieuse ou la lecture d'écrits mystiques, espérant retrouver quelque chose de la saveur des jours bénis d'autrefois, avant le départ pour la ville, la désertion du pays natal et la « mort symbolique » éprouvée lors du grand voyage vers Montréal.

C'est de cela que se nourrit pour l'essentiel son écriture, cette passion maladive qui le dévore et le rend « fou ». En 1991, confie-t-il dans son « journal de bord », « je n'ai rien vu du passage des saisons – pas plus les gélivures de l'hiver que la fonte des neiges et le déploiement des oies blanches au-dessus de ma vaste maison des Trois-Pistoles, pas plus le plein de l'été que le déferlement des couleurs automnales : pendant un an, *je n'ai été que des mots et que des phrases*. Pendant un an, *la description m'a mangé de partout*, comme si j'avais voulu croire à tout prix qu'il est possible de rendre ce qu'on sent[39] ».

L'écriture, ainsi pratiquée comme une monomanie, une obsession délirante, apparaît davantage comme un instrument de dépossession que comme une manière privilégiée d'assurer son salut. L'écrivain, loin de se construire en édifiant son œuvre, se détruit, victime première de ses excès dans le travail aussi bien que dans la surconsommation d'alcool qui le transforme en une pauvre loque

---

38. *Seigneur Léon Tolstoï, op. cit.*, p. 156.
39. *Ibid.*, p. 10. Je souligne.

réduite, en dernier recours, à demander de l'aide à ces « maisons d'enfermement » qui traitent les malades de la vie de son genre.

Cette expérience constitue l'objet principal de la « romancerie » sur *Monsieur de Voltaire*, écrite à l'occasion du trois centième anniversaire de naissance du célèbre écrivain et philosophe libertaire. Comme essai critique, l'ouvrage n'innove guère et ne constitue pas une grande réussite. Il s'agit pour l'essentiel d'une monographie rédigée à partir de quelques travaux classiques sur l'écrivain et son œuvre. L'approche est linéaire, biographique, chronologique et comprend quelques analyses rapides de l'œuvre elle-même. En somme, il n'y a rien là de bien nouveau, rien qui n'aille beaucoup au-delà de la vulgarisation commandée par la préparation d'une série d'émissions sur le sujet pour Radio-Canada.

À ce titre, il s'agit d'un livre décevant, très en-deçà des ouvrages critiques antérieurs de Beaulieu, et surtout des premiers qui étaient portés par le souffle de la passion. Ici, rien de tel, sauf une fascination ambiguë pour ce que le romancier appelle « l'ambition totalitaire » de Voltaire, pour son désir forcené de dominer entièrement la vie littéraire, culturelle, et même politique, de son temps. Pour accomplir cet ambitieux projet, l'écrivain-philosophe va se prêter à toutes les manœuvres et à toutes les bassesses, se révélant un monstre d'orgueil et de prétention, doté des qualités requises pour arriver à ses fins.

C'est cette « monstruosité » qui fascine Beaulieu d'une manière trouble durant son séjour à la clinique de désintoxication où il a apporté l'œuvre de Voltaire pour lui tenir compagnie. Il comprend et partage d'une certaine manière l'ambition dévorante de l'écrivain-philosophe, d'autant plus que, pour être de nature différente, elle ne présente pas moins des analogies certaines avec sa propre volonté de produire une représentation totalisante de l'univers auquel il appartient. Il est forcé de reconnaître qu'il ne possède toutefois pas le cynisme et la froideur voltairiennes et que son ambition littéraire est compromise par la fragilité, l'état de détresse dans lequel il se retrouve à cause de la consommation excessive d'alcool au cours des dernières années.

La « romancerie » s'ouvre sur sa décision de régler une fois pour toutes ce problème en vivant une expérience décisive en « maison d'enfermement ». Il entend non seulement procéder à un sevrage – comme lors de ses cures de désintoxication antérieures –, mais repenser de manière radicale son rapport, hautement problématique, à l'existence. C'est le récit de cette cure cruciale qui s'offre comme le moment fort de la « romancerie » au-delà de l'étude consacrée à Voltaire.

C'est Beaulieu, l'individu et non l'écrivain, qui est le véritable héros de ce récit. Affligé depuis l'enfance[40] par un désir exacerbé de noyer dans l'alcool son mal de vivre, que l'écriture elle-même, cette autre passion dévorante, ne parvient pas à soulager, le romancier se trouve, après quarante ans de bouteille, à un tournant décisif : ou il arrête de boire, ou il meurt à court terme (de cirrhose ou d'un accident de la route). Au terme d'une lente et progressive déchéance, il prend donc la décision de s'enfermer durant deux mois dans un centre de désintoxication pratiquant une thérapie de choc. Il se résigne ainsi à subir l'humiliation d'un traitement par moments débilitant, conçu pour des esprits « primaires », pour un groupe auquel il appartient par son alcoolisme, mais dont il se démarque par ses ambitions d'écrivain.

Par l'entremise de l'évocation de la « maison d'enfermement » et de la curieuse vie de ses pensionnaires, tous un peu « fous », aussi bien les thérapeutes que les patients, c'est son drame que Beaulieu raconte, son rapport malaisé au monde et à autrui. Bien sûr il ne dit pas tout : son lien à la famille et notamment à la mère, cette figure privilégiée, demeure assez nébuleux, tout se passant comme s'il s'interdisait – encore – d'aller explorer ces eaux profondes, ces racines d'un mal aussi tenace qu'obscur. Si bien qu'on n'est pas totalement convaincu, au terme de la lecture, que le « monstre » – l'angoisse existentielle qui le tenaille depuis l'origine – a bien été vaincu et que cette dernière cure a été plus efficace que les précédentes effectuées au Mont-Rolland, tenues pour des manœuvres de diversion. Le romancier, à sa sortie de clinique, constate que, s'il est toujours vivant, il est aussi très seul et qu'il ne sait « pas où aller[41] ».

---

40. Beaulieu situe l'origine du problème tôt dans l'enfance : « J'ai neuf ans, écrit-il, et pour la première fois de ma vie je vais me soûler avec ce que je crois être de l'eau bénite ! Ça me donne tellement de chaleur que je voudrai répéter l'expérience aussi souvent que possible, même quand ça ne sera pas nécessaire que je me réchauffe ». Voir Victor-Lévy BEAULIEU, *Monsieur de Voltaire. Romancerie*, Montréal, Stanké, 1994, p. 112.

41. *Ibid.*, p. 251.

C'est donc un pari qu'il fait en retournant « vers l'arrière-pays sauvage des Trois-Pistoles » pour militer « dans l'urgence rurale » et « bâtir un théâtre » qui deviendra un centre régional d'animation culturelle[42].

Quoi qu'il en soit de la réussite à long terme de cette cure, il reste que le récit émeut, pour peu qu'on soit sensible à cette forme de drame dans lequel, derrière la défense que représente l'écriture, un individu joue sa peau et son avenir, se bat pour sa dignité humaine. À la fin de la « romancerie », Beaulieu, par-delà la crise déclenchée par le procès que lui intente une Lise Payette, rebaptisée ici non sans saveur madame Blancheneige, semble retrouver son âme en même temps que son honneur d'être « vivant » en dépit de tout. Et cette victoire est obtenue dans un corps à corps sans merci avec les monstres qui l'habitent et le mettent en danger, comme la flamboyante mégalomanie à composante maniaque qui le porte à tous les excès, aussi bien dans la vie que dans l'écriture. Une méga-lomanie qui, à y regarder de près, s'avère l'envers grandiose d'une faiblesse congénitale, d'un sentiment de fragilité et de précarité qui trouve sa source dans l'enfance.

C'est surtout en tant que témoignage poignant sur le combat et la victoire d'un homme contre lui-même et ses forces de destruction que ce *Monsieur de Voltaire* rejoint le lecteur. C'est dans ce qu'il révèle sur l'ancrage biographique d'éléments centraux de l'œuvre – personnages, situations, thèmes et symboles – qu'il constitue un apport intéressant. Il éclaire en effet cette production sous un jour neuf, complétant le travail précédemment effectué dans *Seigneur Léon Tolstoï* et amorcé longtemps auparavant dans les premiers essais critiques. Ici encore la fin renvoie au début dans un mouve-ment circulaire qui nous est devenu familier, Voltaire succédant à Tolstoï et à tous les autres avant lui[43] dans une course à relais qui ne paraît pas devoir connaître de fin.

---

42. *Ibid.*, p. 254.

43. Pour être exhaustif, il faudrait examiner aussi dans cette perspective l'apport des ouvrages en forme d'entrevue consacrés à Gratien Gélinas et à Roger Lemelin. Beaulieu s'y livre à peu près autant qu'il fait « parler » ses témoins : d'où leur pertinence dans un travail éventuel de reconstitution de la biographie du romancier (ce qui n'est pas l'objectif poursuivi ici).

LE DÉTOUR CRITIQUE OU
L'INCESSANTE ÉCRITURE DE SOI

Dans une formule visant à synthétiser la conception de la littérature de Tolstoï, Beaulieu affirme qu'« on n'écrit jamais qu'à partir de soi puisque c'est le soi qui fonde toute vision du monde[44] ». Comment mieux caractériser que par ce raccourci éblouissant sa propre conception et sa propre pratique de l'écriture aussi bien comme critique que comme inventeur de fiction, créateur de monde ?

Le romancier entretient une vision de l'Autre qui, par certains aspects, s'apparente à du nominalisme. Autrui existe sous et par mon regard ; le comprendre, c'est le saisir, l'introjecter et l'incorporer. Critiquer l'œuvre de l'Autre, c'est donc l'avaler en quelque sorte, la digérer et la transformer en sa propre chair.

Ce mouvement, dans lequel la découverte de l'Autre est en même temps une marche vers sa vérité, est perceptible dès les premiers textes critiques et ne fera que s'accentuer par la suite. Aux premiers temps, à l'époque de la rédaction de l'essai sur Hugo, la critique est d'abord un geste de célébration et de vénération. L'écrivain romantique français est un Dieu pour le romancier en herbe qui lui dresse un autel dans son livre. C'est aussi un modèle auquel il s'identifie, dans lequel il se projette et qu'il annexe assez timidement dans ce premier essai.

Ce processus d'appropriation devient plus évident dans l'« essai-poulet » consacré à Kerouac. Celui-ci n'est plus tenu à distance comme c'était le cas avec Hugo. Il est considéré comme une sorte de frère qui aurait mal tourné, qui n'aurait pas réussi à dépasser l'aliénation liée à sa condition de Canadien français dépossédé. Il symbolise le destin pitoyable qui attend le Québec s'il n'ose pas rompre radicalement avec la domination. En tant que tel, il est saisi de l'intérieur par un Beaulieu qui, horrifié, se reconnaît en lui dans ses mauvais jours, comme le raté qu'il pourrait devenir pour peu qu'il s'abandonne au vieil atavisme canadien-français fait de fatalisme et de résignation.

---

44. *Seigneur Léon Tolstoï, op. cit.*, p. 98.

Ce processus d'appropriation, qui se manifeste notamment par la présence de plus en plus fréquente de passages autobiographiques, va également s'exprimer dans le livre sur Melville à travers une représentation de soi comme interlocuteur directement confronté à la vie de l'Autre. Et dans un mouvement inverse et complémentaire, ce dernier sera annexé à sa propre œuvre comme exemple à suivre, bien sûr, mais plus encore comme co-auteur, comme géniteur d'une création collective résultant de la collaboration du père biologique, du père littéraire et de leur fils bien-aimé.

Avec la « lecture-fiction » consacrée à Melville, et plus encore avec le « pèlerinage » dédié à Ferron, l'essai bascule définitivement du côté de la fiction. Le célèbre docteur, dans un premier temps, est placé au-dessus de tout, il est perçu comme un père, symbolisant la « plus haute autorité ». Puis, dans un second temps, il est lui-même considéré comme une sorte de fils par un successeur ambitieux se métamorphosant en père grâce à qui l'avènement des « pays québécois » deviendra enfin possible, dans et par *La grande tribu*.

Ce mouvement d'appropriation, qui ressemble parfois à un détournement et à un rapt, trouve sa forme pour ainsi dire définitive dans les ouvrages sur Tolstoï et Voltaire. On assiste alors à une sorte de dissociation entre le travail analytique, qui s'avère plutôt traditionnel, et l'autoportrait qui devient la préoccupation centrale de ces essais.

L'Autre, intensément présent tout de même dans les livres critiques antérieurs, idéalisé, vénéré puis annexé, devient ici plus un prétexte qu'autre chose, un détour obligé, une étape à franchir (rondement) dans l'exploration de soi et de son monde, dans la construction de sa propre biographie.

Cela dit, il reste que la critique de Beaulieu demeure généreuse, y compris dans son travail d'appropriation. Elle est ouverte, accueillante et témoigne d'un intérêt vif non seulement pour la littérature québécoise mais pour la grande littérature internationale, aussi bien américaine que russe ou française[45].

---

45. La dédicace ironique du livre sur Tolstoï à Jean Larose, grand pourfendeur du nationalisme québécois, est, dans cette optique, éloquente : on peut, tout en demeurant profondément québécois, être réceptif aux œuvres d'autrui et accéder à l'universel. Une évidence qui échappe manifestement au professeur, haut perché, de l'Université de la Montagne.

C'est, cependant, d'abord et avant tout une critique d'auteur de fiction qui n'oublie jamais sa propre œuvre en cours de production. Il la nourrit de sa connaissance de celle des autres, en en faisant un usage créateur qui constitue sa manière à lui de rendre hommage et de manifester sa reconnaissance tout en ne perdant pas de vue le projet qui anime sa propre entreprise, située à la hauteur des plus grands qu'il entend égaler sinon dépasser dans un geste de défi orgueilleux.

L'ACHARNEMENT DU RECOMMENCEMENT[1]

Sans cesse reprise et relancée, l'entreprise de Beaulieu paraît ne devoir jamais connaître de véritable fin. La « conclusion » de chaque œuvre singulière n'est en effet jamais autre chose qu'une boucle provisoire, terminant un cycle et en ouvrant aussitôt un autre dans une course à relais effrénée. Chaque texte est ainsi profondément incorporé dans un mouvement essentiellement circulaire qui constitue la marque stylistique la plus constante, la plus significative de cette énorme production promise, par son ambition et sa nature mêmes, à l'inachèvement.

Les œuvres les plus récentes de l'auteur témoignent, et très éloquemment chacune à sa manière, de ce tenace désir de recommencement, de cette fascination pour les origines, en revenant aux données primordiales de cet univers, en les reprenant dans un cadre nouveau. *Le carnet de l'écrivain Faust* approfondit la réflexion sur l'écriture amorcée implicitement dès *Race de monde !*, puis reprise et développée plus explicitement dans *N'évoque plus que le désenchantement...* ; *La jument de la nuit*, axé sur la naissance d'une vocation d'écrivain antérieure à la rédaction des premiers romans, remonte à l'époque des lectures fondatrices dont rend compte avec ferveur le « journal » tenu en 1964-1965[2].

LA GRANDE TRIBU : DU MYTHE À LA RÉALITÉ

Le carnet de l'écrivain Faust se présente pour une part comme une sorte de journal de bord consignant les réflexions de Beaulieu sur l'écriture et ses rapports avec la vie durant une période cruciale,

---

1. J'emprunte cette formule, qui m'apparaît particulièrement pertinente, à Beaulieu lui-même ; il l'utilise avec beaucoup d'à-propos dans la dernière page du *Carnet de l'écrivain Faust*, Montréal, Stanké, 1995, p. 216.

2. « Ce journal, douleur lancinante d'écriture » a été repris dans *Entre la sainteté et le terrorisme*, *op. cit.*, 1995, p. 23-68.

à l'hiver 1986-1987, où le projet de *La grande tribu* semble irrémédiablement compromis. Il s'offre aussi comme une esquisse de ce que ce récit des fondations aurait pu être si l'écrivain avait réussi à le rendre « à ses grosseurs ». On nous donne en effet à lire des extraits, qualifiés de « débris », de ce grand monument demeuré inachevé, peut-être parce qu'inachevable, parce que relevant d'une ambition excessive et intraduisible – cela reste à voir.

Le carnet... réunit donc des fragments disparates qui rappellent des notes et observations consignées naguère dans *N'évoque plus*..., autre ouvrage représentant un temps d'arrêt, un moment réflexif dans la production d'un cycle romanesque, « Les voyageries » en l'occurrence, et faisant également état d'un profond désarroi. Cependant, et la différence est capitale, la publication du *Carnet*... n'accompagne pas l'édition de l'œuvre de fiction dont il propose le commentaire : il témoigne en différé de ce que Beaulieu estime un désastre, le naufrage d'une *Grande Tribu* dont ne demeurent plus, à titres de vestiges, que les débris épars de ce qui n'a pas pu prendre forme.

Si ce projet rêvé depuis les origines n'aboutit pas, c'est en raison d'abord de la fragilité de l'auteur qui paraît miné par une fatigue extrême, « à deux doigts de l'anéantissement, du grand vertige nerveux[3] » qui menace de l'emporter. Mais c'est surtout dû à la nature même du projet qu'il poursuit dans l'affolement. Beaulieu a beau écrire que « *La grande tribu* n'a rien de vraiment compliqué » puisqu'il s'agit seulement de « raconter les fondements hystériques du Québec en sept épiphanies que vit une manière de grand enfant que sa vie terrorise » (p. 11), il reste que son incapacité de la rendre à terme, aujourd'hui aussi bien qu'à cette époque, traduit un malaise lié à l'ambition même qu'il entend réaliser.

L'écrivain en a d'ailleurs l'intuition lorsqu'il note avec lucidité que « le projet exige un empennage si vaste que je crains bien d'y sombrer, corps, âme et biens » (p. 16). Il ne s'agit rien de moins, on le sait, que de produire une sorte d'épopée nationale à la manière de *La légende des siècles* mais pour ainsi dire inversée, sur un mode régressif, compte tenu que l'histoire du Québec est celle d'un

---

3. *Le carnet de l'écrivain Faust, op. cit.,* p. 13. Les références des citations tirées de ce livre seront dorénavant placées entre parenthèses dans le texte.

déclin, d'un inachèvement. D'où la difficulté de l'entreprise : comment écrire cette anti-épopée, rendre compte à la fois de la nature héroïque du projet originaire visant la conquête de l'Amérique et de son pitoyable échec, de son détournement par des forces d'asservissement et de mort ? C'est pour répondre à ce double et contradictoire défi que Beaulieu privilégie l'hystérie, le discours de la folie à composante mystique ; mais il est bien obligé de constater, avec effroi, que son projet se décompose, à l'image du processus historique qu'il symbolise, dislocation qu'il n'arrive pas à traduire dans une forme qui serait accomplie dans ses balbutiements et ses trébuchements mêmes.

La relecture de ce qu'il a écrit jusque-là de *La grande tribu* – plusieurs versions de quelques centaines de pages chacune – le laisse désenchanté, abattu, complètement découragé. « Au mieux, note-t-il, c'est pitoyable. Dans son pire, c'est pour l'épopée à laquelle je rêve une terrible occasion manquée : tout s'y trouve mais rien n'y est » (p. 83). Rien n'y est parce que les éléments mis à contribution ne trouvent pas une forme qui leur donnerait sens. Comment en effet faire sentir un ordre au sein même du désordre, une unité et une cohérence sous la multiplicité et la fragmentation des choses, des êtres et du monde ? Comment rendre compte d'une hystérie à dimension collective, comme manifestation exemplaire d'une Histoire avortée ? Comment exprimer l'impossible, la folie et l'échec, dans des termes intelligibles, qui parlent aux lecteurs, et dans lesquels ils puissent reconnaître quelque chose de leur vérité ?

S'attribuant la responsabilité d'un échec qui tient sans doute autant aux données inhérentes au projet qu'à son propre démérite, Beaulieu se retrouve dans un état d'accablement qui a quelque chose de suicidaire. C'est pour y échapper qu'il rédige les notes réunies dans le fameux *Carnet…*, troquant sa mission essentielle d'écrire le Livre définitif, celui qui lui assurerait son Avènement, contre des travaux plus secondaires mais plus lucratifs comme le téléroman *L'héritage* qu'il met alors en marche. C'est en cela qu'il ressemble à Faust, donnant le salut de son âme en échange de l'obtention de biens terrestres et que *Le carnet…* se présente d'une certaine manière comme une entreprise de diversion par rapport à *La grande tribu*. Ébauchée avec entrain, dans l'effervescence, au sortir des « Voyageries », rédigée sous le haut patronage de

Melville et du Père, elle est à nouveau mise à distance et reportée à un avenir indéterminé par un écrivain en pleine crise qui s'interroge sur le sens de sa vie et sur la place peut-être excessive qu'y prend l'écriture.

La vie, c'est d'abord l'existence quotidienne dans le refuge qu'est devenue pour le romancier la vaste maison qu'il a achetée à la périphérie de Trois-Pistoles. Une grande demeure « d'inspiration britannique, haute de plafonds, ce qui n'est généralement pas le cas ni des habitations ni de la pensée québécoise » (p. 42), et qui lui sert d'ermitage et de laboratoire, de chantier où il édifie son œuvre dans la fièvre, habité comme toujours par un sentiment d'urgence qui le fait s'engouffrer totalement dans l'écriture. Emmuré le plus souvent dans la solitude, il n'en sort guère que pour aller « cuiter » au village avec le fameux oncle Phil, ce vieil ivrogne évoqué à de multiples reprises dans l'œuvre et qu'il considère comme son seul véritable ami. Celui-ci se meurt d'un cancer au cours de la rédaction du *Carnet...* qui en dresse un émouvant portrait, évoquant de nombreux souvenirs, à reprendre et à transposer ultérieurement, ce qui est fait déjà partiellement dans *La jument de la nuit,* récit consacré justement à la figure de l'Oncle.

La vie, c'est encore la « femme rare » avec qui rien n'allait plus déjà à l'époque de l'écriture de *N'évoque plus...,* avec qui il y a sans cesse reprise, renouement, puis éloignement dans un climat de dispute, de grande « chicanerie », notamment à propos de l'écriture et de la trop grande place qu'elle prend dans la vie de l'auteur, s'interposant en maîtresse on ne peut plus possessive et despotique. Ces différends rendent la vie conjugale impossible, infernale, obligeant souvent le romancier à déserter la maison-souterrain de Montréal-Nord et à se réfugier dans la vaste demeure de Trois-Pistoles, occasionnant d'incessants et éprouvants mouvements d'aller-retour qui symbolisent l'instabilité de sa vie affective.

Le carnet... témoigne à sa façon, sur un mode ponctuel, heurté, de cette réalité multiforme, de cette existence éclatée, chaotique. Mais il constitue avant tout un remarquable exercice de lecture à travers lequel se déploie une vive et fine réflexion sur l'écriture, son sens et ses finalités.

De Samuel Beckett, écrivain célèbre retenu à titre de figure mythique, à Eugène Savitzkaya, auteur obscur de rares ouvrages, c'est toute une galerie d'écrivains qui défile dans *Le carnet...,* et pour les motifs les plus divers.

Certains remplissent une fonction d'abord utilitaire, le romancier les considérant essentiellement comme des praticiens, des techniciens de l'art d'écrire. Dickens, par exemple, est vu ici surtout comme feuilletoniste, comme inventeur de personnages pittoresques, comme créateur d'un type de roman conçu comme une « gigantesque commode aux tiroirs qu'on ouvre l'un après l'autre » (p. 29), conception qui ne peut qu'inspirer et stimuler un auteur de téléromans comme l'est Beaulieu aux heures où il pratique une littérature essentiellement alimentaire. Hugo, de même, est convoqué d'abord pour l'usage fabuleux qu'il sait faire, comme Proust, des noms de pays, talent que les écrivains québécois réussiront peut-être un jour à s'approprier pour être en mesure de « nommer aussi définitivement Pointe-Lévy, Rivière-Ouelle, Rimouski, ou bien les Trois-Pistoles » (p. 35).

D'autres écrivains sont surtout retenus comme figures mythiques, incarnant et symbolisant exemplairement le Personnage de l'Auteur, tel que l'on se le représente communément avec toute la part d'imaginaire, d'identification et de projection que cela implique. Ainsi Beckett, dont la photo de lui prise par Brigitte Enguerand fait rêver Beaulieu : le visage ravagé, sillonné de profondes rides, qu'elle révèle est interprété comme un signe de la « profonde détresse » (p. 71), de quelqu'un qui se perçoit et s'assume comme un « assassiné » (p. 72), posture dans laquelle se reconnaît un Beaulieu également fasciné par les sombres destins d'un Kerouac et d'un Lowry se désintégrant dans leurs corps aussi bien que dans leurs imaginaires. Destins tragiques que la figure excessive de Hubert Aquin a incarnés au Québec, celui-ci s'enfonçant sans retour dans un désespoir sans autre issue possible que celle d'un suicide longuement préparé et lucidement accepté.

À travers leurs exemples, l'écrivain est le plus souvent représenté comme un être absolu, en quête de quelque évanescent Graal, sacrifiant tout pour l'atteindre et parcourant une sorte de chemin de croix qui en fait un être profondément souffrant, malheureux, foncièrement inapte à l'existence commune. À cet égard, Marie-Claire Blais, par sa « douceur retenue » (p. 147), fait exception : elle déconcerte Beaulieu par sa gentillesse et par ce qui, en elle, ressemble à de la sérénité. Du coup, elle questionne sa représentation habituelle de l'écrivain et elle le pousse à s'interroger sur le mythe du créateur – comme être tout à la fois prédestiné et maudit – qui l'anime depuis son entrée en littérature.

Un dernier groupe d'écrivains joue un rôle encore plus considérable dans la mesure où le romancier se reconnaît dans leurs positions et les fait siennes.

Évoquant Hugo, par exemple, il réaffirme, plus de vingt ans après sa célébration initiale du grand poète français, que celui-ci a bien fait de privilégier le lyrisme « afin que ressorte mieux l'épique qu'il y a dans les mouvements profonds de toutes les civilisations » (p. 38), et il réitère de la sorte sa confiance en une conception de l'écriture contenant les fondements de son propre projet épique. Relisant le *Traité de savoir-vivre à l'usage des jeunes générations* de Raoul Vaneigem, il en retient l'attitude frondeuse face aux valeurs dominantes, la réflexion sur la création « quand elle se veut totalisante » et surtout la volonté de mettre fin à la vieille culpabilité judéo-chrétienne au profit de l'apprentissage d'une jouissance désaliénante, libérante, qui permet d'accéder à une « vraie naissance-exubérance » (p. 128) par-delà la première naissance et la première vie éprouvées comme des abandons et des rejets. La découverte, éblouie, d'un Eugène Savitzkaya, stimule enfin son imaginaire, fait surgir en lui des fantasmes (de violence et de terreur notamment) qui nourriront sa propre œuvre à venir, les rêveries délirantes de cet auteur s'ajoutant aux siennes et leur apportant une coloration singulière.

Toutes ces lectures alimentent sa réflexion sur l'écriture qui s'offre comme un prolongement des propositions déjà formulées dans *N'évoque plus...* Cette pratique foncièrement solitaire est mortifère, elle coupe l'écrivain des autres et du monde, en quoi elle s'avère une forme d'exil, une « inqualifiable déportation » (p. 40). « Pourquoi suis-je là ?, se demande sans cesse Beaulieu. Pourquoi ne suis-je que cette main qui glisse sur le papier alors que la vie est ailleurs ? » (p. 57). Si encore on tirait quelque extraordinaire gratification de cet exercice, on serait justifié de s'y livrer, mais le plus souvent on n'y trouve que « beaucoup de dérision » et « beaucoup de désolation » (p. 45). Alors à quoi bon s'acharner, persévérer si au bout du compte on ne rencontre que le vide créé par l'effort et la fatigue ? À quoi cela rime-t-il ? Surtout si cela fait « avorter de tout le reste ». Car c'est dans ce reste que « réside la beauté car là est le vrai langage – ce qui n'a encore jamais été dit, ce qui voudrait venir mais en est empêché au moment précis où il faudrait pourtant que ça vienne » (p. 179).

C'est sans doute dans cette nécessité de dire le reste, ou plus justement de faire ressortir l'exigence de dépassement, la quête de sens impliquée dans les manifestations coutumières de l'existence, que réside la légitimité de l'écriture en général et de la sienne propre en particulier. Reconstituer et faire revivre un passé, une histoire, en dégager et en dévoiler le sens, c'est là finalement la visée ultime de cette entreprise littéraire dont *La grande tribu* représente en quelque sorte l'aboutissement et le sommet.

On comprend, cela étant, que l'accueil réservé à son manuscrit par Philippe Haeck et Joseph-Henri Letourneux ait été ressenti par Beaulieu comme une véritable catastrophe. Ces deux lecteurs, en qui il a confiance, se montrent déconcertés par l'œuvre et n'y adhèrent pas ; le romancier se retrouve « désespéré comme jamais et sans même le radeau de Quequeq pour ne pas me naufrager » (p. 215). D'où, au-delà de la déception immédiate et d'une certaine rancœur contre ses lecteurs privilégiés, le doute et l'angoisse : aurait-il failli sur l'essentiel, sur cela même qui donne un sens à l'ensemble de son entreprise littéraire, cette fameuse reconstitution du paradis perdu de l'enfance, de la famille, de la tribu ? En 1986-1987, comme aujourd'hui, en 1996, l'écrivain Faust conclut que la grande œuvre est ratée, à tout le moins dans l'état actuel des choses ; il en reporte à nouveau l'accomplissement à plus tard, tout en continuant à l'écrire mais sous d'autres formes, pour ainsi dire en pièces détachées.

Qu'en est-il exactement des « débris », ces prélèvements significatifs donnés à titre d'illustrations du grand projet inabouti ? Il s'agit de fragments courts de quelques pages, représentant chacun autant d'épiphanies, c'est-à-dire de récits axés sur des instants privilégiés et révélateurs de destins eux-mêmes exemplaires.

Le narrateur est un jeune homme troublé, malade, ayant un « trou dans le crâne », habitant une vaste maison dans l'arrière-pays de Trois-Pistoles face à la « Mer océane », essayant dans la brume venue du large de retrouver ses esprits après un séjour (ou plusieurs ?) à l'hôpital Saint-Jean-de-Dieu où il a subi la « psychiatrie ailée » réservée aux « Lunatiques de la Longue Pointe » (p. 20). Dans un étrange monologue qui traduit sa situation de « fêlé du chaudron », il fait allusion à une époque antérieure durant laquelle « l'épopée, dit-il, s'écrivait toute seule sur de grandes feuilles de notaire dans l'appartement de la rue Notre-Dame », lui donnant une « douleur à la tête » (p. 21-22) disparue après les traitements subis à l'hôpital avec sa pauvre tête elle-même transformée en « trou » que toute la Mer océane elle-même ne pourra jamais réussir à remplir. Dans son soliloque déstructuré, il s'entretient avec un énigmatique docteur Avicenne[4], avec Louis David Riel dont il prétend avoir fait la connaissance à la clinique psychiatrique, et avec Mgr Ignace Bourget. Il évoque de même les figures, paternelle d'un « Forgeron fondeur », maternelle d'une grosse « Baleine Mère » dont il serait un « baleineau rebelle ».

Le récit, passant à travers son regard et son discours « fous », n'arrive pas à mettre en place les coordonnées spatio-temporelles d'un univers reconnaissable, aisément décodable pour le lecteur. Celui-ci se retrouve rapidement en état de perplexité devant un monde qui paraît se décomposer comme le narrateur qui le prend en charge. Ce dernier, en outre, se métamorphose après « l'évirement » que lui fait subir le docteur Avicenne, devenant une mystérieuse Thérèse Percepied née Babou de la Bourdaisière, mariée à un messire Ezéchiel Bérubé. Cette Thérèse prend à son tour la parole comme narratrice (narrateur ?) du récit, introduisant un degré supplémentaire de complexité sur le plan de l'énonciation.

Sur la base de ces échantillons, il est difficile de se faire une idée précise de *La grande tribu*. Il semble cependant évident que la forme même du texte en tant que récit heurté, fragmenté, obsessionnel – le narrateur reprenant sans cesse un certain nombre de formules sur un mode incantatoire, conformément à son personnage de détraqué – ne se prête guère à une représentation épique. Ce type de représentation présuppose un récit plus classique, plus lisse auquel Beaulieu semble avoir songé, comme en témoignent certains textes préliminaires du roman contenus dans le dossier de *La*

---

4. Cet Avicenne est sans doute une transposition d'Avincenne, médecin et philosophe oriental célèbre du Moyen Âge. Il tient peut-être aussi une partie de ses traits de Jacques Ferron, encore que cela ne soit pas très net dans ces « débris » forcément lacunaires.

grande tribu déposé à la Bibliothèque nationale du Québec[5]. Les « débris » révèlent une stratégie d'écriture différente, le choix d'un discours qui s'apparente à la schizophrénie paraissant comme la stratégie narrative la plus appropriée pour rendre compte du détournement d'une Histoire, de la transformation d'une épopée en une comédie dérisoire, du triomphe, en somme, de Mgr Bourget sur Louis David Riel, lui-même visionnaire échevelé et impuissant.

Le carnet... contient, en plus de ces « débris », quelques indications sur la conception que s'en fait Beaulieu. Le romancier nous fait pénétrer dans son atelier, révélant comment il utilise ses « sources », les monographies de paroisses pour l'évocation spatio-temporelle de l'arrière-pays, les textes de mystiques, dont ceux de Marie de l'Incarnation, pour la conception de certains personnages comme Thérèse Percepied, ou encore les écrits de fous, de schizophrènes, pour d'autres comme « Perceval le fou » pour Mgr Bourget. Plus fondamentalement encore, il semble bien que le mode de narration de *La grande tribu* soit redevable, en partie tout au moins, à ce « fou » britannique du début du XIXe siècle qui ne cessait de raconter son drame dans un discours en forme de spirale, « les mots s'ajoutant les uns aux autres, puis s'annulant par frictions, puis sourdant à nouveau de tout son corps » (p. 55). C'est très exactement le type de parole, répétitive, obsessionnelle, que fait entendre le roman, provoquant un effet dérangeant, déconcertant un lecteur qui ne peut que se demander : qu'est-ce que cela signifie, à quoi cela rime-t-il ?

La grande tribu, sous cette désignation explicite, n'existe donc encore qu'à l'état de « débris », de morceaux épars d'un projet qui anime par ailleurs, en sous-main, toute l'œuvre de Beaulieu, y compris dans ce dernier avatar que représente *La jument de la nuit*.

LA DERNIÈRE (ET PREMIÈRE) BOUCLE

On ne pourrait trouver meilleur exemple de la profonde circularité de cette œuvre que ce récit d'apprentissage d'un jeune

---

5. Ce dossier, énorme, contient plusieurs versions du manuscrit très enchevêtrées, qu'il faudrait démêler, travail, je le signale en passant, qui devrait sûrement intéresser les chercheurs en génétique textuelle. On y trouve aussi, en vrac, un projet de téléroman dont la formulation renvoie à une forme épique classique : raconter la saga des Beauchemin, des origines françaises à la situation la plus contemporaine, suivant une trajectoire allant des « grandes espérances » à l'échec définitif.

écrivain saisi avant même l'écriture de son premier roman publié, avant que son personnage d'Auteur n'existe socialement, alors qu'il se cherche aussi bien dans la vie que dans les livres. À ce titre, *La jument de la nuit* renoue également avec le « journal » tenu en 1964-1965, le romancier semblant transposer dans une forme fictionnelle le résultat de ses lectures remontant à trente ans. Cela est aussi attesté par l'évocation des premiers récits – non publiés – écrits à cette époque et dont le « journal » et le roman font état : « Ti-Jean dans sa nuit », « La route » et « L'île aux Basques »[6].

Il s'agit d'abord et avant tout d'un récit d'initiation centré sur Abel Beauchemin, bien sûr, mais dans une narration à la troisième personne qui le met de la sorte à distance au profit de Judith, la jeune femme qui lui apprend la vie aussi bien que l'écriture, et des oncles jumeaux de celle-ci. Provenant aussi du Bas-du-Fleuve, de la région d'Amqui plus précisément, ces derniers présentent une autre facette de *La grande tribu*, illustrent une autre lignée, composée de dégénérés cette fois, de damnés fuyant leur détresse et leur solitude dans les beuveries et un singulier artisanat. C'est à travers la découverte de leur monde, notamment, qu'Abel fera son éducation.

Rappelant irrésistiblement *Race de monde !*, le récit s'ouvre sur une représentation et une critique de la famille Beauchemin, à nouveau mise en procès. Je n'insisterai pas ici sur certaines caractéristiques qui nous sont très familières : la famille est nombreuse, pauvre et dépossédée économiquement, socialement et culturellement ; elle est dirigée par un père à la fois faible et violent, raté habité par la hantise d'avoir manqué sa vocation de missionnaire oblat, et par une mère douce et néanmoins dominatrice, véritable réincarnation de la célèbre maman Plouffe, ce mielleux tyran domestique. Celle-ci a surtout l'énorme tort d'avoir expulsé Abel de son corps à la naissance, de l'avoir ainsi abandonné dans un « acte définitif », rejet qui signe sa condamnation par le fils, de même que celle, à venir, de toutes les femmes avec qui il entretiendra des relations affectives. C'est contre ce monde familial étroit, mesquin, qu'Abel se dresse, estimant être « venu au monde pour rêver [...] Pour dénoncer [...] Pour connaître vraiment ce que le mot *passion* veut dire » (p. 99)[7].

---

6. *La jument de la nuit*, t. I, *Les oncles jumeaux*, Montréal, Stanké, 1995, p. 87. Les références des citations de ce roman seront dorénavant placées entre parenthèses dans le texte.

7. C'est le narrateur qui souligne.

Il quitte donc la maison familiale et effectue, avec Judith, un apprentissage du monde qui a débuté avec la connaissance du centre-ville de Montréal, où il travaille comme commis de banque, et du quartier périphérique, laid et banal, de Montréal-Nord où il vit, régi par les « spéculateurs et la petite pègre » (p. 25), en alliance avec les notables dont le juge Blondeau, ivrogne connu pour faire boire de la bière à ses clients dans ses souliers ! La lecture, par ailleurs, qui est devenue sa grande passion, contribue à l'élargissement de son champ de perception du réel. La « leçon de littérature » qu'il reçoit dans la librairie d'un « vieux monsieur Faustus » – eh ! – l'initie à l'univers des mots et à l'imaginaire des Breton, Roussel, Sartre et autres grands noms de la littérature universelle. « Après le discours du vieux monsieur Faustus, écrit le narrateur, on avait le goût de se retrouver nu, de danser en frottant son corps à d'autres corps, de boire, d'avoir trente-six mille paires de mains pour se donner du plaisir et en donner aussi. C'était magique [...] Après de telles soirées, Abel se sentait réconcilié avec le monde » (p. 27). La littérature, ainsi fréquentée, n'est pas que l'envers lumineux du monde réel. Elle n'écarte pas de la vie mais y ramène. Elle suscite la passion, le désir d'embrasser voracement le monde et de le transformer, de vivre autrement que ce qu'autorise un certain « réel » aliéné[8].

Incidemment, c'est à la librairie du vieux monsieur Faustus qu'Abel fait la connaissance de Judith, ce personnage de femme qui hante l'œuvre de Beaulieu au moins depuis *Oh Miami, Miami, Miami*. Relayée par les figures successives de Blanche « forcée », de Samm « la Montagnaise », d'Olga « la prostituée », elle revient en force dans ce récit, témoignant aussi de la quête des origines qui sert d'axe central à cette *Jument de la nuit* si bien nommée, surgie des profondeurs du rêve comme élaboration fantasmatique d'une histoire primitive qui habite Abel aussi bien que le narrateur du roman. Judith sera la grande initiatrice d'Abel – avant la Festa de

---

8. On comprend, cela étant, que Beaulieu se sente des affinités avec des écrivains comme Burroughs ou Henry Miller, pour qui la vie compte d'abord, et qui voient dans l'écriture un moyen de se débarrasser de la vieille culpabilité judéo-chrétienne et de renaître comme hommes nouveaux. On trouve aussi cela chez un Lawrence Durrell, notamment dans *Le carnet noir*, récit d'apprentissage de la vie et de la liberté par un très jeune écrivain auquel Abel ressemble par certains traits. Voir mon étude, « *Le carnet noir* de Lawrence Durrell et le roman de la transition », *Études littéraires*, vol. 27, n° 2 (automne 1994), p. 123-134.

Race de monde ! – au monde du sexe – univers frappé d'interdit dans le milieu familial –, foyer d'une activité érotique à laquelle elle se livre avec frénésie, trouvant souvent sa source d'inspiration dans la littérature qu'elle dévore avec un énorme appétit. Des livres au lit, il n'y a pour elle qu'un pas ; elle s'empresse d'y entraîner un Abel encore coincé, empêtré dans une timidité de grand adolescent.

Judith est d'abord une figure mythique qui vit essentiellement dans et par l'imaginaire. Comme le dit sa mère à Abel, elle ne se « perçoit pas en tant que personne mais comme héroïne » (p. 164), et plus précisément comme une héroïne de roman, incapable de saisir la différence entre le rêve et la réalité. L'écrivain en germe comprendra après un certain temps qu'elle n'est rien de moins « qu'une émanation des profondeurs, en cela mille fois plus redoutable, mille fois plus insidieuse que la réalité même, mille fois plus démoniaque que tous les esprits mauvais rassemblés dans le ventre infernal du monde » (p. 156).

Grande déesse de la luxure, Judith entraîne Abel chez elle, dans sa chambre transformée en « chapelle des abîmes » pourvue en son centre d'un sombre autel sur lequel, accroupie et portant le masque d'une louve, elle ordonne au jeune homme de la sodomiser dans le cadre d'un rituel solennel s'apparentant à une messe noire. Stupéfait, celui-ci, qui est encore puceau, obéit à l'injonction de la « louve romaine » et s'exécute, abolissant du coup par son geste sa dimension mythique de mère fondatrice de la grande civilisation païenne et la ramenant à sa réalité tragique de « petite fille naufragée dans la perversité de Montréal-Nord et qui demandait maintenant à être entendue » (p. 62).

Le récit change alors de registre, déserte le plan de la mythologie et emprunte celui du « réel » le plus brutal, le plus élémentaire. Judith, et cela n'étonnera pas, est une autre victime incestueuse, battue et déflorée par un père ivrogne, voleur et « fou », lui-même bafoué par une femme volage qui, délaissant sa fille, le trahit en faveur d'un pharmacien prospère. C'est donc pour effacer l'empreinte du père, pour être délivrée en quelque sorte de la faute originelle, que Judith se fait posséder par le jeune homme – dans une scène « vécue » ou « imaginée », on ne sait trop, par un Abel puisant son inspiration dans un livre de Julien Gracq.

Beaulieu, on le voit, reprend un de ses thèmes favoris et l'investit d'une dimension mythique, symbolique qui se superpose à un premier niveau de représentation réaliste ; il joue à nouveau sur les deux tableaux, en insistant surtout sur la fonction révélatrice de l'épisode : pour être un grand écrivain, dit Judith à Abel, il ne faut pas craindre le « monde des outrances » car ce n'est que « là-dedans qu'on puisse appréhender la liberté » (p. 71). À quoi elle ajoute encore : « En restant avec moi, tu deviendras l'écrivain que tu as toujours été mais que ta famille t'interdit d'être » (p. 73). La purification personnelle et le salut par l'écriture ne s'obtiennent qu'à travers le « dérèglement de tous les sens », que dans l'excès du mal, le viol de tous les interdits. Pour parvenir à la sainteté, il faut d'abord traverser – et assumer – toute la « quochonnerie » du monde[9].

Cette « quochonnerie » est illustrée par le drame de Judith et également par celui, sans doute moins exemplaire, des oncles jumeaux, êtres primitifs, personnages quasi bestiaux, vicieux et brutaux, venus des confins de la Gaspésie. « Grands corps osseux », pourvus de « têtes énormes » (p. 42), ils logent dans le sous-sol, le « souterrain » de la maison des parents de Judith, travaillant le jour dans les « usines crasseuses » (p. 43) de Montréal-Nord, passant ensuite leurs soirées et leurs nuits à boire et à sculpter des chevaux de bois. Grands « patenteux », ils se vengent, en fabriquant ces objets dérisoires, d'un « monde qui ne leur a pas donné de place où être vraiment ». Avec de l'instruction, soutient Judith, ils « seraient peut-être devenus des écrivains » (p. 53) comme Abel. Le destin en a voulu autrement. « Victimes » l'un et l'autre de femmes qui les ont rejetés[10], ils ont fui Amqui, se réfugiant à Montréal dans la caverne « platonicienne » où ils sont désormais « enchaînés à leur passé […]

---

9. Le tableau de cette « quochonnerie » est très appuyé dans ce roman qui, à ce titre, renoue avec les récits noirs de la première production beaulieusienne, faisant retour là aussi. Rien ne manque en effet dans cette galerie de monstruosités, des scènes de viol aux épisodes de meurtre et d'émasculation en passant par la représentation excrémentielle du corps de la mère. Je n'insiste pas davantage là-dessus, si ce n'est pour signaler qu'il s'agit de la phase profondément régressive, mais nécessaire comme un purgatif semble-t-il, du cérémonial initiatique auquel est soumis le héros de Beaulieu qui trouve sa voie au sein même de la réalité et des rêveries les plus abjectes.

10. Sur le plan de la chronologie, ces personnages détraqués « anticipent » les figures à venir de Malcomm Hudd et de Barthélémy Dupuis, héros pathétiques de la série noire ; sur celui de l'écriture, ils en sont en quelque sorte des doublures, des copies à peu près conformes. Décidément, à ce niveau aussi, tout se tient dans cet univers circulaire et fondamentalement immobile !

Enchaînés à toute la bière qu'ils buvaient [...] enchaînés aux créatures difformes qu'ils créaient pour ne pas se noyer complètement dans l'énorme solitude qui les habitait » (p. 133). Ils en viendront à s'en prendre – réellement ou dans l'imagination hallucinée d'Abel ? – à Judith et en seront ensuite punis par le pharmacien véreux, amant de la mère, qui les fera émasculer par ses hommes de main.

Cet épisode assez grotesque, dans lequel les « oncles jumeaux » sont donnés comme des équivalents de Remus et Romulus, se présente ainsi comme une autre « leçon de choses » pour Abel. Parvenu au terme de son singulier apprentissage, au moment où il s'apprête à effectuer une première percée décisive dans une écriture qu'il a l'impression de mieux maîtriser, il est lui-même victime d'une attaque de poliomyélite qui met brusquement fin à ses espérances, lui interdisant l'accès, au moins provisoirement, aux « épiphanies salvatrices ».

C'est sur cette conclusion en forme de suspense que se termine le roman, qui est d'abord et avant tout le récit d'une naissance à l'écriture, cette « jument de la nuit ».

LA VENUE À L'ÉCRITURE : L'ÉTERNEL RETOUR

Si la poliomyélite compromet temporairement le passage à l'acte du futur écrivain, il reste que celui-ci, au terme de son initiation littéraire et sexuelle par Judith, est radicalement transformé[11]. Rue Drapeau, écrit le narrateur, il « apprenait à naître autrement, il apprenait à sortir de ses ténèbres comme le cheval de la mythologie chthonienne, il apprenait l'art du surgissement, il apprenait à galoper des entrailles de la terre aux abysses de la mer, il apprenait que de fils de la nuit il devait devenir celui du ciel » (p. 146).

C'est cette métamorphose, cette véritable résurrection, qui constitue le cœur du roman, Abel passant d'une conception de l'écriture comme révélation et expression de soi à une nouvelle conception visant la représentation d'autrui et du monde : « ce n'était pas le moi qui importait jamais comprend-il, ce n'était pas sa

---

11. Dans une formulation assez extraordinaire, ce double apprentissage est évoqué comme suit : « Il éjacula, tout le blanc-manger de son corps au bout de son stylo comme une prodigieuse phrase en mouvement, incendiaire » (p. 141).

propre vie qui importait jamais quand on se mettait à noircir du papier, mais la puissance tellurique dont les autres étaient pourvus », de telle sorte qu'il « fallait créer des milliers de petites roues porteuses de milliers de petites chaudières et ramasser dedans toute la pesanteur du monde et non pas seulement l'insignifiance de sa propre vie » (p. 137).

Ce dilemme opposant l'insignifiance de la vie individuelle à la pesanteur du monde sera dépassé plus tard dans une synthèse nouvelle : écrire, ce sera représenter le monde mais à partir de la position qu'on y occupe et par suite de la vision que l'on en a. Mais, à dix-huit ans, Abel n'en est pas là et ses lectures de l'époque l'inclineraient naturellement à privilégier plutôt une pratique de l'écriture comme expression de soi. Le narrateur le signale claire-ment en recourant abondamment, et non sans une certaine ironie sur fond de complicité, à ces lectures qu'il inscrit délibérément dans le tissu même du récit, s'en servant comme des générateurs d'écriture.

La jument de la nuit apparaît ainsi comme une vaste courte-pointe mettant à contribution les auteurs préférés de Beaulieu à l'époque où il avait lui-même l'âge de son héros. Chaque chapitre du roman est placé à l'enseigne d'une citation d'Isidore Isou, poète français à l'origine d'un courant littéraire, le lettrisme, qui fascine alors le romancier ; il semble en effet se reconnaître dans une pratique d'écriture privilégiant la forme, la musique, la lettre du texte, à son contenu, s'en inspirant dans ses tout premiers textes de création. Cependant, ce qu'il retient surtout d'Isou, c'est la dimension mystique du personnage, les citations placées en épigraphes étant tirées de son ouvrage, *Initiation à la haute volupté*. Or c'est une initiation de cet ordre – sexuelle et littéraire – qui est mise en scène dans le roman, chaque extrait d'Isou en annonçant une nouvelle étape sur un mode programmatique en quelque sorte.

Dans chacun des chapitres, Artaud, Bataille, Beckett, Gracq et Kafka sont aussi incorporés dans la texture du récit qui fait état d'une remarquable virtuosité dans le maniement de la pratique intertextuelle. Pour faire vite, à ce stade où il faut « conclure », je dirai que ces références remplissent deux fonctions cardinales dans le roman. Elles confirment, d'une part, le jeune écrivain Abel dans ce qu'il est et ce qu'il pense, elles l'aident à s'orienter dans son exis-tence comme dans son écriture, à se trouver et à s'assumer ; elles exercent donc une fonction essentielle dans la construction de son personnage. Elles suggèrent, d'autre part, des motifs à transposer, en les modifiant, dans ses propres créations ; c'est ainsi que la « chapelle des abîmes » de Gracq sert à Beaulieu de « modèle » pour l'autel érigé dans la chambre de Judith, autel symbolisant le lieu sacré des expériences initiatiques les plus extrêmes.

Avec le recul dont dispose le narrateur trente ans plus tard, il se dégage avec encore plus d'évidence que la littérature vivante se nourrit aussi bien de la connaissance du monde que de la lecture d'autrui. Cette conviction inspire visiblement Beaulieu depuis son entrée « officielle » en écriture, elle imprègne profondément toute son œuvre depuis lors.

Dans la jument de la nuit, c'est la genèse de cette conception et de cette pratique qui est évoquée dans un récit qu'on pourrait qualifier d'« archéologique » ; elle montre l'indissociable conjugaison de la fin et du début dans un mouvement d'éternelle reprise, d'éternel retour, qui constitue la singularité de cette entreprise. Sous divers avatars, à travers diverses formes, de nombreux personnages et des mises en situation apparemment dissemblables, l'écrivain ne poursuit qu'une seule fin : l'écriture d'un seul Livre, celui, sacré, des origines, de *La grande tribu* qui canalise l'ensemble de son immense production, depuis les premières tentatives balbutiantes jusqu'aux œuvres achevées les plus contemporaines.

(Automne 1995-hiver 1996)

BIBLIOGRAPHIE

I. Œuvre de Victor-Lévy Beaulieu

1968.   *Mémoires d'outre-tonneau*, Montréal, Les Éditions Estérel.

1969.   *La nuitte de Malcomm Hudd. Roman*, Montréal, Éditions du Jour.

1969.   *Race de monde. Roman*, Montréal, Éditions du Jour.

1971.   *Les grands-pères. Récit*, Montréal, Éditions du Jour.

1971.   *Pour saluer Victor Hugo*, Montréal, Éditions du Jour.

1972.   *Jack Kérouac. Essai-poulet*, Montréal, Éditions du Jour.

1972.   *Un rêve québécois. Roman*, Montréal, Éditions du Jour.

1973.   *Oh Miami, Miami, Miami. Roman*, Montréal, Éditions du Jour.

1974.   *Don Quichotte de la démanche*, Montréal, L'Aurore.

1974.   *En attendant Trudeau*, Montréal, L'Aurore.

1974.   *Manuel de la petite littérature du Québec*, Montréal, L'Aurore.

1976.   *Blanche forcée. Récit*, Montréal, VLB éditeur.

1976.   *Ma Corriveau*, suivi de *La sorcellerie en finale sexuée. Théâtre*, Montréal, VLB éditeur.

1976.   *N'évoque plus que le désenchantement de ta ténèbre, mon si pauvre Abel. Lamentation*, Montréal, VLB éditeur.

1977.   *Monsieur Zéro. Théâtre*, Montréal, VLB éditeur.

1977.   *Sagamo Job J. Cantique*, Montréal, VLB éditeur.

1978.   *Jos Connaissant. Roman*, Montréal, VLB éditeur.

1978.   *Monsieur Melville.* 3 vol. : 1. *Dans les aveilles de Moby Dick*, Montréal, VLB éditeur ; 2. *Lorsque souffle Moby Dick* ; 3. *L'après Moby Dick ou la souveraine poésie.*

1979.   *La tête de monsieur Ferron ou Les Chians, une épopée drôla-tique tirée du* Ciel de Québec *de Jacques Ferron*, Montréal, VLB éditeur.

1980.   *Una. Romaman.* Illustré par deux petites filles, Montréal, VLB éditeur.

1981.   *Satan Belhumeur. Roman,* Montréal, VLB éditeur.

1982.   *Moi Pierre Leroy, prophète, martyr et un peu fêlé du chaudron. Plagiaire,* Montréal, VLB éditeur.

1983.   *Discours de Sam. Comédie,* Montréal, VLB éditeur.

1984.   *Entre la sainteté et le terrorisme,* Montréal, VLB éditeur.

1985.   *Steven le hérault. Roman,* Montréal, Stanké.

1986.   *Chroniques polissonnes d'un téléphage enragé,* Montréal, Stanké.

1987-1991. *L'héritage. Roman.* 2 vol. T. I : *L'automne* ; t. II : *L'hiver,* Montréal, Stanké et Entreprises Radio-Canada.

1990.   *Votre fille peuplesse par inadvertance. Théâtre,* Montréal, Stanké.

1991.   *Docteur Ferron. Pèlerinage,* Montréal, Stanké.

1991.   *La maison cassée. Théâtre,* Montréal, Stanké.

1991.   *Pour faire une longue histoire courte. Entretiens avec Roger Lemelin et Victor-Lévy Beaulieu,* Montréal, Stanké.

1992.   *Seigneur Léon Tolstoï. Essai-journal,* Montréal, Stanké.

1993.   *La nuit de la grande citrouille. Théâtre,* Montréal, Stanké.

1994.   *Monsieur de Voltaire. Romancerie,* Montréal, Stanké.

1995.   *Le bonheur total. Vaudecampagne,* Montréal, Stanké.

1995.   *Le carnet de l'écrivain Faust,* Montréal, Stanké.

1995.   *La jument de la nuit. Roman,* Montréal, Stanké.

1996.   *Écrits de jeunesse. 1964-1969,* Trois-Pistoles, Éditions Trois-Pistoles.

1996.   *L'héritage. Théâtre,* Trois-Pistoles, Éditions Trois-Pistoles.

II. Études et ouvrages cités

ARAGON, Louis, *Théâtre/Roman,* Paris, Gallimard, 1974.

ARSENEAULT, Pauline, « Le discours du deuil chez Victor-Lévy Beaulieu », *Itinéraires et Contacts de cultures* (Paris), vol. 6, 1985, p. 27-36.

BEAUDOIN, Réjean, *Naissance d'une littérature,* Montréal, Boréal, 1989.

BEAULIEU, Victor-Lévy, « L'action dans le très urgent de sa littérature », entrevue dans *Chroniques,* vol. 1, n° 6-7 (juin-juillet 1975), p. 13-22.

BEAULIEU, Victor-Lévy, « Le livre du Québec », entrevue dans *Le Magazine littéraire,* (mars 1978), p. 69-70.

BEAULIEU, Victor-Lévy, « Victor-Lévy Beaulieu répond au questionnaire Marcel Proust », *L'illettré,* n° 1 (janvier 1970), p. 1-2.

BELLEAU, André, « Ryan, Scully, Victor-Lévy Beaulieu : un même langage de l'immobilité », *Liberté,* n° 92 (mars-avril 1974), p. 80-87.

BELLE-ISLE, Francine, « Corps et langage dans les voyageries de Victor-Lévy Beaulieu : là où la lettre volée fait signe et hystérise l'écriture », *Voix et images,* vol. 18, n° 1 (automne 1992), p. 26-38.

BESSETTE, Gérard, « *Oh Miami, Miami, Miami* et la thématique beaulieusienne », *Voix et images du pays,* vol. 9, 1975, p. 181-199.

BESSETTE, Gérard, *Trois romanciers québécois,* Montréal, Éditions du Jour, 1973. [Victor-Lévy Beaulieu, André Langevin et Gabrielle Roy.] (Survol diachronique, p. 113-128.)

BORIE, Jean, *Zola et les mythes. De la nausée au salut,* Paris, Éditions du Seuil, 1971.

BOUCHARD, Christian, « Le théâtre et la folle du logis », *Québec français,* n° 45 (octobre 1982), p. 52-53.

BROCH, Hermann, « Remarques à propos de La mort de Virgile », dans Création littéraire et connaissance, Paris, Gallimard, 1985.

BROCH, Hermann, *La mort de Virgile,* Paris, Gallimard 1955. (Repris dans la collection « L'imaginaire ».)

BROCH, Hermann, *Les Somnambules.* 2 tomes. Paris, Gallimard, [1931] 1986. (Coll. « L'imaginaire ».)

BROCH, Hermann, *Lettres.* Éditées par Robert Pick, Paris, Gallimard, 1961. (Coll. « Du monde entier ».)

CHAPUT, François, « Victor-Lévy Beaulieu, héritier d'un désir », *Tangence,* n° 41 (octobre 1993), p. 43-53.

CHASSAY, Jean-François, « L'obsession de connaître (Beaulieu face à Melville) », *Tangence,* n° 41 (octobre 1993), p. 69-85.

CLICHE, Anne Élaine, « Le rire de Sara ou la comédie du sacrifice », dans *Comédies. L'autre scène de l'écriture,* Montréal, XYZ éditeur, 1995, p. 41-51.

CÔTÉ, Jacques, « Rencontre avec le parrain ou la Vélybémanie », *Grémoire,* vol. 4, n° 8 (novembre 1981), p. 13-14.

COUTURE-LEBEL, Francine, et Michelle PROVOST, « Exercice de tir sur un *Rêve québécois* », *Stratégie,* no 5-6 (automne 1973), p. 89-110.

DORION, Gilles, « Victor-Lévy Beaulieu et le pouvoir des mots », *Québec français,* n° 45 (mars 1982), p. 47-49.

DORION, Gilles, « Victor-Lévy Beaulieu », entrevue dans *Québec français,* n° 45 (mars 1982), p. 69-70.

DUBÉ, Marcel, « Fulgurant et sincère, VLB s'ouvre au lecteur », entrevue dans *Le livre d'ici,* n° 24 (23 mars 1977).

DUBOIS, Jacques, « Un texte qui somatise ou le derrière de Judith », *Études françaises,* vol. 19, n° 1 (printemps 1983), p. 67-78.

DUMAIS, Doris, « Espace sonore. Entrevue avec Victor-Lévy Beaulieu », *Tangence,* n° 41 (octobre 1993), p. 113-128. [Sur l'écriture radiophonique.]

EN COLLABORATION, « Rencontre avec Victor-Lévy Beaulieu, écrivain », *Feuillets des jeunesses littéraires du Québec,* vol 3, n° 15-16 (août-septembre 1970), p. 14-23.

GAUVIN, Lise, et Gaston MIRON, « Victor-Lévy Beaulieu », dans *Écrivains contemporains du Québec depuis 1950,* Paris, Seghers, 1989.

GAUVIN, Lise, et Robert LAPLANTE, « Une entrevue avec Victor-Lévy Beaulieu. L'Irlande trop tôt », *Possibles,* vol. 5, n° 2, 1981, p. 87-98.

GERMAIN, Georges-Hébert, « Victor-Lévy Beaulieu, race d'écrivain », entrevue dans *L'Actualité,* vol. 16, n° 7 (juillet 1981), p. 34-38.

GUAY, Denis, « Métamorphose et saga chez Victor-Lévy Beaulieu », dans *Frontières et manipulations génériques dans la littérature canadienne francophone,* Actes du colloque organisé par l'Université d'Ottawa, 1992, p. 29-34.

GUAY, Denis, « Le sens littéraire de la métamorphose chez Victor-Lévy Beaulieu » dans Nicole FORTIN et Jean MORENCY, *Littérature québécoise. Les nouvelles voix de la recherche,* Québec, Nuit blanche éditeur, 1994, p. 47-53.

HAECK, Philippe, « Une veillée du corps », *Chroniques,* n° 16 (avril 1976), p. 38-39 ; repris dans *La table d'écriture. Poéthique et modernité. Essais,* Montréal, VLB éditeur, p. 187-199.

HAECK, Philippe, « Les yeux complémentaires », *Chroniques,* vol. 1, n° 6-7 (juin-juillet 1975), p. 75-84, passim.

JOYCE, James, *Dedalus. Portrait de l'artiste jeune par lui-même,* Paris, Gallimard, 1943. (Repris dans la collection « Folio ».)

JOYCE, James, *Stephen le héros,* Paris, Gallimard, 1948.

Kröller, Eva-Marie, « Postmodernism, Colony, Nation : the Melvillean texts of Bowering and Beaulieu », *Revue de l'Université d'Ottawa/University of Ottawa Quarterly,* vol. 54, n° 2 (avril-juin 1984), p. 53-61.

Lamontagne, André, « Entre le récit de fondation et le récit de l'autre : l'intertextualité dans *Don Quichotte de la démanche* », *Tangence,* n° 41 (octobre 1993), p. 32-42.

Lamy, Catherine, « De Victor Hugo à Jacques Ferron : les parcours d'une interaction », *Tangence,* n° 41 (octobre 1993), p. 86-94.

Lamy, Catherine et Jean Morency, « Entretien avec Victor-Lévy Beaulieu », Nuit Blanche, n° 51 (printemps 1993), p. 50-51.

Landry, Kenneth, « Victor-Lévy Beaulieu, biographe et amateur de "lecture-fiction" », *Québec français,* n° 45 (mars 1982), p. 50-52.

Le Clec'h, Guy, « Toujours de la famille », entrevue dans *Le Figaro littéraire,* n° 1438 (8 décembre 1973) p. III-15.

LeMoyne, Jean, *Convergences. Essais,* Montréal, Éditions HMH, 1961. (Coll. « Constantes ».)

Lewis, Manon, « L'héritage oécuménique. Lecture d'une mosaïque religieuse », *Tangence,* n° 41 (automne 1993), p. 95-111.

Lowry, Malcom, *Au-dessous du volcan,* Paris, Gallimard, 1959. (Repris dans la collection « Folio ».)

Lukács, Geörg, *La théorie du roman,* Paris Denoël/Gonthier, 1963.

Melançon, Benoît, « V.L.B. personnage et institution », *Études françaises,* vol. 19, n° 2, 1983, p. 5-16.

Mélançon, Robert, René Lapierre et Jacques Folch-Ribas, « Les romans de l'histoire », *Liberté,* n° 147 (juin 1983), p. 140-158.

Michon, Jacques, « Projet littéraire et réalité romanesque d'Abel Beauchemin », *Études françaises,* vol. 19, n° 1 (1983), p. 17-26

Michon, Jacques, « Fonctions et historicité des formes romanesques », *Études littéraires* (avril 1981), p. 66-69 et 72-74.

Michon, Jacques, « Les avatars de l'histoire : *Les grands-pères* de Victor-Lévy Beaulieu », *Voix et images,* vol. 5, n° 2 (hiver 1980), p. 307-318.

Milot, Louise, « "Les Voyageries" de Victor-Lévy Beaulieu : le voyage dans la fiction », dans Gilles Dorion et Marcel Voisin (dir.), *Voix d'un peuple, voies d'une autonomie,* Bruxelles, Éditions de l'Université de Bruxelles, 1985, p. 103-117.

MORENCY, Jean, « Américanité et anthropophagie littéraire dans *Monsieur Melville* », *Tangence,* n° 41 (octobre 1993), p. 54-68.

MORENCY, Jean, « La littérature américaine et la chasse à la baleine », *Nuit blanche,* n° 51 (mars, avril, mai 1982), p. 46-48.

NEPVEU, Pierre, « Abel, Steven et la souveraine poésie », *Études françaises,* vol. 19, n° 1 (printemps 1983), p. 27-40 ; repris dans *L'écologie du réel,* Montréal, Boréal, 1988. (Coll. « Papiers collés ».)

NEPVEU, Pierre, « Victor-Lévy Beaulieu : le mythe de l'écrivain », *La Nouvelle Barre du jour,* n° 63 (février 1978), p. 89-92.

PELLETIER, Jacques, « Victor-Lévy Beaulieu : l'intertextualité généralisée », *Tangence,* n° 41 (automne 1993), p. 7-31.

PELLETIER, Jacques, « Victor-Lévy Beaulieu : le livre et l'histoire », *Archives des lettres canadiennes. Roman contemporain (1960-1985),* 1990, p. 115-133 ; repris dans *Le poids de l'histoire. Littérature, idéologies, société du Québec moderne,* Québec, Nuit blanche éditeur, 1995, p. 115-140. (Coll. « Essais critiques ».)

PELLETIER, Jacques, « Victor-Lévy Beaulieu. De la vrai saga des Beauchemins aux querelles d'héritage des Galarneau : la quête de l'épépée », dans *Le roman national. Néo-nationalisme et roman québécois contemporain,* Montréal, VLB éditeur, 1991, p. 101-180. (Coll. « Essais critiques ».)

PELLETIER, Jacques, « Victor-Lévy Beaulieu, écrivain professionnel », entrevue dans *Voix et images,* vol. 3, n° 2 (printemps 1977), p. 117-200.

PELLETIER, Jacques, « Une exploration de l'enfer québécois », *Voix et images,* vol. 3, n° 2 (printemps 1977), p. 201-229 ; repris dans *Lecture politique du roman québécois contemporain,* Montréal, UQAM, Cahiers du Département d'études littéraires, n° 1, 1984.

POULIN, Gabrielle, « Le pays de la "démanche" et des "voyageries" », dans *Roman du pays 1968-1979,* Montréal, Éditions Bellarmin, p. 371-438

RACELLE-LATIN, Daniel, « Victor-Lévy Beaulieu ou la crise narcissique de l'écrivain québécois. Lecture transversale des textes narratifs en vue d'une mise en perspective des voyageries », dans *Lectures européennes de la littérature québécoise. Actes du Colloque international de Montréal,* avril 1981, p. 188-208.

RICARD, François, « L'amitié critique ou la demi-métamorphose (MVL, VLB, PV) », *Liberté,* mars-avril 1979, p. 113-123.

RICARD, François, « Une certaine idée de nous-mêmes », *Liberté,* nº 99 (mai-juin 1975), p. 93-105.

ROCHETTE, Lise, « La narration filoutée : *Sagamo Job J.* », *Études françaises,* vol. 19, nº 1 (printemps 1983), p. 59-66.

ROYER, Jean, « Victor-Lévy Beaulieu. Le prix de l'écriture », dans *Romanciers québécois. Entretiens,* Montréal, L'Hexagone, 1992, p. 63-67.

SAINT-MARTIN, Lori, « Mise à mort de la femme et "libération" de l'homme : Godbout, Aquin, Beaulieu », *Voix et images,* vol. 10, nº 1 (1984), p. 107-117.

VAILLANCOURT, Pierre-Louis, « Entrevue : Victor-Lévy Beaulieu, lecteur », *Lettres québécoises,* nº 14 (avril-mai 1979), p. 8-13.

VANASSE, André, « Analyses de textes – Réjean Ducharme et Victor-Lévy Beaulieu : les mots et les choses », *Voix et images,* vol. 3, nº 2 (1977), p. 230-243.

VANASSE, André, « Victor-Lévy Beaulieu : à la recherche du mystère du bout de la Queue de Christ », *Livres et auteurs québécois,* 1972, p. 385-396 ; repris dans *Le père vaincu, la méduse et les fils castrés. Psychocritique d'œuvres québécoises contemporaines,* Montréal, XYZ éditeur, 1990, p. 45-58. (Coll. « Théorie et littérature ».)

WARNER, Christiane, « La syntaxe érotique ou (l'inter dit) dans *Beautiful Losers* et *La nuitte de Malcolm Hudd* », dans *Romans et intertextes II* (devenu numéro spécial de la *Revue canadienne de littérature comparée,* mars 1985, p. 56-87.

WEISS, Jonathan M., « Victor-Lévy Beaulieu : écrivain américain », *Études françaises,* vol. 19, nº 1 (printemps 1983), p. 41-58.

WHITFIELD, Agnès, « *Blanche forcée* ou la problématique du voyage chez Beaulieu », *Voix et images,* vol. 5, nº 1, p. 165-176.

ZÉRAFFA, Michel, *La révolution romanesque,* Paris, Klincksieck, 1969.

III. Mémoires et thèses

AUGER, Sylvie, « La québécitude dans l'œuvre téléromanesque Race de monde de Victor-Lévy Beaulieu ». Mémoire de maîtrise, Trois-Rivières, Université du Québec à Trois-Rivières, 1988.

BONIN, Ric, « Le signe Amérique chez Victor-Lévy Beaulieu et Jacques Poulin ». Mémoire de maîtrise, Montréal, Université de Montréal, 1993, 123 f.

CADIEUX, Josée, « La structure érotique dans l'univers imaginaire de Victor-Lévy Beaulieu ». Mémoire de maîtrise, Québec, Université Laval, 1990, 109 f.

CAILHIER, Diane, « Le désir de puissance chez quatre romanciers québécois ». Mémoire de maîtrise, Montréal, Université de Montréal, 1975, 136 f. [Sur Claude Jasmin, Marie-Claire Blais, Hubert Aquin et Victor-Lévy Beaulieu.]

CAMIRE, Hélène, « Hétérosexualité et homosexualité dans l'œuvre romanesque de Victor-Lévy Beaulieu ». Mémoire de maîtrise, Montréal, Université du Québec à Montréal, 1986, 121 f.

FORTIN, Simon, « Le poète fictif : représentation du poète et de la poésie dans les œuvres de Victor-Lévy Beaulieu et de Réjean Ducharme ». Mémoire de maîtrise, Montréal, Université du Québec à Montréal, 1994, 87 f.

GAUDET, Gérald, « Désirs, sensibilité et signification dans *Un rêve québécois* de Victor-Lévy Beaulieu ». Mémoire de maîtrise, Québec, Université Laval, 1978, 161 f.

LEWIS, Manon, « À la conquête de *l'Héritage* : lecture religioligique du téléroman de Victor-Lévy Beaulieu ». Thèse de doctorat en sciences des religions, Montréal, Université du Québec à Montréal, 1994, 163 f.

MELANÇON, Benoît, « Victor-Lévy Beaulieu. Institution, personnage, texte ». Mémoire de maîtrise, Montréal, Université de Montréal, 1984, 163 f.

NADEAU, Yves, « Victor-Lévy Beaulieu : ou le "roman familial" ». Mémoire de maîtrise, Montréal, Université du Québec à Montréal, 1982, 167 f.

WHITFIELD, Agnès, « La problématique du dire dans les romans de Victor-Lévy Beaulieu ». M.A. Theisis, Kingston (Ontario), Queen's University, 1976, 439 f.

IV. Dossiers consacrés à Victor-Lévy Beaulieu dans les périodiques

Études françaises, vol.19, nᵒ 1 (printemps 1993)

Nuit blanche, nᵒ 51 (mars, avril, mai 1993)